Champignons à lamelles

Champignons à replis ramifiés

Champignons à pores

Champignons à aiguillons

Champignons à alvéoles

Autres formes

250
CHAM

MAURICE THIBAULT

PIGNONS

DU QUÉBEC
ET DE L'EST DU CANADA

ÉDITIONS DU TRÉCARRÉ

Conception graphique : Dufour & fille, Design
Illustrations : Maurice Thibault
Photographies : Maurice Thibault, Charles-André Chamberland, Le Cercle des Mycologues de Québec
Dactylographie : Hélène Boily

ISBN 2-89249-255-6

Dépôt légal – 3e trimestre 1989
Bibliothèque nationale du Canada

Imprimé au Canada

Éditions du Trécarré
Saint-Laurent (Québec) Canada
2 3 4 5 96 95 94

Sommaire

Préface

UN soir de cours, quelqu'un avait apporté un nouveau livre sur le sujet qui nous intéresse et plusieurs personnes s'étaient groupées autour de lui. L'une d'entre elles s'exclama: « Encore un livre sur les champignons! » et la réplique vint rapidement: « Un livre sur les champignons, c'est comme un livre sur les oiseaux ou sur la gastronomie, on peut en avoir beaucoup, mais on n'en a jamais trop, car chacun apporte quelque chose de nouveau. »

De fait, *250 Champignons du Québec et de l'est du Canada* est un livre qui apporte certainement une nouvelle approche et un point de vue différent dans l'étude des espèces. Maurice Thibault, botaniste de profession et mycologue par choix, a voulu éviter de présenter une classification trop scientifique et a ainsi rendu moins rébarbative l'étude de la mycologie. Il insiste surout sur les traits caractéristiques de chaque espèce, les illustre en gros plan, faisant ressortir les différences et les traits particuliers à chacune. À la lecture de cet ouvrage, le néophyte se laissera sûrement captiver par le sujet et, nous l'espérons aussi, emporter par l'enthousiasme de l'auteur.

René Cauchon

Remerciements

JE tiens à remercier tout particulièrement Denis Lachance, Gaston Laflamme et André Lavallée qui m'ont facilité l'accès au laboratoire de pathologie et mycologie forestière du Centre de recherches forestières des Laurentides. Je sais gré à Robert Gauthier de m'avoir facilité l'accès à l'herbier Louis-Marie. Michelle Boivin, Sylvie Fiset et Claude Roy m'ont apporté une aide précieuse dans la réalisation de l'herbier. Charles-André Chamberland a bien voulu me fournir les photographies nécessaires à l'élaboration de cet ouvrage. Je remercie également André Carpentier pour sa participation photographique, Jocelyn Boily pour son aide dans la réalisation du manuscrit, René Cauchon pour son appui précieux durant de nombreuses années, Hélène Boily pour la rédaction et la correction du manuscrit.

Je tiens aussi à remercier des personnes qui de près ou de loin m'ont aidé dans la réalisation de cet ouvrage et je cite : Jacques Bélanger, Sylvie Champagne, Gaétan Larochelle, France Morin, Nicole Parent, Marie Pelletier, Céline Tanguay, René Boutet, Lise Dionne, Diane Perron, Bernard Dubois et André Belle-Isle.

Introduction

LES champignons représentent environ 150 000 espèces réparties dans à peu près toutes les régions du monde ; ils sont dépourvus de pigments chlorophylliens et ne peuvent donc pas fabriquer leurs propres substances nutritives, ce qui les oblige à vivre en dépendance avec d'autres organismes vivants ou morts : ce sont des végétaux hétérotrophes. Certains champignons vivent en parasites, ce qui signifie qu'ils doivent se nourrir à partir d'organismes vivants et causent ainsi des maladies plus ou moins graves aux plantes et aux animaux. Les trois quarts environ des maladies des plantes sont causées par des champignons parasites. Certains autres champignons vivent en étroite association afin d'échanger et de rendre disponibles les matières nutritives nécessaires à leur survie, c'est la symbiose. En exemple, citons les champignons mycorhizateurs et les lichens. Enfin, les champignons saprophytes qui se nourrissent de matières organiques mortes les décomposent et améliorent ainsi le pouvoir de fertilité des sols. Les champignons croissant sur des souches ou des troncs d'arbres morts en sont des exemples.

Les champignons ont été considérés pendant longtemps comme des phénomènes mystérieux ; on leur prêtait même des pouvoirs magiques, merveilleux ou diaboliques. Certaines populations d'Amérique centrale, les Mayas en particulier, les consommaient lors de rituels religieux pensant s'enivrer de la chair des dieux. Au treizième siècle avant notre ère, des populations indigènes du Guatemala ont sculpté dans la pierre des idoles représentant des champignons. Les populations aryennes de la vallée de l'Indus, deux mille ans avant Jésus-Christ, avaient un dieu nommé « Soma » qui était représenté par l'Amanite tue-mouche. Il donnait l'ivresse et l'allégresse lors des fêtes religieuses. Et bien d'autres populations, comme les Samoyèdes de Sibérie et les populations kumas de Nouvelle-Guinée australienne, les consommaient pour les hallucinations ou l'ivresse qu'ils procuraient. Pendant que certains peuples les considéraient comme des êtres magiques, aux pouvoirs merveilleux, d'autres en faisaient des êtres diaboliques. Dans l'Antiquité, les champignons étaient perçus comme malfaisants tout comme le serpent et le crapaud. Dans le domaine des légendes et des traditions, certains Bretons croyaient jusqu'à tout récemment qu'ils retenaient tout le venin de la terre parce qu'ils croissent souvent là où nichent les crapauds.

Les Romains, à l'opposé des Grecs, consommaient plusieurs espèces de champignons, en particulier l'Oronge vraie ou Amanite des Césars, qu'ils considéraient comme étant de la nourriture venue des dieux ; au contraire, Galien et Hippocrate, les deux grands médecins grecs, les citaient comme dangereux et en déconseillaient la consommation.

Depuis fort longtemps, les populations européennes et asiatiques cueillent et consomment des champignons. Cette tradition gastronomique s'est répandue en Amérique du Nord depuis environ une cinquantaine d'années. Les champignons ne sont cependant pas tous comestibles. En effet, certains d'entre eux peuvent causer des intoxications parfois très sérieuses, sinon irréversibles, comme c'est le cas pour l'Amanite vireuse. L'amateur devra souvent consulter des personnes déjà initiées à la mycologie en plus des ouvrages sérieux qu'il lira sur le sujet. L'ignorance et l'insouciance de certains cueilleurs entraînent parfois des accidents mortels.

L'histoire nous rapporte que l'épouse et les trois enfants d'Euripide, le grand dramaturge grec (480 à 405 avant Jésus-Christ), furent empoisonnés mortellement par des champignons vénéneux. Au seizième siècle, le pape Clément VII mourut intoxiqué par des champignons. Quant à l'empereur romain Claude, il avait été empoisonné par son épouse Agrippine. Bien d'autres cas d'intoxications plus ou moins sévères se sont produits et cela beaucoup plus récemment. Au Québec, dans la région de Joliette, en juin 1984, un homme dans la cinquantaine fut gravement intoxiqué après avoir consommé une quantité non négligeable d'Amanites tue-mouche. Après avoir passé quatre jours dans un état presque comateux, il survécut à l'expérience. Malheureusement, d'autres n'ont pas eu cette chance. En fait il existe très peu de champignons toxiques. Par contre de nombreuses espèces comestibles très appréciées font l'objet d'une cueillette annuelle de la part des amateurs. Pensons aux Morilles, aux Psalliotes, aux Tricholomes équestres, aux Pieds Bleus, aux Chanterelles, aux Bolets et à quelques

Amanites comme l'Amanite de Jackson... Ce sont tous d'excellents champignons qui rehaussent la saveur des plats. D'autres espèces moins intéressantes pour le consommateur contribuent d'une façon directe ou indirecte à la production de certaines denrées alimentaires comme dans le cas de certains fromages, la confection de la bière, du vin, du pain et de bien d'autres produits de fermentation. La pénicilline, si souvent utilisée en médecine, est extraite d'un champignon appelé « Penicillium chrysogenum », alors que de nombreux autres champignons servent à préparer des antibiotiques, des anabolisants et des drogues.

Nous devons à Pline l'Ancien, le naturaliste romain, auteur d'un ouvrage d'histoire naturelle, la première description des Amanites. Plus tard, Charles de Lécluse (1526-1609) consacra une partie de son œuvre à la description systématique de 105 espèces de champignons. Mais c'est à Élias Magnus Fries (1794-1878) que l'on doit une véritable description des champignons : il entreprit le recensement systématique de 2770 espèces, ce qui lui valut le nom de « père de la mycologie descriptive ». Plus récemment, en Europe, Kühner et Romagnesi décrivaient 3800 espèces de champignons, dont les Agarics, les Bolets et les Chanterelles. Et que dire des mycologues nord-américains qui contribuent sans cesse à l'élaboration et à la description de la flore mycologique de nos contrées ! J'en cite quelques-uns : Gussow, Odell, Walton Groves, René Pomerleau, Orson K. Miller jr., Bigelow et Smith, Walter Snell et Esther Dick, Lowe, Overholts, Ziller, Ginns et Redhead.

Nous espérons que cet ouvrage facilitera au lecteur l'identification et la reconnaissance des principaux champignons comestibles et vénéneux, et permettra aux gastronomes de profiter de belles saisons de cueillette.

Comment utiliser ce volume?

EN tout premier lieu, le cueilleur se référera au guide d'identification afin de déterminer le groupe dans lequel se trouvent les champignons qu'il a récoltés. Les groupes se répartissent en six sections de couleurs différentes qu'on peut facilement repérer dans le livre.

- Le premier groupe (section bleue) comprend les champignons à lamelles, comme les Amanites, les Lépiotes, les Psalliotes, les Russules, les Lactaires, etc.
- Le deuxième groupe (section orange) représente les champignons à replis. Les Chanterelles en sont un exemple.
- Le troisième groupe (section verte) regroupe les champignons à tubes ou poreux comme les Polypores.
- Le quatrième groupe représente les champignons à aiguillons comme les Hydnes.
- Le cinquième groupe (section brune) est représenté par les champignons à fossettes et à alvéoles. Les Morilles, les Verpes, les Gyromitres et les Helvelles en sont des exemples.
- Le sixième groupe (section rouge) comprend des champignons de formes variables. À partir des schémas et des caractères décrits par le guide, l'utilisateur pourra déterminer dans bien des cas à quel genre appartient tel ou tel spécimen qu'il a récolté. Pour déterminer l'espèce, il faut bien entendu consulter le livre et bien interpréter les descriptions qu'il donne et consulter les schémas explicatifs accompagnant les photographies. Les signes qui accompagnent les descriptions constituent un code: ils vous disent si telle espèce est comestible ou non, décrivent l'habitat dans lequel elle croît, indiquent si l'espèce est humicole ou lignicole, et durant quelle période de l'année on peut la récolter (planche 1). Le texte approfondit davantage ces coordonnées. Chaque espèce est accompagnée de son nom scientifique et du nom d'utilisation courante, c'est-à-dire, ici, français. Citons un exemple:

Strophoria hornemannii Fr. « Strophaire lacéré »

Stropharia : genre auquel le champignon appartient.
hornemannii : espèce qui le caractérise comme entité.

L'abréviation « Fr. » signifie que l'identification et l'assignation du genre et de l'espèce ont été données par un botaniste mycologue du nom de Fries, soit Élias Magnus Fries.

Nous devons aussi signaler que ce livre est conçu uniquement pour des mycologues amateurs et qu'il n'est qu'une vulgarisation d'ouvrages plus spécialisés.

Excellent comestible

Très bon comestible

Comestible acceptable

Comestible sans intérêt ou à rejeter

Toxique

Mortel

Forêt de conifères
Forêt de feuillus
Forêt mélangée
Boisé arbustif, buisson, bosquet, bois ouvert.
Pré, clairière, champ, pâturage, parc.
Tourbière.
Pelouse.
Paillis, crottin, bois pourri, sciure, copeaux.
Jardin, plantation.
Fruit et légume.
H Humicole
L Lignicole
Printemps
Été
Automne

Généralités

Anatomie et morphologie des champignons

La partie visible et charnue du champignon est une fructification portée par un enchevêtrement de minuscules filaments dont l'ensemble forme le mycélium. Si l'on compare le champignon à un arbre, le champignon représente le fruit et le mycélium l'arbre qui est souterrain. La fructification ou le champignon (fig. 1) est formé d'un chapeau, d'un hyménium ou partie fertile, d'un pied portant parfois un anneau et parfois muni d'une volve. En coupant un champignon, on verra qu'il est formé d'une pellicule ou cuticule généralement mince et quelquefois facilement séparable de la chair : celle-ci peut être mince ou charnue suivant le sujet. Le champignon comprend aussi un hyménium formé de lamelles, de replis, de tubes, d'aiguillons, d'alvéoles ou de fossettes, mais, chez certaines espèces, l'hyménium peut être interne (ex. : le Sléroderme vulgaire et les Lycoperdons ou Vesses-de-loup), ou externe, souvent en surface (ex. : les Pézizes, les Clavaires, etc.). Enfin le champignon comprend également un pied qui peut être très variable par sa forme et par son anatomie. Nous ne décrirons pas tous les caractères anatomiques et morphologiques constituant les champignons, les schémas qui suivent valant mieux qu'un long discours.

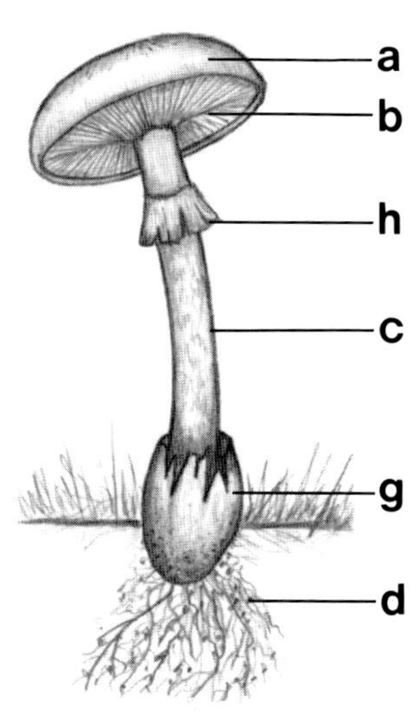

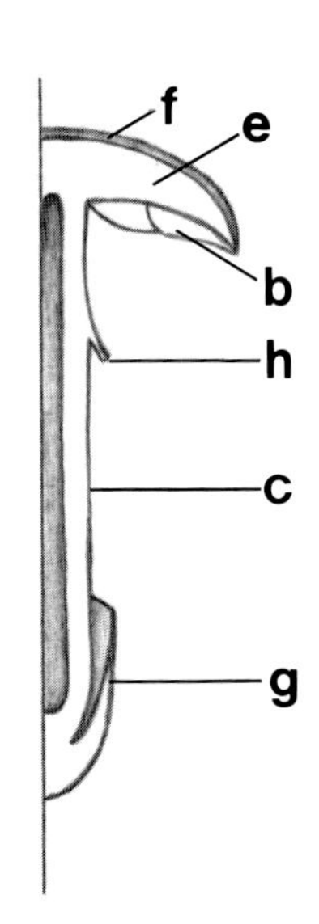

a) chapeau
b) hyménium formé de lamelles
c) pied parfois plein ou creux
d) mycélium
e) chair
f) cuticule
g) volve
h) anneau

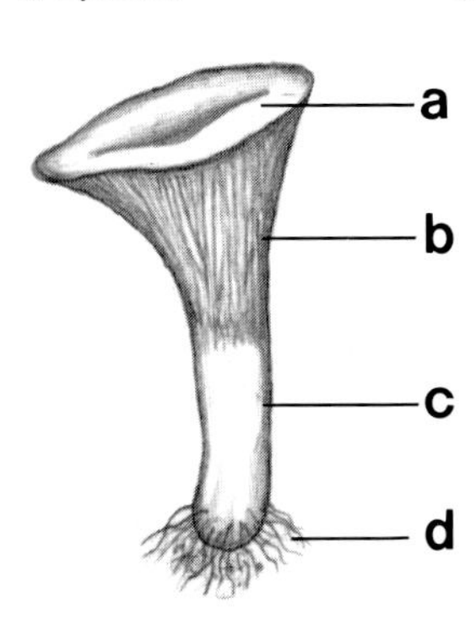

a) chapeau
b) hyménium à replis
c) pied parfois plein ou creux
d) mycélium

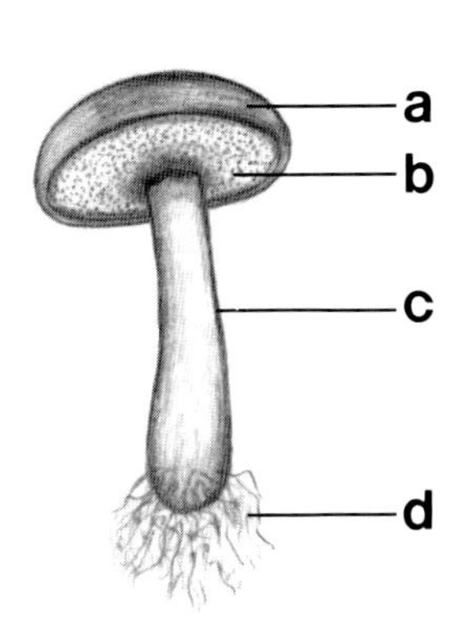

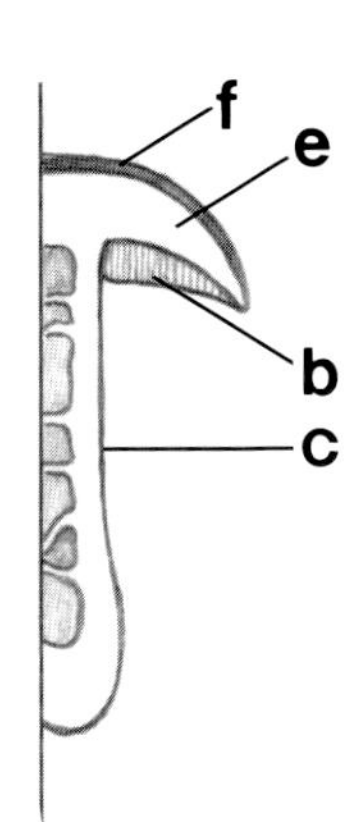

a) chapeau
b) hyménium formé par des tubes « hyménium poreux »
c) pied parfois creux ou lacuneux
d) mycélium
e) chair
f) cuticule

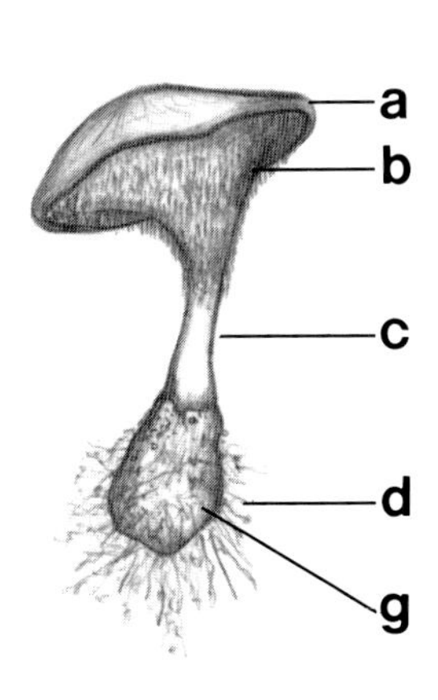

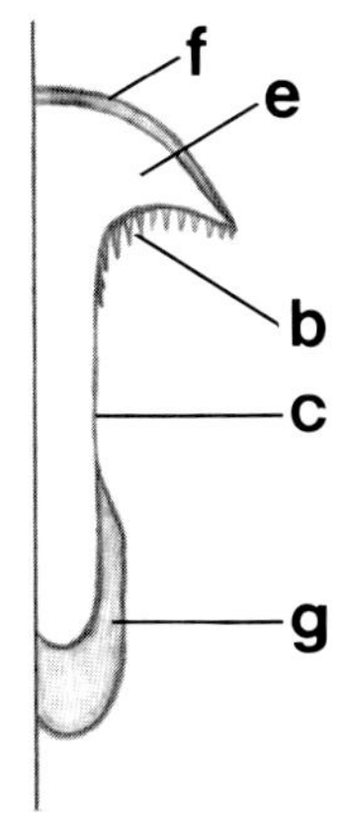

a) chapeau
b) hyménium formé d'aiguillons
c) pied
d) mycélium
e) chair
f) cuticule
g) manchon recouvrant la base du pied

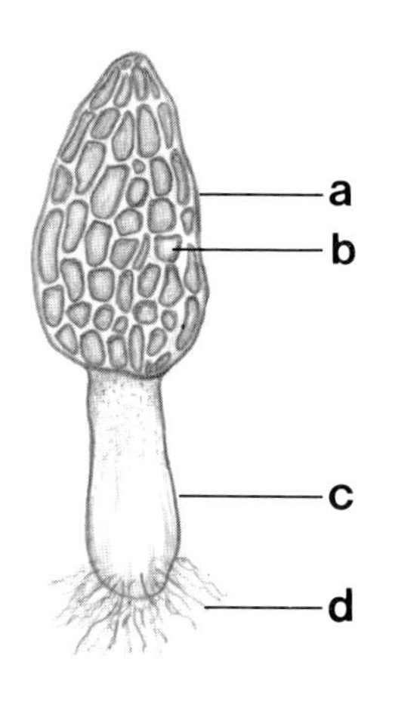

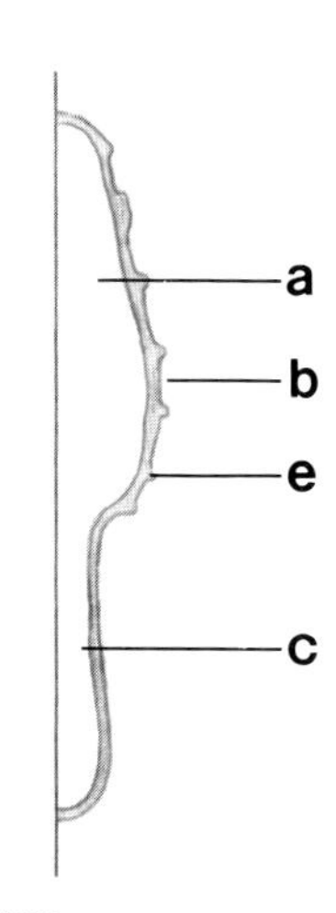

a) chapeau creux
b) alvéole dont l'ensemble forme l'hyménium
c) pied creux
d) mycélium
e) chair mince

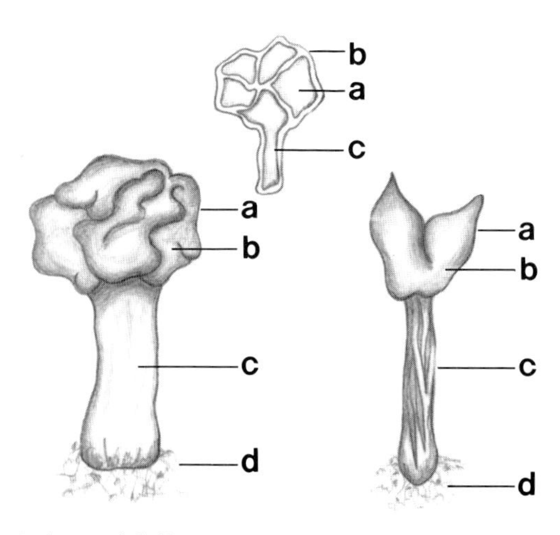

a) chapeau cérébriforme creux ou lacumeux
b) hyménium de surface
c) pied creux
d) mycélium

a) chapeau en forme de selle creux ou lacumeux
b) hyménium de surface
c) pied creux ou lacumeux
d) mycélium

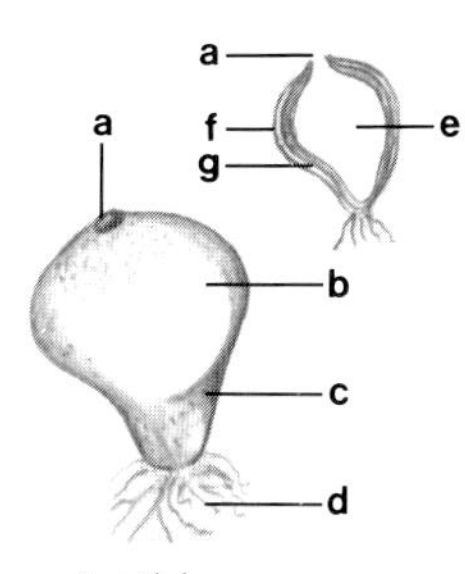

a) ostiole
b) carpophore
c) pied
d) mycélium
e) glèbe
f) exopéridium
g) endopéridium

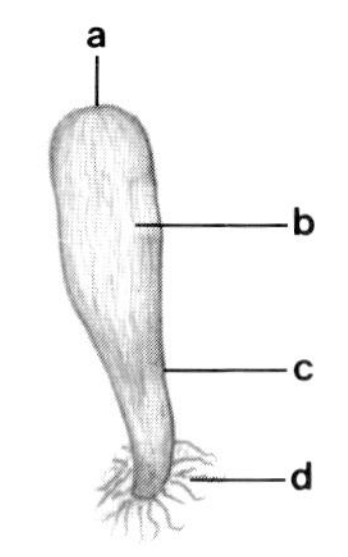

a) carpophore
b) surface fertile ou hyménium de surface
c) pied ou tronc
d) mycélium

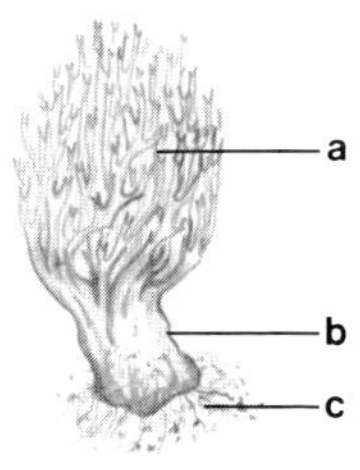

a) rameaux et ramilles
b) pied
c) mycélium

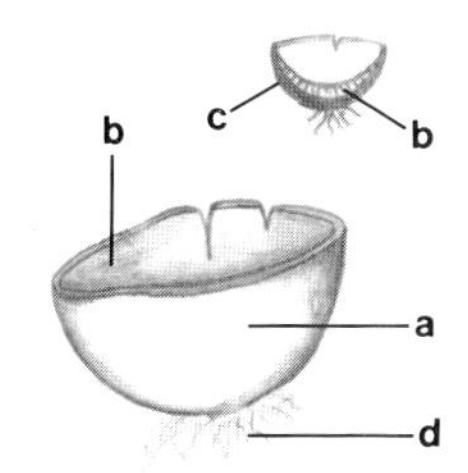

a) ascocarpe
b) hyménium
c) chair
d) mycélium

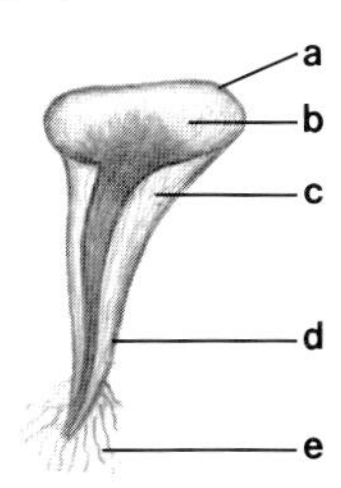

a) carpophore
b) surface supérieure stérile
c) surface inférieure fertile
d) pied
e) mycélium

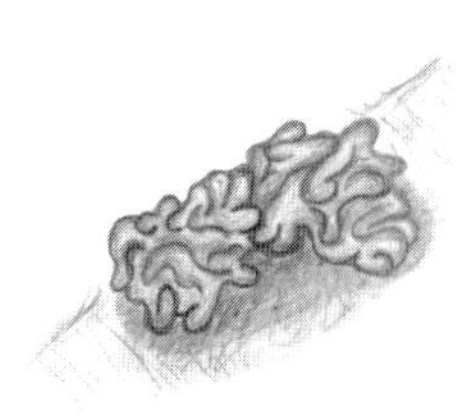

masse cérébriforme

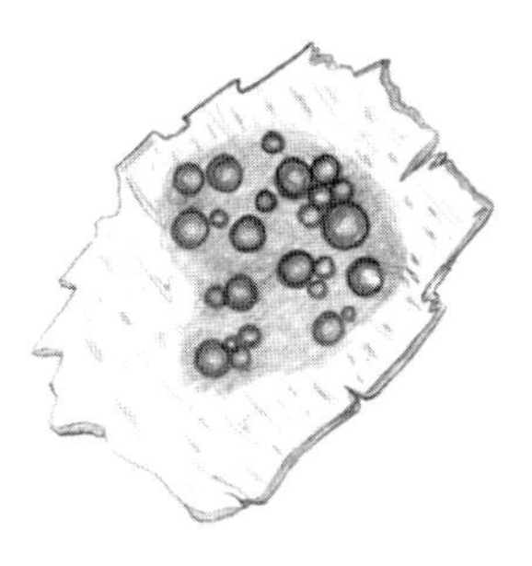

masses sphériques ou sphères

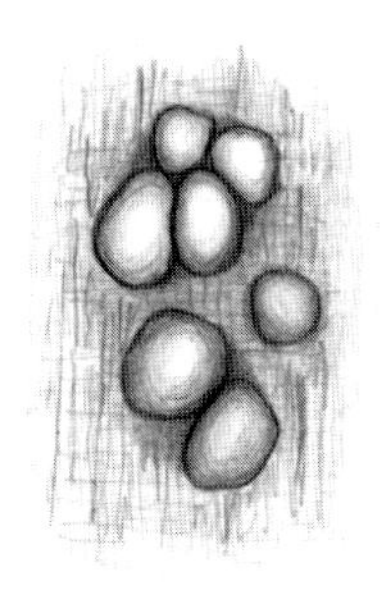

masses globuleuses

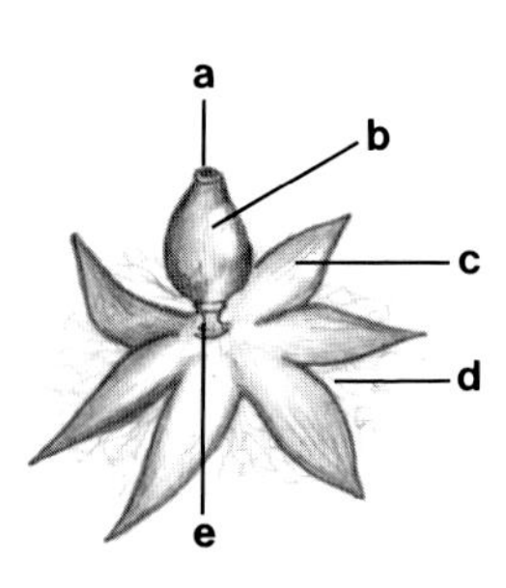

a) ostiole
b) endopéridium enveloppant la glèbe intérieure (ou hyménium interne)
c) exopéridium
d) Hyménium (ou glèbe intérieure)
e) pédicelle ou petit pied

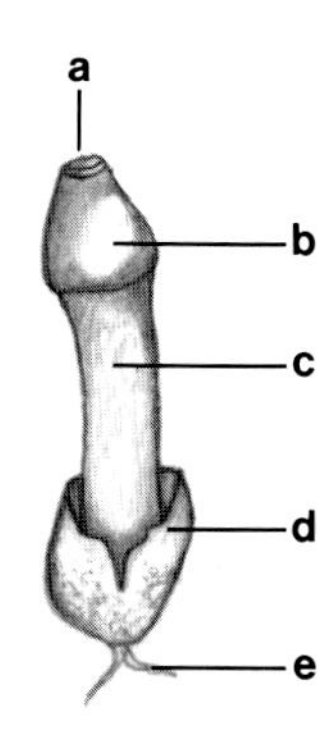

a) ostiole
b) chapeau avec glèbe extérieure
c) pied
d) volve
e) cordonnet mycélien ou rhizomorphe

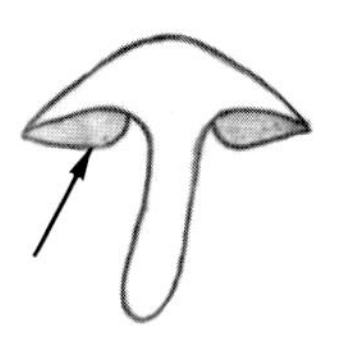

lamelles libres

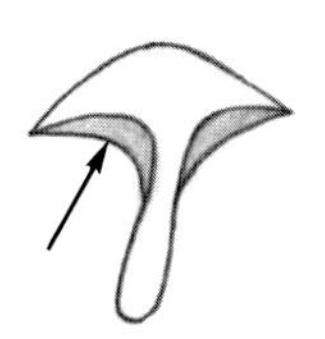

lamelles
décurrentes

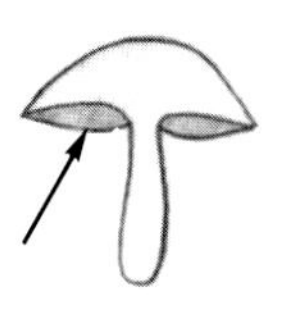

lamelles
adnées

lamelles
entières

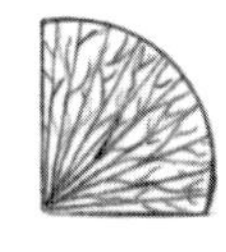

lamelles
interveinées

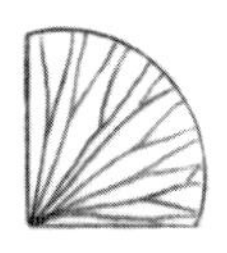

lamelles
fourchues ou
ramifiées

lamelles
échancrées,
émarginées
ou sinuées

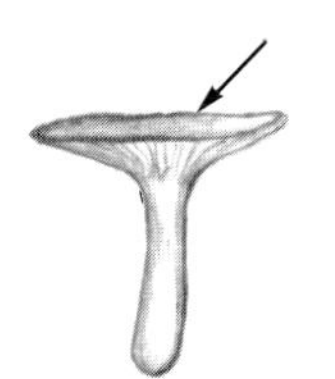

plat ou étalé

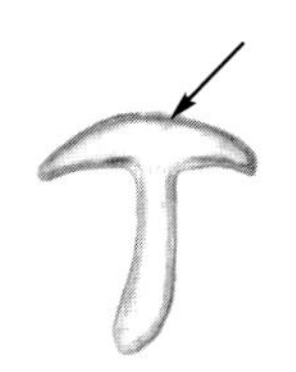

convexe

campanulé

conique

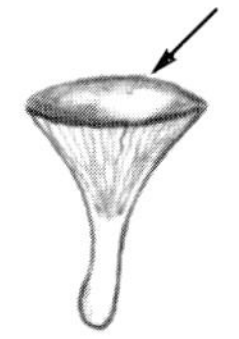

en entonnoir

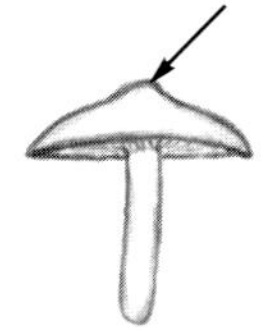

mamelonné

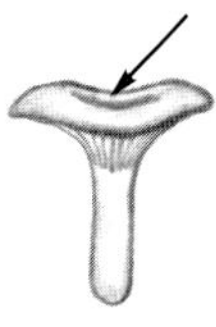

déprimé

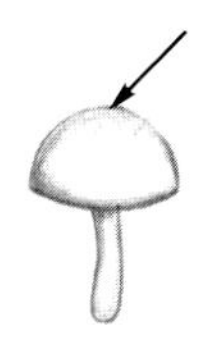

hémisphérique ou en demi-sphère

marge lisse

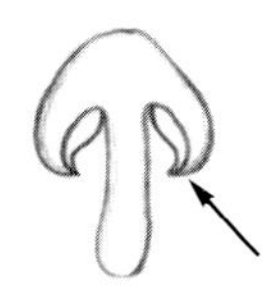

marge enroulée

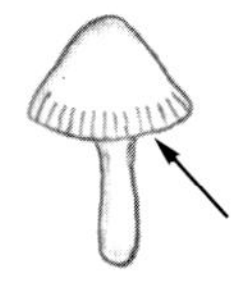

marge striée

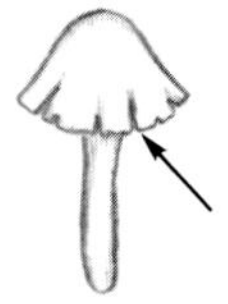

marge craquelée ou fendillée

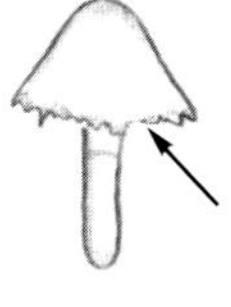

marge laciniée

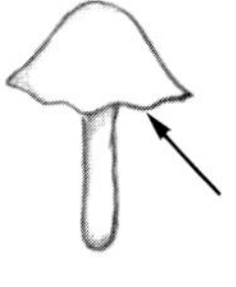

marge ondulée

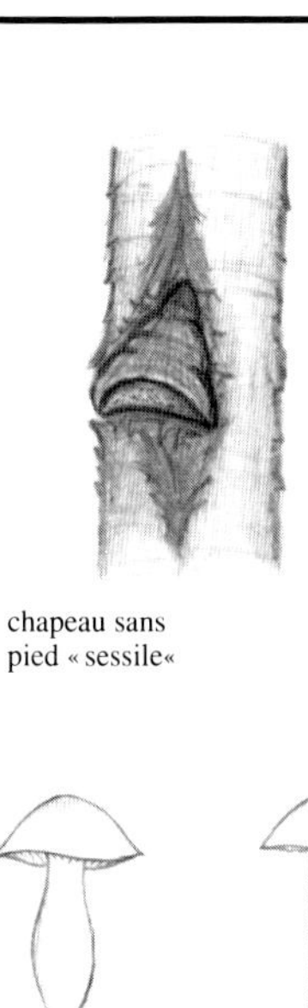

chapeau sans
pied « sessile«

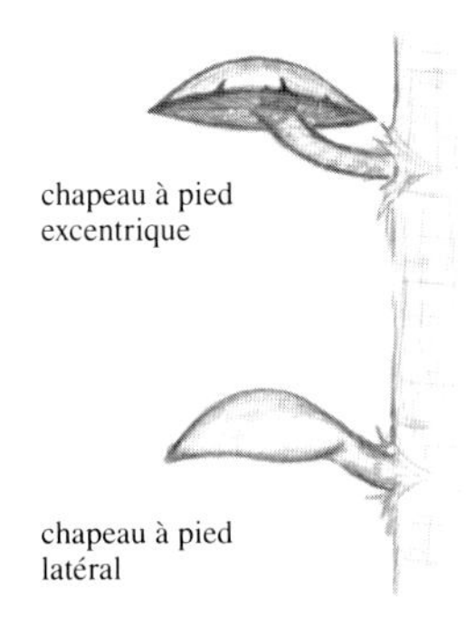

chapeau à pied
excentrique

chapeau à pied
latéral

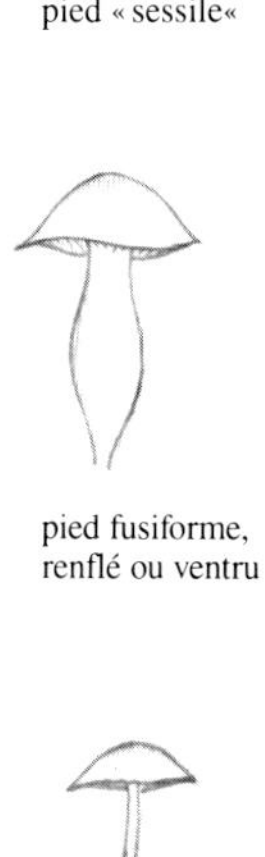

pied fusiforme,
renflé ou ventru

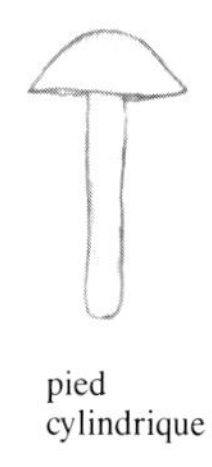

pied
cylindrique

pied bulbeux

pied radicant

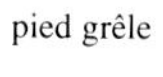

pied grêle

pied aminci à
la base

pied sinué

pied torse

pied réticulé

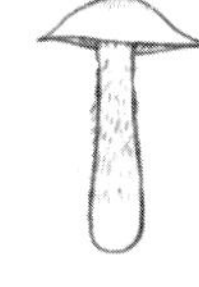

pied fibrilleux

pied écailleux

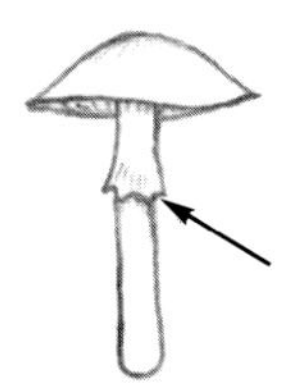

pied muni d'un anneau
fixe et simple

pied muni d'un anneau
mobile et simple

pied muni d'un anneau double

pied muni d'une cortine

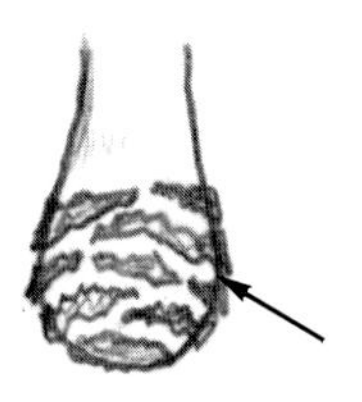

pied à volve floconneuse
« texture fragile »

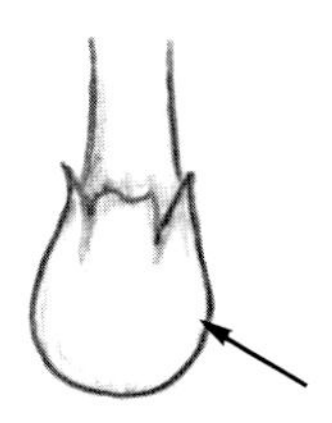

pied à volve membraneuse
« texture solide et résistante »

La reproduction des champignons

Afin de mieux comprendre le mode de reproduction des champignons supérieurs, nous avons représenté ici le mode de reproduction des champignons à lamelles. Ce mode de reproduction est sexué et nécessite bien entendu des spores de signe positif (+) et des spores de signe négatif (–). Nous savons que le champignon est en réalité la fructification produite par un mycélium souterrain. À maturité, l'hymélium ou partie fertile située sous le chapeau libère des spores positives et négatives (+ et –) qui germeront sous terre pour donner naissance à un amas de filaments appelé mycélium. Le mycélium formé par chaque type de spores, soit les spores (+) et les spores (–), est appelé mycélium primaire. Des deux filaments formés par les spores (+) et les spores (–) naîtra un mycélium secondaire issu de leur fusion respective. Ce mycélium secondaire produira des fructifications d'abord appelées « primordium » ou plus vulgairement « œuf » ou « bouton ». Ce primordium se développera pour former encore une fois une fructification appelée champignon. Ce mode de reproduction représente uniquement une partie des champignons qui intéressent les gastronomes. La reproduction sexuée est à peu près la même pour les champignons à lamelles, à replis, à tubes ou à pores, à aiguillons, à alvéoles ou à fossettes, etc. Cependant on dit que certains champignons se reproduisent d'une façon asexuée. On les nomme champignons imparfaits.

Reproduction d'un champignon

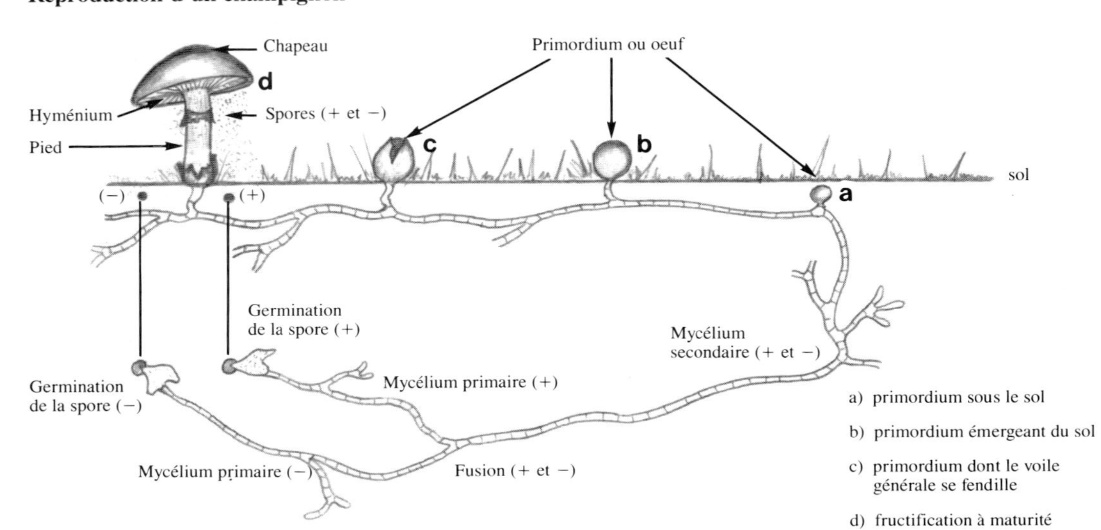

a) primordium sous le sol

b) primordium émergeant du sol

c) primordium dont le voile générale se fendille

d) fructification à maturité

Comment faire une sporée?

La récolte des spores nécessite qu'on prenne des précautions. Aussi, suggère-t-on deux méthodes de cueillette. Dans l'une, on utilise le champignon au complet (A); et dans l'autre, le chapeau uniquement (B). Pour chaque sporée, il est souhaitable de déposer les spores sur deux papiers de couleur différente, l'un noir pour les spores pâles et l'autre blanc pour les spores de couleur.

Si vous trouvez un papier bleu, c'est l'idéal. Il n'y a pas de sporée bleue. Il est toujours préférable d'en faire au moins une sur papier blanc pour détecter la faible coloration de certaines sporées; celles-ci peuvent être crème, rose très pâle, lilas ou jaune pâle.

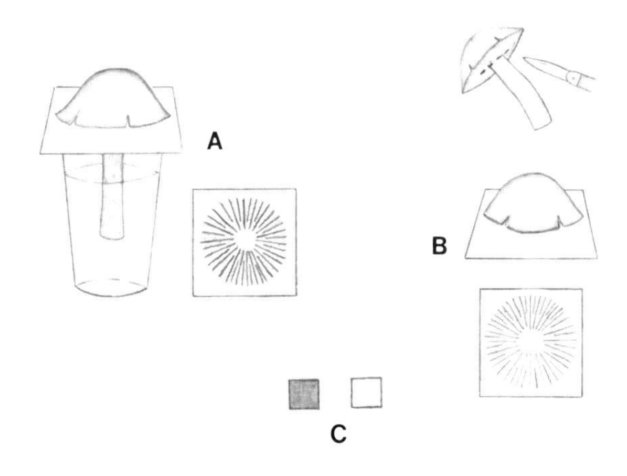

Matériel nécessaire à la cueillette

Les amateurs les plus mordus font preuve d'une grande imagination en ce qui concerne les instruments de la cueillette ! Qu'il s'agisse de la forme spéciale des paniers, des couteaux ou autres instruments de récolte, il n'en demeure pas moins qu'il est nécessaire de posséder le matériel de base si on veut effectuer une cueillette valable et intéressante.

Les principaux instruments sont les suivants : un panier suffisamment solide et suffisamment grand, un couteau bien propre et bien aiguisé, une loupe, un livre d'identification, un crayon et un carnet afin de noter l'endroit de la récolte, la date et les espèces récoltées. D'autres instruments peuvent s'ajouter à cette liste, comme des jumelles, une hachette, un sécateur ou une serpette à long manche qui permettra de cueillir les espèces lignicoles difficiles à atteindre sur les troncs.

Quelle est la valeur alimentaire des champignons ?

Les champignons ont une valeur alimentaire qui se compare avantageusement à celle de plusieurs légumes et fruits et offrent dans bien des cas des substances nutritives qu'on ne retrouve pas toujours ailleurs. Nous donnons ici un petit tableau qui démontre leur réelle valeur alimentaire et indique dans quelle proportion on peut y retrouver les substances qui intéressent notre alimentation. Mais avant tout, nous devons souligner chez les champignons la présence de la vitamine « A », de niacine, d'acide pantothénique, de fer, de calcium et des hydrates de carbone. Les champignons sont cependant moins riches en protéines que les viandes et aussi moins riches en calories (moins de 30 calories par 100 grammes). Enfin, la saveur et la délicatesse avec laquelle ils parfument et décorent les plats vous laisseront seuls juges.

Quantité	Poids (g)	Eau (%)	Valeur énergétique (calories)	Protides (g)	Lipides (g)	Acides gras (g)			Glucides (g)	Calcium (mg)	Fer (mg)
4 champignons de grosseur moyenne, frais, sautés	70	93	78	2	7	3	2	tr.*	3	8	.07

Vitamine A (U.I.)	Thiamine (mg)	Riboflavine (mg)	Niacine (mg)	Acide ascorbique (mg)	
170	0.05	0.28	2.9	tr.*	par/100 g

* tr.: à l'état de trace.

Source : Anonyme 1971. *Valeur nutritive de quelques aliments usuels.* Ministère de la Santé nationale et du Bien-Être Social. Information Canada. No.cat. H58-2872.

Comment conserver les champignons?

Les champignons ne se conservent pas tous de la même manière. Avant de les mettre en conserve, il convient de les préparer adéquatement afin de les débarrasser de toutes les impuretés qui pourraient nuire à leur conservation. Il faut aussi séparer les espèces qui peuvent être consommées crues de celles qui doivent faire l'objet d'une cuisson. Certaines espèces devront aussi être consommées aussitôt après la récolte, car il est difficile de les conserver pendant une longue période. D'autres, par contre, peuvent très bien être conservées sans pour cela perdre leur valeur alimentaire et leur saveur.

Que faire après la récolte?

Il faut d'abord séparer les espèces qui doivent être consommées immédiatement de celles qui peuvent être mises en conserve. Les spécimens qu'on désire conserver doivent être bien frais, jeunes et sans blessures, si on veut obtenir les meilleurs résultats. Il faut les nettoyer, de préférence avec un chiffon humide, avant la consommation ou la conservation. Si la consommation est immédiate, il faudra déterminer si les espèces en cause se mangent crues ou après cuisson. Certaines espèces comme les Morilles et les Gyromitres sont toxiques avant la cuisson. Les champignons qui doivent faire l'objet d'une consommation immédiate, crus ou après cuisson, doivent être de consistance semblable: il ne faut jamais faire cuire des champignons à chair tendre avec des champignons à chair ferme si l'on veut éviter des résultats décevants.

La plus simple des méthodes de conservation consiste à congeler les champignons après la récolte. Certains prétendent qu'il est préférable de les dorer au beurre ou de les blanchir avant la congélation. Quoi qu'il en soit, il est recommandé de les conserver dans des contenants ou des sachets de plastique.

La deuxième façon de conserver les champignons est relativement facile aussi, mais nécessite plus de temps. C'est la conservation par séchage ou par dessiccation. Plusieurs espèces peuvent être conservées de cette manière, comme les Bolets, les Gyromitres, les Morilles, les Chanterelles, les Marasmes, etc. Ce mode de conservation nécessite qu'on coupe les plus gros spécimens pour en faciliter le séchage et qu'on évite de les mouiller en les nettoyant. Les morceaux peuvent soit être enfilés sur une ficelle, soit étendus sur une surface large, bien aérée et propre. Enfin, dans beaucoup de volumes de recettes, vous trouverez d'autres modes de conservation, comme l'appertisation, la conservation dans l'huile ou dans le vinaigre.

Confusions possibles entre certains champignons

Certains champignons peuvent être confondus avec d'autres espèces, toxiques ou non. Aussi l'utilisateur de ce présent volume devra-t-il lire soigneusement et bien interpréter les descriptions que nous donnons. L'habitat, la saison de croissance, la couleur des spores sont des caractères importants qu'il faudra noter lors des expéditions mycologiques. Afin de bien s'assurer de l'identification des spécimens, l'amateur devra en récolter un ou deux en entier. Il faut alors cueillir tout le champignon et, pour ce faire, déterrer le pied en enlevant même un peu du sol autour afin de s'assurer qu'il ne porte pas à sa base une volve ou une trace de volve. C'est le cas du genre Amanita chez lequel on trouve les espèces mortelles.

Enfin, pour aider le cueilleur, nous énumérons ici quelques espèces susceptibles d'être confondues avec d'autres espèces, tant comestibles que vénéneuses.

Espèces qui pourraient être confondues

Espèces mortelles, toxiques et douteuses.	Espèces comestibles
Amanita virosa (mortelle) N.B. : Présence d'un anneau et d'une volve. Lamelles blanches. Croît sous les feuillus et les bois mélangés. Sporée blanche. Jamais trouvé hors de la forêt.	**Lepiota naucina** **Agaricus campestris** **Agaricus arvensis** N.B. : Présence d'anneaux, mais absence de volves. Espèces à lamelles rosâtres pour les Lepiota naucina et brun pourpre pour les Agarics. Croissent dans les lieux dégagés comme les parterres, les pelouses, les parcs, les prés, les pâturages. Sporée blanche pour Lépiota naucina et brun pourpre pour les Agarics.
Amanita muscaria (toxique) **Amanita frostiana** (douteuse) **Amanita flavoconia** (douteuse) N.B. : Présence d'un anneau et d'une volve. Chapeau muni de flocons, verrues ou lambeaux. Lamelles blanches. Sporée blanche.	**Amanita jacksonii** N.B. : Présence d'un anneau et d'une volve épaisse et solide bien différente des espèces voisines. Chapeau sans flocons. Lamelles blanches. Sporée blanche.
Clitocybe dealbata (toxique) N.B. : En forme d'entonnoir. Chapeau blanc. Lamelles blanches et décurrentes. Croît dans les endroits dégagés, les prés, les pâturages, les pelouses. Sporée blanche.	**Clitopilus prunulus** N.B. : Parfois en forme d'entonnoir. Chapeau blanc. Lamelles jaunâtres à rosâtres et décurrentes. Croît en bordure des bois feuillus ou mélangés. Sporée rosâtre.
Gyromitra infula (toxique) N.B. : Chapeau en forme de selle de cheval. Croît à l'automne.	**Gyromitra esculenta** (toxique si consommé sans cuisson) N.B. : Chapeau de forme irrégulière. Croît au printemps.

Espèces qui pourraient être confondues *(suite)*

Espèces mortelles, toxiques et douteuses.	Espèces comestibles
Lycoperdon candidum (toxique) N.B. : Carpophore en boule couvert de grosses verrues pointues au début puis tombant avec l'âge. Croît dans les prés, les pelouses ou autres terrains riches.	**Lycoperdon perlatum** **Lycoperdon pyriforme** N.B. : Lycoperdon perlatum : carpophore en forme de massue ou de poire, souvent mamelonné. Couvert d'aiguillons semblables à des perles. Croît sur les pelouses où il y a des arbres. Lycoperdon pyriforme : carpophore souvent en forme de poire. Il pousse en groupe sur le bois pourri. Couvert de petites verrues. Croît sur le bois pourri.
Scleroderma aurantium (toxique) N.B. : En forme de sphère, jaune brunâtre, jaune orangé brunâtre. Couvert de verrues aplaties. À chair d'abord rosâtre puis noir violacé et coriace. Les spores s'échappent par une déchirure irrégulière et non par un pore. Croît sur les vieilles souches pourries ou les détritus de sciure, etc.	Avec les **Lycoperdons**, quelques **Calvatias** et le **Boviste**. N.B. : Se reporter à la description de chacun de ces champignons dans le texte.
Ramaria formosa (toxique) N.B. : Espèce difficile à distinguer des autres. Il faudra alors consulter les descriptions du livre.	**Ramaria Sp.** N.B. : Plusieurs espèces difficiles à identifier et à différencier les unes des autres.

Différents types d'intoxications. Quoi faire en ce cas?

Combien de fois a-t-on entendu cette phrase: «Je ne mange pas de champignons, j'ai peur de m'empoisonner.» Eh oui, longtemps considérés par certains comme des êtres à part dans le monde végétal, on a affublé les champignons de qualificatifs plus ou moins justes. Pensons seulement qu'ils représentent une valeur alimentaire non négligeable et qu'ils agrémentent avantageusement certains plats.

Est-ce vraiment risqué de consommer les champignons qui existent dans la nature? Non, si le cueilleur s'est préalablement renseigné, s'il est avisé et connaît les types de cueillette qu'il doit faire et les espèces à choisir en forêt ou à la ville. Pensons que les neuf dixièmes des cas d'intoxication sont dus à un unique groupe de champignons: les Amanites. Un grand nombre de ceux-ci sont parfaitement comestibles, et ils valent la peine qu'on les étudie ou qu'on les déguste. Mais il est aussi important d'énumérer les principaux champignons qui causent les divers types d'intoxication et d'en décrire les effets sur l'organisme.

Le premier type d'intoxication comprend les intoxications phalloïdiennes causées par l'Amanite vireuse et l'Amanite phalloïde. Les substances en cause sont l'amanitine et la phalloïdine. Les premiers symptômes n'apparaissent qu'environ huit à douze heures après l'ingestion du champignon et se caractérisent par des douleurs abdominales intenses, des vomissements fréquents, des sueurs froides, une diarrhée intense, une soif persistante, le délire, le coma et une mort presque certaine.

Le deuxième type d'intoxication, les intoxications psychotomimétiques, sont moins graves, mais peuvent dans certains cas causer la mort. Les substances en cause sont la mycoatropine, les bufotéines et quelques dérivés isoxals. L'Amanite tue-mouche contient en plus de la muscarine. Les premiers symptômes apparaissent assez rapidement, soit une demi-heure à quatre heures après l'ingestion. L'intoxication débute par une hyperexcitation, des hallucinations fréquentes, l'ivresse, l'hystérie et le délire, des convulsions parfois suivies du coma et de la mort. Les champignons en cause sont l'Amanite tue-mouche, l'Amanite panthère, certaines Panéoles et quelques Psylocybes.

Le troisième type d'intoxication, les intoxications muscariniennes, sont causées le plus souvent dans nos régions par le Clitocybe sudorifère. La substance en cause est la muscarine. Les premiers symptômes apparaissent quelques heures après l'ingestion et se caractérisent par une sudation intense, des vomissements, de la diarrhée, des crampes d'estomac, la distorsion de la vue et un ralentissement du rythme cardiaque. Heureusement ici, un antidote peut être appliqué : il s'agit de l'atropine.

Le quatrième type d'intoxication, les intoxications gastro-intestinales, impliquent plusieurs espèces communes de champignons qui peuvent causer des troubles plus ou moins graves. Les espèces en cause sont l'Entolome livide, le Tricholome tigré, l'Entolome à odeur de nitre, la Ramaire élégante, le Lactaire toisonné, le Lactaire muqueux, la Russule émétique, le Gyromitre mitré, quelques Pézizes et le Scléroderme vulgaire. Dans bien des cas, on ne connaît malheureusement pas la ou les substances qui causent les intoxications, et il n'y a pas de traitement valable. Les premiers symptômes apparaissent quelques heures après l'ingestion. Des vomissements fréquents, de la diarrhée, des douleurs intestinales aiguës et une transpiration abondante caractérisent ce genre d'intoxication.

Enfin, d'autres champignons causent des intoxications qui méritent d'être mentionnées ici. L'ergot du seigle, clavicepa pupurea, cause une intoxication appelé « ergotisme ». Les symptômes principaux sont la gangrène des extrémités, bout des doigts et des pieds, des convulsions vives, des sueurs abondantes, des vertiges, des hallucinations, un affaiblissement caractérisé du système nerveux et très souvent la mort, si la consommation a été relativement abondante. Certains auteurs citent des intoxications bénignes lors de la consommation de boissons alcooliques avec certains champignons, en particulier le Coprin noir d'encre. Par ailleurs, la consommation de Morilles, d'Helvelles, de Pézizes et de Gyromitres crus peut entraîner des troubles stomacaux et intestinaux parfois très graves. L'action hémolytique de ces champignons crus entraîne un affaiblissement caractérisé de tout l'organisme, en particulier l'altération de la respiration et du rythme cardiaque.

Dans le cas où il y aurait intoxication après ingurgitation de champignons vénéneux, il faut conduire la victime à l'hôpital le plus rapidement possible.

Habitat (Écologie des champignons)

Les champignons se rencontrent dans à peu près toutes les régions du monde et certaines espèces sont communes à plusieurs pays. En Amérique du Nord, plusieurs espèces ont été introduites d'Europe au moment de la colonisation tandis que d'autres sont indigènes et propres à des régions données; c'est le cas, par exemple, de plusieurs Bolets typiquement américains. Aussi, la croissance des champignons est-elle liée à une multitude de facteurs écologiques comme la nature du sol, les conditions atmosphériques, le climat, la cohabitation avec les espèces végétales voisines, etc. En effet, les champignons croissent sur des sols très différents. Les sols argileux par exemple sont souvent peuplés par des espèces particulières de Lactaires, de Cortinaires, d'Inocybes et d'Entolomes, dont l'Entolome livide. On rencontrera sur les sols silicieux ou granitiques des Amanites, des Bolets, des Morilles et une espèce particulière: le Tricholome équestre. Les conditions atmosphériques et le climat sont aussi des déterminants de la croissance des champignons. Les saisons de végétation où les précipitations sont abondantes favorisent le développement d'une multitude d'entre eux, alors que très peu d'eau suffit à d'autres espèces comme c'est le cas pour certaines amanites. En régions plus froides, leur croissance est plus lente, amenant ainsi le mycologue amateur à récolter plus tard dans la saison.

En plus des facteurs liés au sol, aux conditions atmosphériques et au climat, la cohabitation avec des espèces végétales voisines est déterminante dans l'identification de plusieurs espèces de champignons. En effet, certains champignons préfèrent croître sous les conifères plutôt que sous les feuillus. On rencontrera souvent le Bolet élégant sous les mélèzes, le Bolet granulé sous les pins et, plus généralement, le Lactaire délicieux, le Lactaire de fumée, la Chanterelle ciboire, le Clitocybe à pied renflé, la Russule à pied court, le Tricholome roux, le Tricholome tigré et l'Armillaire ventru sous les conifères. D'autres champignons comme le Clitopile avorté, certaines Morilles, la Collybie à racine, la Craterelle corne d'abondance préfèrent les feuillus. Les Amanites rougissantes sont indifférentes, comme bien d'autres espèces, et peuvent aussi bien se retrouver sous les feuillus que sous les conifères. L'Agaric champêtre, la Lépiote lisse, le Marasme d'oréade, la Vesse-de-loup géante d'autres espèces, et peuvent aussi bien se retrouver sous les feuillus que sous les conifères. L'Agaric champêtre, la Lépiote lisse, le Marasme d'oréade, la Vesse-de-loup géante colonisent les prés, les pâturages, les pelouses, les parcs et les autres endroits herbeux et riches. Les tourbières et les marécages sont fréquentés par des espèces particulières de Russules, de Cortinaires, de Mycènes.

D'autres champignons ont une association plus intime avec les végétaux ou les animaux. Des espèces lignicoles, comme les Pleurotes, les Pholiotes et les Polypores, pour ne citer que ceux-là, se rencontrent fréquemment sur le bois mort ou vivant des arbres feuillus, ou des conifères, suivant qu'ils vivent en parasites ou en saprophytes. Bien d'autres espèces sont spécifiques à un habitat donné : les champignons mycorhizateurs poussent dans le sol, la Mérule pleureuse dans les habitations, le Lentin joli sur les dormants de chemin de fer et les poteaux. Plusieurs champignons vivent sur des organismes vivants, en particulier les humains et les animaux ; dans cette catégorie ne citons que la teigne.

Pour terminer, disons que le mycologue amateur approfondira et comprendra mieux les informations de base que nous venons de fournir sur les conditions écologiques régissant la croissance et le développement des champignons sous tous les types d'habitats par l'observation qu'il développera dans ses expéditions mycologiques futures.

CODE D'ÉTHIQUE DU MYCOLOGUE AMATEUR

1 Ne jamais récolter abusivement les champignons afin d'en permettre la reproduction éventuelle.

2 Couper à la base le champignon et se contenter de cueillir un à deux spécimens complets pour en faire l'identification.

3 Toujours laisser sur le terrain les vieux sujets et quelques spécimens viables.

4 Bien respecter les stations de récolte et l'habitat des champignons, quand on rapporte les choses qui ont servi à agrémenter la journée.

5 Bien séparer les espèces cueillies en les déposant par groupe dans des sacs individuels en papier.

6 Le débutant devrait se contenter de récolter les espèces charnues en laissant de côté les petites espèces, à moins qu'il ne veuille en conserver par curiosité personnelle.

7 Il est bon de se servir d'un volume d'identification; mais il est très important de se référer à un animateur d'expérience ou d'assister aux séances d'identification que donnent les cercles de mycologues amateurs, par exemple.

8 Ne pas profiter des endroits de cueillette des membres d'un cercle de mycologie ou autre. Attendre que tous les membres de ce cercle aient fait leur collecte.

Hygrophorus monticola Hes. et Smith.

Hygrophore des montagnes

1

Cette espèce humicole croît en été et en automne sous les conifères et en bordure des boisés. C'est un bon comestible.

Le chapeau (a) (2-12 cm diam.) est jaunâtre crème, jaune ocré ou ocré, convexe, s'aplatissant avec l'âge ou légèrement déprimé, lisse et parfois craquelé (f) au centre. La chair (b) est blanche, épaisse, ferme, à odeur de cerise et à saveur agréable. Les lamelles (c) sont jaunâtres à jaune ocré, légèrement décurrentes ou adnées, épaisses, ramifiées et interveinées (e). Le pied (d) (1 à 3 cm long.) est de couleur semblable au chapeau ou un peu plus pâle, lisse, sec et plein. Espèce à sporée blanche.

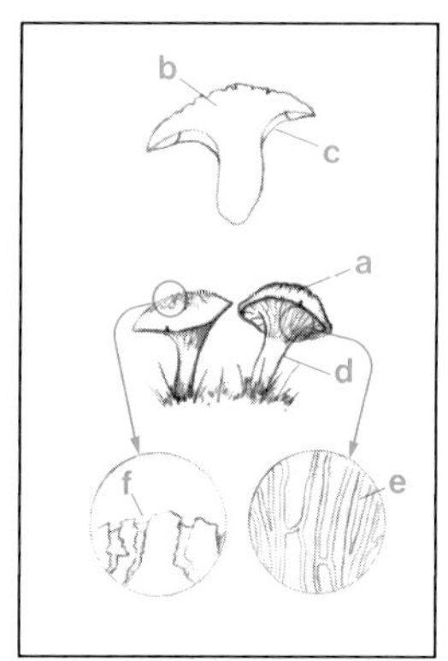

● ○

L

2

Hygrophorus pratensis (Fr.) Fr.

Hygrophore des prés

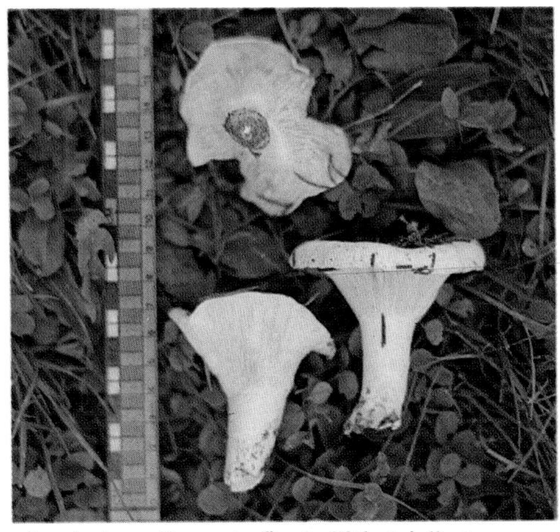

Cette espèce humicole croît vers la fin de l'été et à l'automne en bordure des boisés, dans les clairières ou les prés. C'est un très bon comestible qui doit être cueilli avec soin.

Le chapeau (a) (2-7 cm diam.) est blanc à brunâtre ou roussâtre à brun cannelle, convexe et mamelonné et enfin étalé, humide et souvent craquelé vers le centre. La chair (b) est blanchâtre ou ocre très pâle, épaisse, à odeur et à saveur douces et agréables. Les lamelles (c) blanchâtres, jaunâtres ou crème sont décurrentes et interveinées (e). Le pied (d) (3-8 cm long.) est blanchâtre, aminci à la base et se creuse avec l'âge. Espèce à sporée blanche.

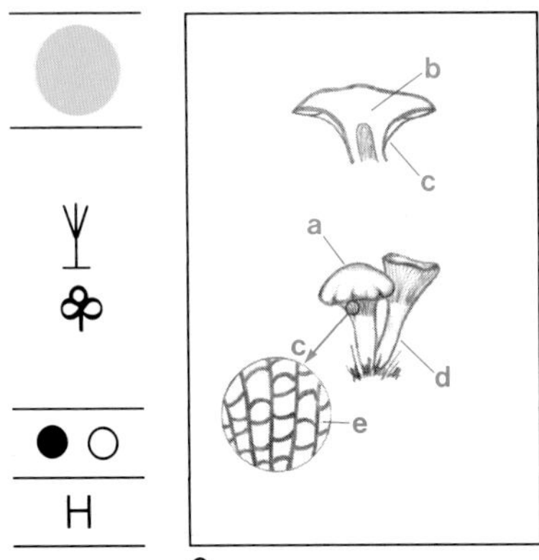

Hygrophorus coccineus (Fr.) Fr.

Hygrophore rouge cochenille ou écarlate

Espèce humicole croissant à l'été et à l'automne sous les feuillus et dans les forêts mélangées. Comestible, utilisé pour la décoration de certains plats comme les salades.

Le chapeau (a) (2-6 cm diam.) est rouge vif ou orangé, campanulé ou conique, convexe et mamelonné, légèrement visqueux au toucher. La chair (b) est jaune orangé à rougeâtre, mince, fragile, à odeur et à saveur douces. Les lamelles (c) sont orangées, rougeâtres ou jaune vif, adnées, décurrentes ou échancrées et interveinées (e). Le pied (d) (3-5 cm long.) est rougeâtre ou orangé, aminci vers la base, fragile et creux. Espèce à sporée blanche.

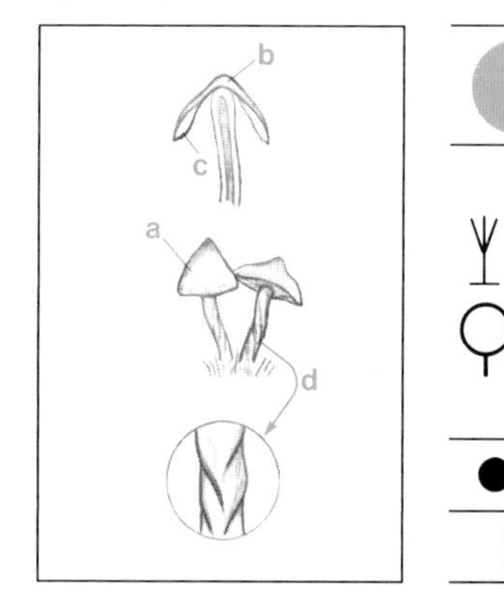

H

4

Hygrophorus olivaceoalbus (Fr.) Fr.

Hygrophore blanc olivâtre

Cette espèce humicole croît à l'automne sous les conifères ou dans les forêts mélangées. C'est un bon comestible.

Le chapeau (a) (3-7 cm diam.) est brun olivâtre, brun noirâtre, noir olivâtre et plus foncé au centre; d'abord conique, puis campanulé, convexe et aplati avec l'âge, il est visqueux et légèrement fibrilleux surtout vers le centre. La chair (b) est blanche, épaisse, à odeur et à saveur agréables. Les lamelles (c) sont d'abord blanches puis grisâtres en vieillissant, légèrement décurrentes et assez épaisses. Le pied (d) est de même couleur que le chapeau ou parfois plus foncé, visqueux, égal et orné d'une zone annulaire (e) bien visible au sommet. Espèce à sporée blanche.

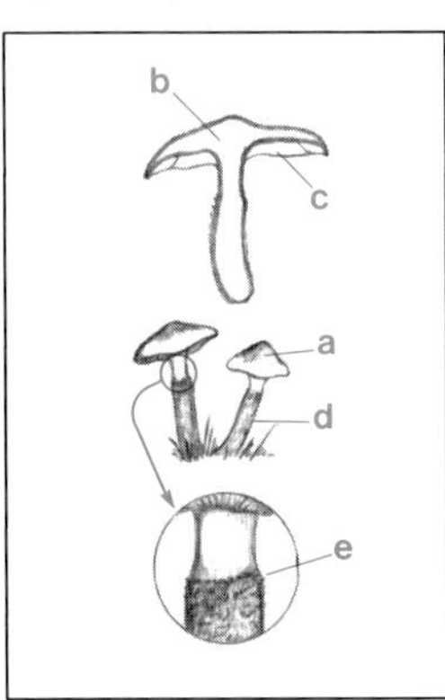

4

Hygrophorus conicus (Fr.) Fr.

Hygrophore conique

Cette espèce humicole croît en été et en automne sous les feuillus et les conifères, dans les clairières et les prés. C'est un comestible sans grand intérêt culinaire mais agréable à observer.

Le chapeau (a) (2-6 cm diam.) est jaune orangé à rouge, conique, glabre, légèrement visqueux, et noircit avec l'âge. La chair (b) de couleur semblable au chapeau noircit aussi avec l'âge. Elle est mince, à odeur et à saveur nulles. Les lamelles (c) blanches à jaunâtres, ou jaune orangé, noircissent avec l'âge et sont adnées. Le pied (d) (6-11 cm long.) est jaune orangé, rouge, et, à la fin, noir, creux, tordu et fragile. Espèce à sporée blanche.

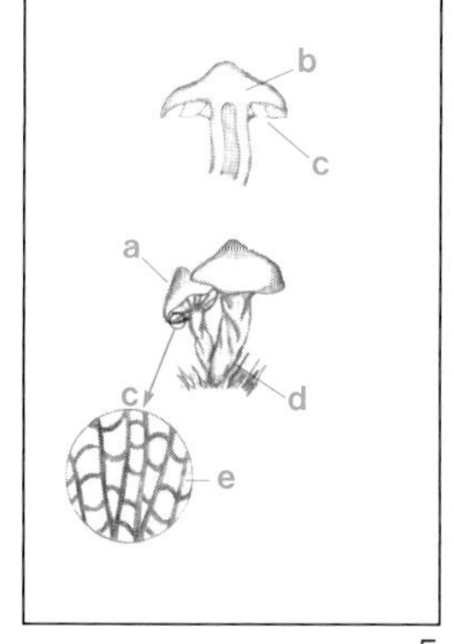

6 Hygrophorus eburneus (Fr.) Fr.

Hygrophore ivoire

Espèce humicole croissant en été et en automne sous les feuillus, les conifères ou dans les forêts mélangées. C'est un champignon intéressant à observer, mais sans valeur culinaire.

Le chapeau (a) (2-7 cm diam.) est blanchâtre à jaunâtre, convexe, aplani et souvent mamelonné surtout au début de sa croissance; puis il se déprime et devient visqueux et glabre. La chair (b) est blanche, épaisse et sans odeur ou saveur particulières. Les lamelles (c) sont blanches à crème, parfois ocracées, décurrentes, épaisses et interveinées (e). Le pied (d) (4-15 cm long.) est blanc à crème ou parfois jaunâtre, égal ou aminci à la base, creux et visqueux. Espèce à sporée blanche.

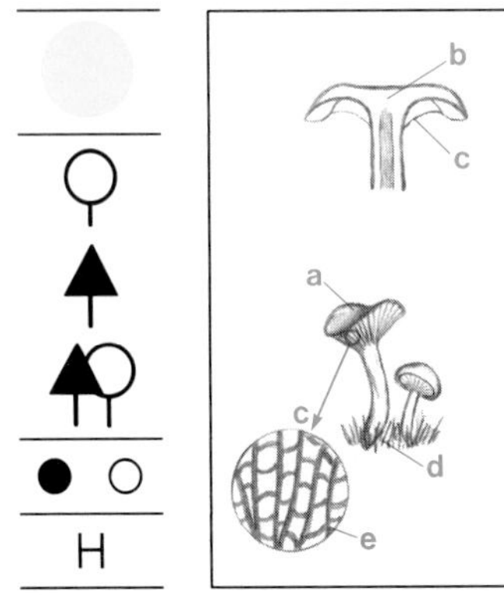

Hygrophorus speciosus Pk.

Hygrophore remarquable

Espèce humicole qui croît à l'automne sous les conifères, en particulier sous les mélèzes et dans les tourbières. C'est un comestible de peu de valeur culinaire, mais intéressant à connaître.

Le chapeau (a) (2-8 cm diam.) est rouge, orangé ou plus pâle avec l'âge, convexe, étalé et souvent mamelonné, visqueux et à cuticule séparable de la chair. La chair (b) est blanche, épaisse, à odeur et à saveur douces ou nulles. Les lamelles (c) sont blanches à jaunâtres, décurrentes et interveinées (e). Le pied (d) (5-10 cm long.) est blanc ou jaunâtre, égal ou légèrement élargi à la base et farci au centre. Espèce à sporée blanche.

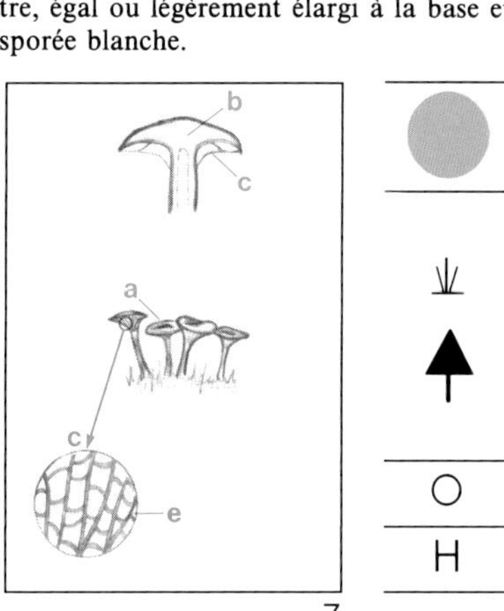

O

H

8

Hygrophorus pudorinus (Fr.) Fr.

Hygrophore pudibond

Espèce humicole croissant à l'automne sous les conifères, dans les forêts mélangées et les tourbières. C'est un comestible à saveur désagréable.

Le chapeau (a) (5-11 cm diam.) est couleur cuir ou rosâtre, campanulé et convexe ; le centre est légèrement floconneux ou plus sombre et légèrement visqueux. La chair (b) est blanche ou rosâtre, ferme, épaisse, dégageant une odeur de balsam. Les lamelles (c) sont blanchâtres ou rosâtres, adnées, espacées et interveinées (e). Le pied (d) (4-10 cm long.) est jaunâtre à rougeâtre, assez gros, plein et couvert de petits flocons blancs au sommet. Espèce à sporée blanche.

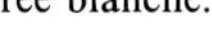

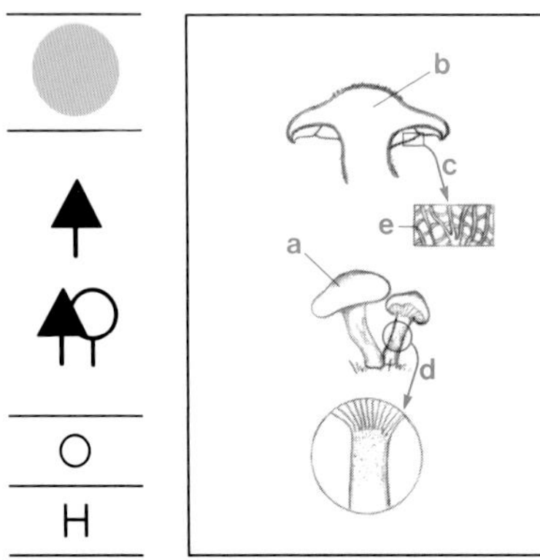

O

H

Hygrophorus camarophyllus (Fr.) Dumée.

Hygrophore à lamelles arquées

9

Espèce humicole croissant en été et en automne sous les conifères ou dans les forêts mélangées. C'est un bon comestible qui doit être consommé jeune.

Le chapeau (a) (4-10 cm diam.) est gris bleuté à gris cendré ou noirâtre, convexe, étalé ou déprimé, parfois mamelonné. La chair (b) est blanche, assez épaisse, à odeur et à saveur agréables. Les lamelles (c) sont blanchâtres ou grisâtres, adnées ou décurrentes, minces et délicates ou fragiles. Le pied (d) (4-7 cm long.), de couleur semblable au chapeau, plein, est légèrement élargi vers le sommet. Espèce à sporée blanche.

H

10 Tricholoma sejunctum (Fr.) Quél.

Tricholome disjoint

Espèce humicole croissant en été et en automne sous les feuillus et dans les forêts mélangées. À rejeter en raison de son goût amer.

Le chapeau (a) (4-10 cm diam.) est brunâtre à brun plus foncé, convexe, le plus souvent mamelonné (e), couvert de fibrilles (f) rayonnantes, foncées, légèrement ou non visqueux. La chair (b) est blanche ou jaunâtre, épaisse, cassante, à odeur de farine et à saveur amère. Les lamelles (c) sont blanches ou jaunâtres, émarginées, espacées et larges. Le pied (d) (3-10 cm long.) est blanchâtre à jaunâtre, égal et plein. Espèce à sporée blanche.

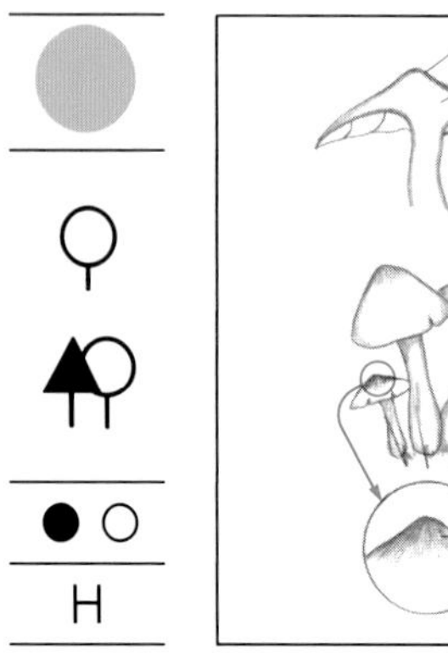

Tricholoma flavovirens (Fr.) Lund.

Tricholome équestre

Espèce humicole croissant en été et en automne sous les conifères, particulièrement les peuplements de pins, et dans les forêts mélangées. C'est un comestible très apprécié pour sa saveur et la délicatesse de sa chair. Le chapeau (a) (5-10 cm diam.) est jaune soufre, parfois taché de rouge, surtout vers le centre, et finement fibrilleux, convexe, campanulé et plus ou moins mamelonné. La chair (b) est blanche et jaunâtre sous la pellicule, ferme, à odeur et à saveur très agréables. Les lamelles (c) sont jaune soufre, adnées et serrées. Le pied (d) (3-6 cm long.) est jaune soufre, plein et fibrilleux. Espèce à sporée blanche.

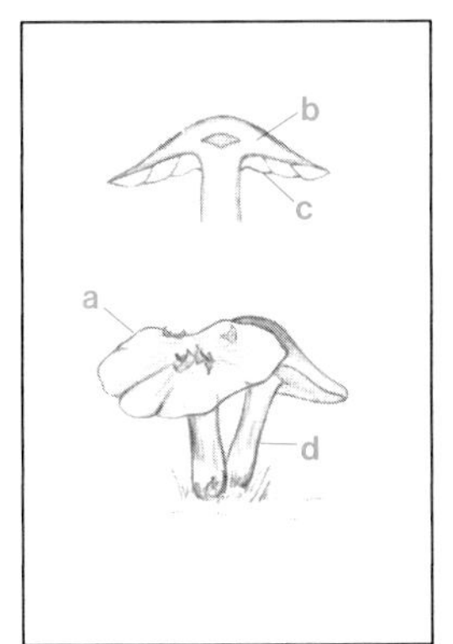

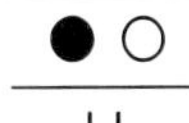

12 Tricholoma saponaceum (Fr.) Kum.

Tricholome à odeur de savon

Espèce humicole croissant à l'automne sous les conifères, les feuillus et dans les forêts mélangées. C'est un comestible très désagréable au goût, et son odeur peu engageante le rend intéressant uniquement pour l'observation.

Le chapeau (a) (5-15 cm diam.) est blanchâtre, gris brunâtre, gris verdâtre ou parfois gris cendré, convexe, souvent de forme très irrégulière et ondulé à la marge, lisse ou quelque peu craquelé surtout vers le centre. La chair (b) est blanche et rougissante à la cassure, dégageant une forte odeur de savon, et sa saveur est désagréable. Les lamelles (c) sont blanches ou légèrement teintées de vert, sinuées et quelquefois décurrentes, cireuses, épaisses et espacées. Le pied (d) (5-10 cm long.) est de même couleur que le chapeau ou un peu plus pâle, plein, faiblement fibrilleux vers le sommet et ventru. Espèce à sporée blanche.

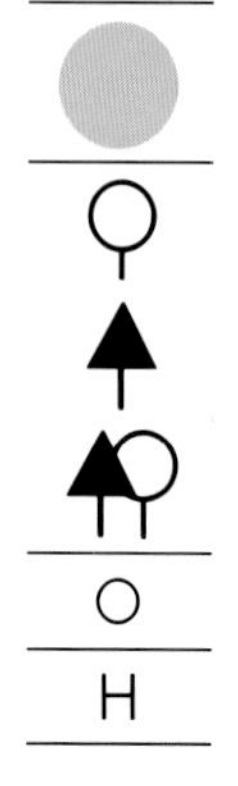

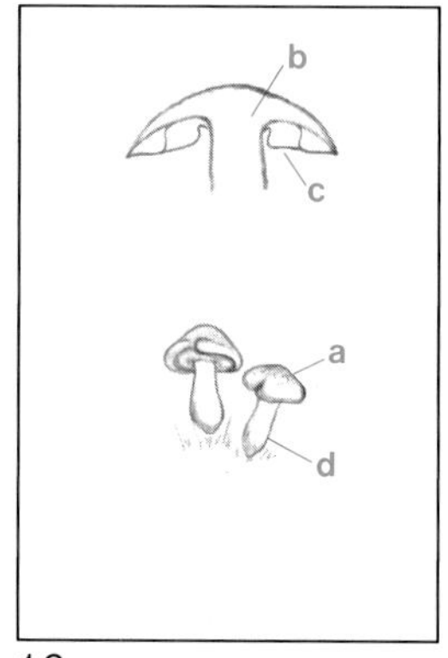

Tricholoma vaccinum (Fr.) Kum.

Tricholome roux

Espèce humicole croissant en été et en automne sous les conifères ou dans les forêts mélangées. C'est un comestible à rejeter en raison de son goût désagréable.

Le chapeau (a) (4-9 cm diam.) est roussâtre, brun rouge ou cannelle, convexe, campanulé et le plus souvent mamelonné, couvert de petites fibrilles foncées surtout vers le centre, à marge laineuse et cannelée. La chair (b) est blanche à rosâtre ou roussâtre, à saveur désagréable. Les lamelles (c) sont blanchâtres et souvent tachées de roux, roussissantes à l'air, sinuées et légèrement espacées. Le pied (d) (4-7 cm long.) est couvert de fibrilles roussâtres sur fond blanc, plein et plus mince vers la base. Espèce à sporée blanche.

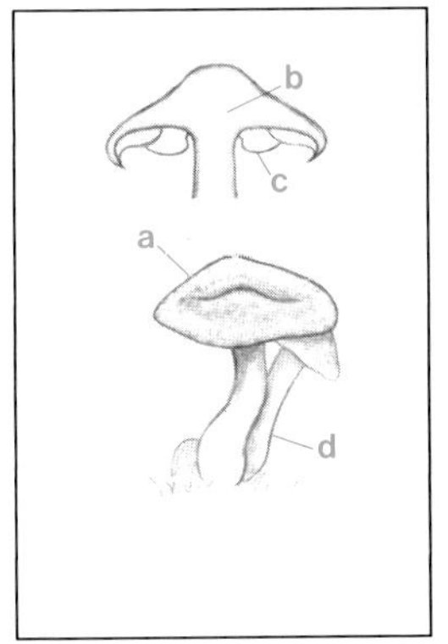

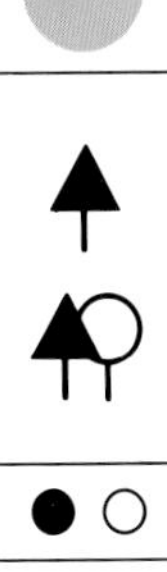

14 Clitopilus prunulus (Fr.) Kum.

Clitopile petite prune ou Meunier

Espèce humicole croissant en été et en automne en bordure des bois de conifères ou des forêts mélangées, et parfois dans les clairières. C'est un comestible apprécié par plusieurs gastronomes pour la délicatesse et la saveur de sa chair.

Le chapeau (a) (3-10 cm diam.) est blanc à blanc grisâtre, convexe, étalé, puis déprimé, à surface givrée ou nacrée, à marge enroulée, ondulée et souvent irrégulière. La chair (b) est blanche, mince, fragile, à odeur de farine et à saveur douce. Les lamelles (c) sont blanches, crème ou rosâtres, fortement décurrentes, serrées et étroites. Le pied (d) est blanc, court, assez égal ou un peu élargi au sommet, plein, légèrement strié, irrégulier, fragile, cotonneux surtout à sa base et souvent excentrique. Espèce à sporée rose.

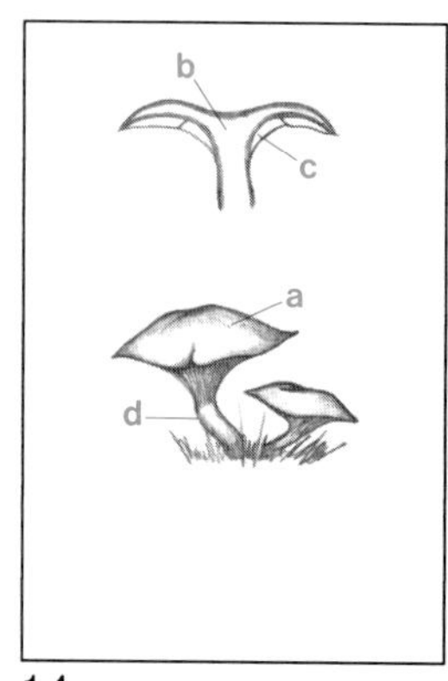

Cantharellula umbonata (Fr.) Sing.

Chanterelle ou Clitocybe omboné

Espèce humicole croissant à l'automne dans les clairières riches en mousses et en régénération de conifères, sous les conifères ou les feuillus, mais surtout dans les bois clairsemés. C'est un comestible très acceptable pour la table.

Le chapeau (a) (1-5 cm diam.) est gris noirâtre, gris cendré ou gris brunâtre, convexe, étalé et mamelonné, déprimé avec l'âge, à marge lisse et parfois sillonnée. La chair (b) est blanche ou légèrement vineuse, à odeur et à saveur douces. Les lamelles (c) sont blanches à crème ou saumonées avec l'âge, décurrentes, minces et ramifiées. Le pied (d) (2-9 cm long.) est jaunâtre à grisâtre et souvent taché de rouge, égal ou plus épais à la base, tomenteux et creux. Espèce à sporée blanche.

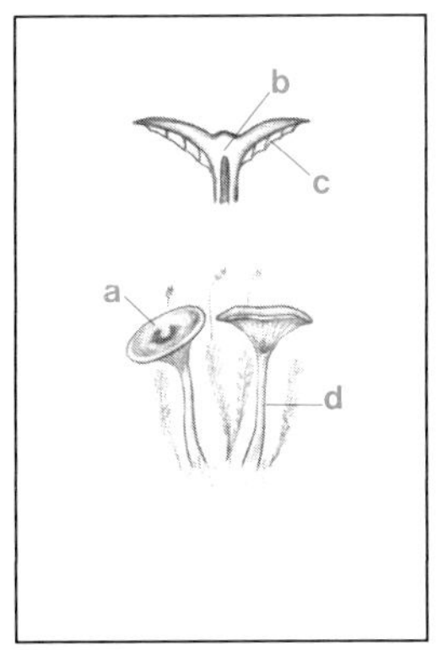

16 Laccaria laccata (Fr.) B. et Br.

Laccaire ou Clitocybe laqué

Espèce humicole croissant à l'été et à l'automne sous les feuillus, les conifères ou dans les forêts mélangées, dans les clairières, les tourbières et dans la toundra arctique ou alpine. C'est un bon comestible qui est agréable au goût.

Le chapeau (a) (2-5 cm diam.) est rougeâtre, roussâtre, brun cannelle ou rosâtre ; d'abord convexe, il s'étale et se creuse avec l'âge ; il est higrophane, striolé, à surface lisse, farineuse ou floconneuse. Il trompe l'œil quant à sa couleur ou à sa forme qui peuvent varier d'un habitat à l'autre. La chair (b) est rougeâtre ou rosâtre, mince, à odeur et à saveur agréables. Les lamelles (c) sont rosâtres à rougeâtres ou semblables au chapeau, décurrentes, larges, espacées et cireuses. Le pied (d) (2-10 cm long.) est de même couleur que le chapeau, élancé, égal ou un peu élargi à sa base, strié, fibreux et se creusant en vieillissant. Espèce à sporée blanche.

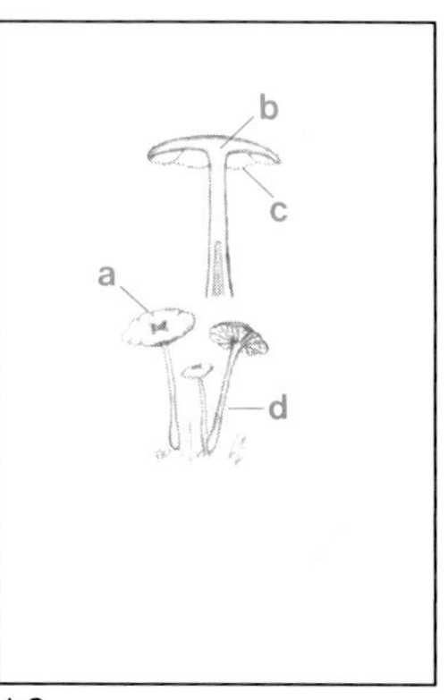

Laccaria trullisata (Ell.) Pk.

Laccaire des sables

Espèce humicole et rare qui croît vers la fin de l'été et à l'automne sous les conifères, colonisant les sols sableux, sur les eskers ou les dunes de sable. Il est comestible, mais sans intérêt culinaire vu sa rareté.

Le chapeau (a) (2-6 cm diam.) jaune grisâtre, gris bleuâtre ou gris rosâtre, est convexe, déprimé avec l'âge, légèrement fibrilleux ou couvert de fines squamules, à marge enroulée. (e) La chair (b) brunâtre ou brun grisâtre, est ferme, à odeur et à saveur nulles. Les lamelles (c) sont rosâtres ou plus souvent violettes, teintées de pourpre, adnées, épaisses, assez serrées. Le pied (d) (3-8 cm long.) est brun grisâtre ou semblable au chapeau, tors, fibrilleux, bulbeux (f) et radicant. Espèce à sporée blanche.

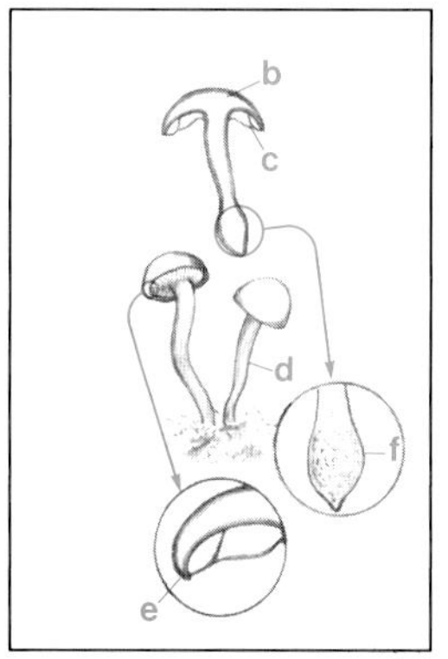

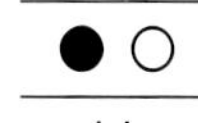

H

18 Cystoderma amianthinum (Fr.) Fay.

Cystoderme couleur d'amiante

Espèce humicole croissant à l'été et à l'automne sous les conifères ou dans les forêts mélangées parmi les mousses. Comestible, mais à saveur désagréable.

Le chapeau (a) (2-5 cm diam.) est brun pâle à ocre ou fauve pâle, convexe, le plus souvent mamelonné, ridé, à marge couverte de petits lambeaux, et finement floconneux ou farineux au centre. La chair (b) est blanche, mince, à odeur nulle et à saveur légèrement amère. Les lamelles (c) sont blanches, adnées et serrées. Le pied (d) (3-8 cm long.) est brun pâle à ocracé, égal ou un peu épaissi vers la base, creux et floconneux jusqu'à l'anneau (e). Espèce à sporée blanche.

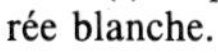

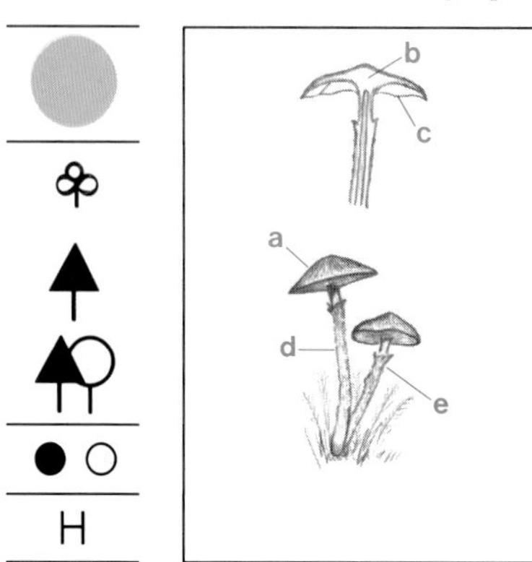

Armillaria mellea (Fr.) Kum.

Armillaire couleur de miel

Espèce lignicole assez variable dans sa forme qui croît en fin d'été et à l'automne sur les racines, les souches, les troncs et au pied des arbres morts ou vivants, sous tous les types de couverts forestiers. Il cause une pourriture appelée le « Pourridié-Agaric » qui affecte les arbres vivants, feuillus et conifères. Comestible agréable.

Le chapeau (a) (3-15 cm diam.) est brunâtre pâle à brun, ou jaune brunâtre à couleur miel, convexe, puis étalé, le plus souvent mamelonné, déprimé avec l'âge, couvert de petites écailles brunâtres surtout vers le centre. La chair (b) est blanche à brunâtre avec l'âge, épaisse, ferme, à saveur douce chez les jeunes et plus acide chez les sujets plus avancés. Les lamelles (c) sont blanchâtres, jaunâtres et brunâtres avec l'âge, adnées ou légèrement décurrentes, distantes et inégales. Lc pied (d) (5-15 cm long.), jaunâtre pâle à brun rouille ou plus foncé, égal ou un peu renflé vers la base, se creuse avec l'âge ; il est fibrilleux avec un anneau membraneux (e) qui persiste sur le pied. Espèce à sporée blanche.

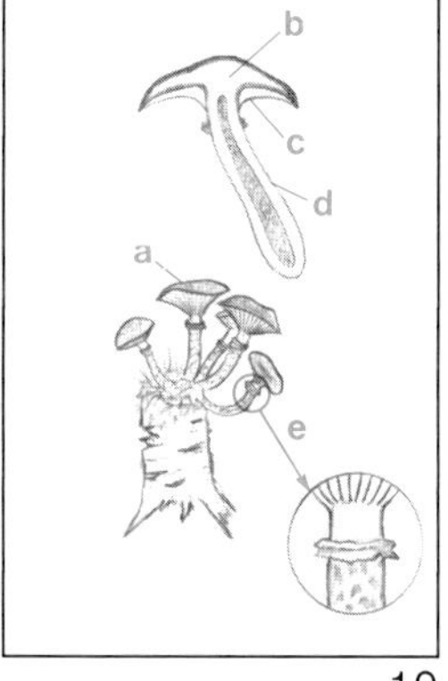

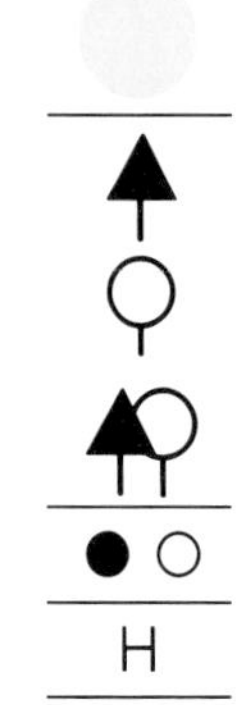

20 Armillaria ponderosa Pk.

Armillaire pesant

Espèce humicole qui croît à l'automne sous les conifères ou dans les forêts mélangées. C'est un très bon comestible fort apprécié par les gastronomes.

Le chapeau (a) (8-20 cm diam.) est blanc, jaunâtre ou brunâtre, convexe, étalé, plus ou moins mamelonné, visqueux, couvert à la marge de petites fibrilles brunes et verruqueux au centre. La chair (b) est blanche, épaisse, consistante et à saveur très agréable. Les lamelles (c) sont blanchâtres à rosâtres, se tachant de brun au toucher ou avec l'âge. Le pied (d) (5-12 cm long.) est blanc et couvert d'un voile blanc qui se termine par un anneau au sommet (e), souvent aminci vers la base et plein. Espèce à sporée blanche.

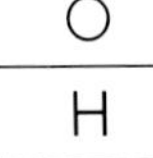

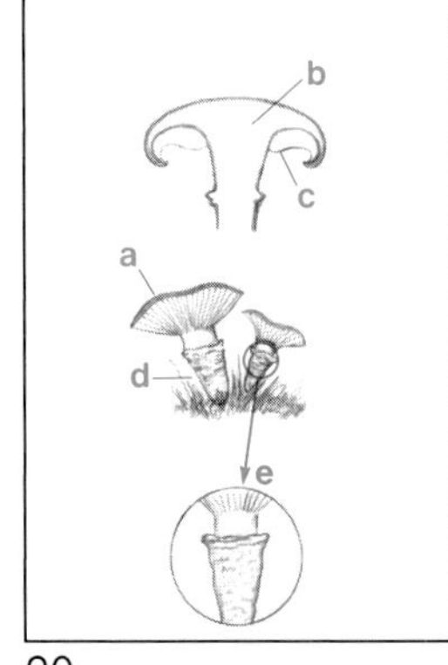

Armillaria caligata (Viv.) Gill.

Armillaire guêtré

21

Espèce humicole qui croît à l'automne sous les feuillus, les conifères ou dans les forêts mélangées. C'est un comestible très recherché par les gastronomes.

Le chapeau (a) (6-12 cm diam.) est couvert de fibrilles brun foncé, plus denses au centre sur fond blanc; il est jaunâtre ou brunâtre et pâlissant en allant vers la marge, convexe, plus ou moins mamelonné, déprimé et sec avec l'âge. La chair (b) est blanche à jaunâtre, ferme, épaisse; il a une odeur et une saveur particulières d'amande fraîche. Les lamelles (c) sont blanches puis brunâtres en vieillissant, sinuées, larges et inégales. Le pied (d) (6-18 cm long.) est blanc, gros, souvent plus mince vers la base, plein et muni d'un anneau (e) au sommet. Espèce à sporée blanche.

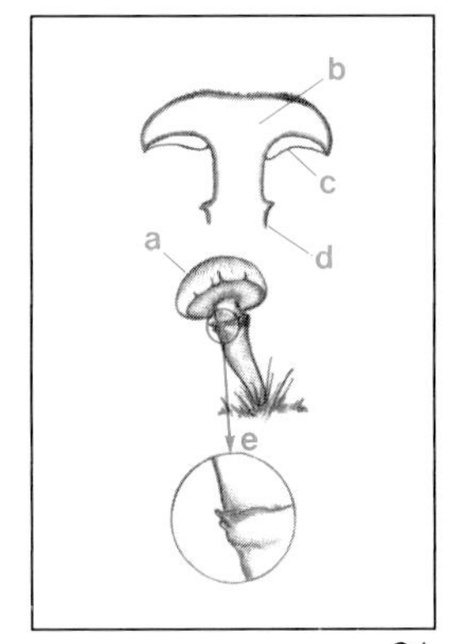

Armillaria focalis (Fr.) Karst.

Armillaire à foulard

Espèce humicole croissant à l'automne sous les conifères ou les feuillus. Il est considéré comme un assez bon comestible par certains gastronomes.

Le chapeau (a) (2-6 cm diam.) est brun rougeâtre, rouge brique ou fauve, légèrement déprimé, fibrilleux ou écailleux. La chair (b) est blanc rosâtre ou roussâtre, mince, à saveur et à odeur douces. Les lamelles (c) sont d'abord blanches puis rosâtres, adnées et serrées. Le pied (d) (3-10 cm long.) est brun rougeâtre, rouge brique ou rougeâtre fauve, assez égal, plein, légèrement écailleux et pourvu d'un anneau (e) membraneux blanc. Espèce à sporée blanche.

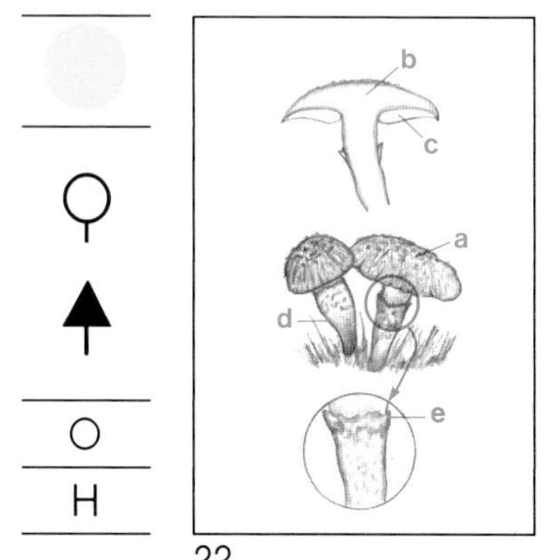

Leucopaxillus cerealis (Lasch.) Sing.

Leucopaxille blanc

Espèce humicole croissant en automne sous les conifères, les feuillus et dans les forêts mélangées. À rejeter en raison de son goût amer.

Le chapeau (a) (4-7 cm diam.) est d'un beau blanc, crème, jaunâtre ou parfois blanc ocré ; il est convexe puis étalé, lisse, légèrement pubescent (e) et à marge enroulée (f) chez les jeunes sujets. La chair (b) est blanche, assez épaisse surtout vers le centre, à odeur un peu parfumée et à saveur amère. Les lamelles (c) sont blanches, adnées, dentées sur le pied, serrées, larges et facilement détachables du chapeau. Le pied (d) (3-8 cm long.) est blanc, assez égal ou un peu élargi à la base et plein. Espèce à sporée blanche.

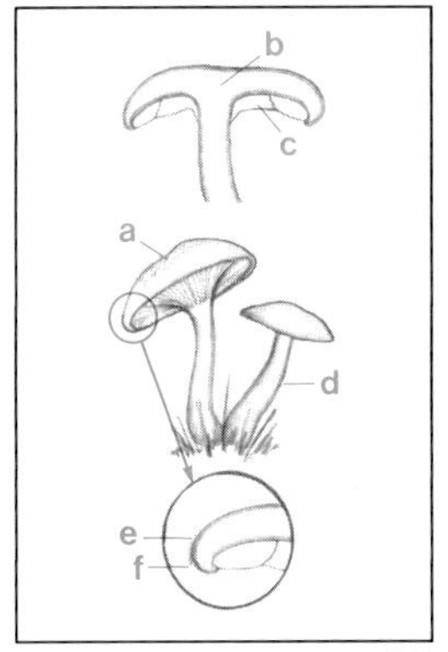

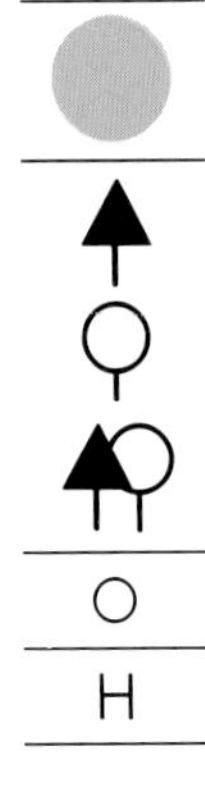

24 Lepista nuda (Fr.) Cke.

Tricholome ou Lépiste nu ou Pied bleu

Espèce humicole croissant en fin d'été et à l'automne dans les clairières, sur certaines pelouses, dans certains prés, en bordure des boisés de feuillus ou de conifères. C'est un excellent comestible très recherché.

Le chapeau (a) (5-12 cm diam.) est lilacé, violacé, gris violacé, gris brunâtre ou brun violacé ; il est convexe, étalé, puis déprimé, hygrophane, lisse ou un peu farineux à la marge chez les jeunes sujets. La chair (b) est violacée, ferme, épaisse, à odeur d'anis et à saveur très agréable. Les lamelles (c) sont violacées à bleuâtres ou plus grises, se tachant de brun avec l'âge, adnées, sinueuses, serrées et étroites. Le pied (d) (3-7 cm long.) est violacé ou bleuâtre et souvent taché de brun, plus épais à la base, plein, fibrilleux ou floconneux suivant le sujet, et massif. Espèce à sporée lilas ou rosée.

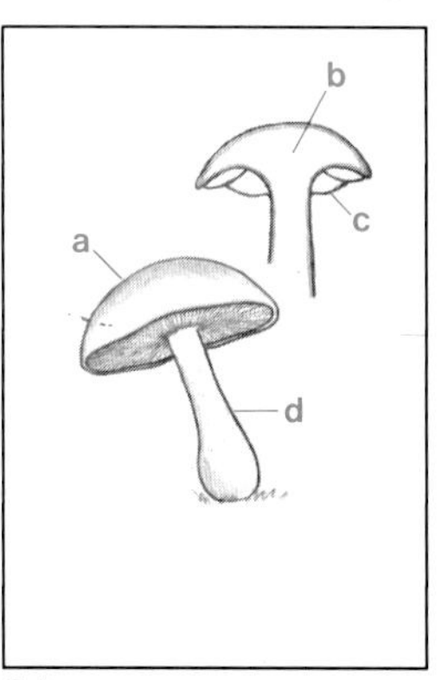

Tricholomopsis rutilans (Fr.) Sing.

Tricholome rutilant

Espèce lignicole croissant à l'été et à l'automne sur le bois mort des conifères. À rejeter en raison de sa saveur peu agréable.

Le chapeau (a) (4-15 cm diam.) est couvert de fines méchules rougeâtres ou pourpres sur fond jaune, convexe, étalé et plus ou moins mamelonné. La chair (b) est jaunâtre, épaisse, à odeur nulle et à saveur légèrement désagréable. Les lamelles (c) sont jaunes, adnées, serrées et larges. Le pied (d) (6-10 cm long.) est jaune rougeâtre, plus large au centre ou vers la base, se creusant avec l'âge. Espèce à sporée blanche.

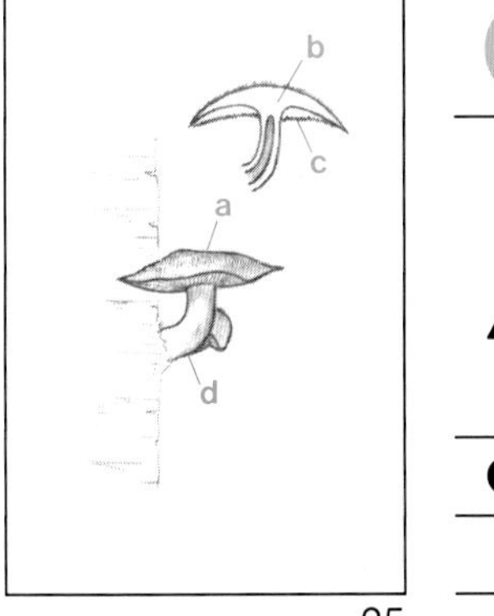

L

26 Tricholomopsis platyphylla (Fr.) Sing.

Collybie ou Tricholome à larges feuillets

Espèce lignicole croissant à partir du printemps jusqu'à l'automne sur le bois pourri des feuillus et des conifères comme les vieilles souches, les vieux troncs traînant sur le sol et autres débris ligneux, sous tous les couverts forestiers. C'est un comestible qui, selon certains, est acceptable.

Le chapeau (a) (5-20 cm diam.) est brun pâle, brun foncé, brun grisâtre ou brun noirâtre, convexe, plus ou moins déprimé, légèrement mamelonné, le plus souvent fendillé et couvert de fibrilles brunes. La chair (b) est blanche, très mince, à odeur nulle et à saveur très faible. Les lamelles (c) sont blanches, adnées, inégales et larges. Le pied (d) (6-15 cm long.) est blanc à grisâtre, élargi à la base, fibreux, strié et se creusant avec l'âge. Espèce à sporée blanche.

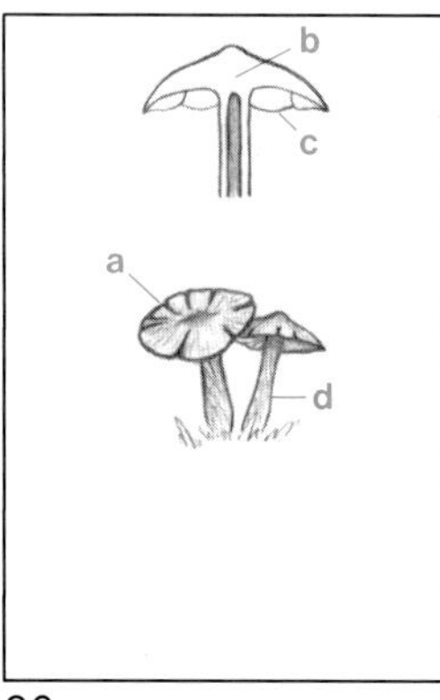

Clitocybe odora (Fr.) Kum.

Clitocybe odorant

Espèce humicole croissant à l'été et à l'automne sous les feuillus et dans les forêts mélangées. C'est un comestible acceptable qui peut aromatiser certains plats.

Le chapeau (a) (3-10 cm diam.) est le plus souvent blanc, mais il peut être teinté de verdâtre ; il est convexe, étalé, puis déprimé et sec. La chair (b) est blanche, mince, dégageant une odeur d'anis, à saveur douce. Les lamelles (c) sont blanchâtres ou tachées de verdâtre, décurrentes et serrées. Le pied (d) (3-9 cm long.) est blanc ou taché de verdâtre, égal et creux avec l'âge. Espèce à sporée blanche.

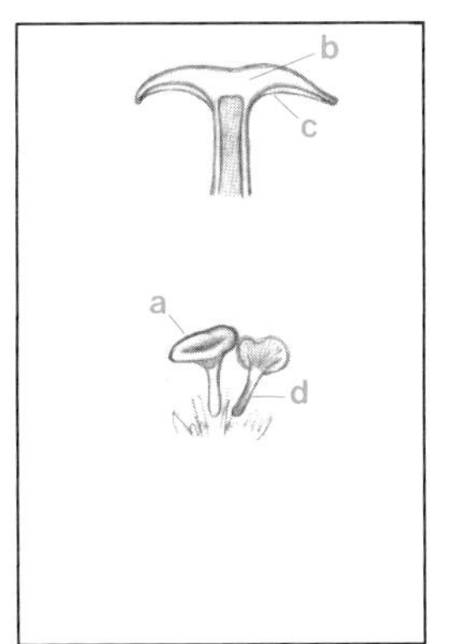

28 Clitocybe clavipes (Fr.) Kum.

Clitocybe à pied renflé

Espèce humicole croissant à la fin de l'été et à l'automne sous les conifères et les feuillus, parmi les mousses, dans les clairières, sur la mousse. Il est considéré comme étant un bon comestible.

Le chapeau (a) (2-8 cm diam.) est brun grisâtre ou gris, convexe, étalé, mamelonné (e), lisse ou soyeux. La chair (b) est blanche, épaisse, à saveur agréable. Les lamelles (c) sont blanches ou crème, décurrentes, minces, serrées, épaisses et souvent fourchues. Le pied (d) (3-8 cm long.) est de couleur semblable au chapeau, trapu, en forme de massue (f), spongieux et creux. Espèce à sporée blanche.

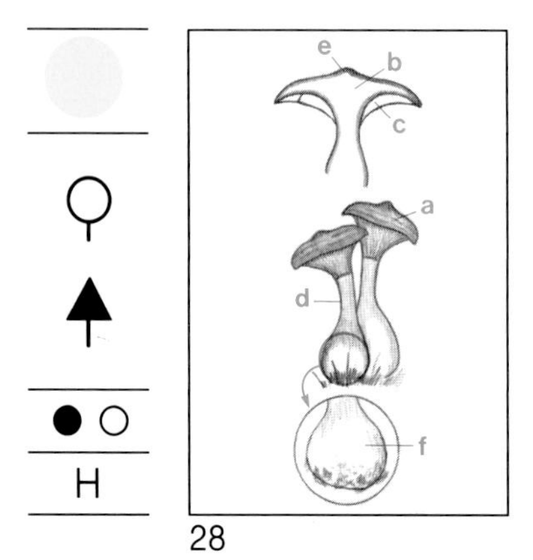

Clitocybe gibba (Fr.) Kum.

Clitocybe en entonnoir

29

Espèce humicole croissant à l'été et à l'automne sous les feuillus et dans les forêts mélangées. C'est un comestible acceptable.

Le chapeau (a) (3-10 cm diam.) est brunâtre à roussâtre; d'abord convexe, il s'étale par la suite pour s'ouvrir en entonnoir; il est lisse, à marge mince et ondulée. La chair (b) est blanche, mince, à odeur nulle et à saveur agréable. Les lamelles (c) sont blanches à rosâtres, décurrentes, étroites et serrées. Le pied (d) (4-10 cm long.) est de couleur semblable au chapeau ou plus pâle, égal ou un peu aminci au sommet, creux et fibreux. Espèce à sporée blanche.

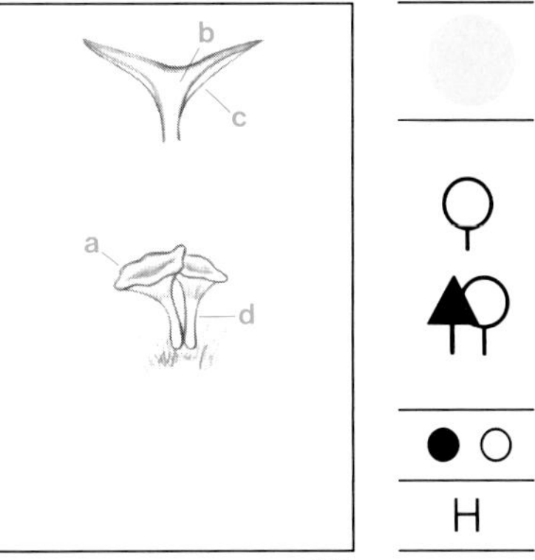

30 Clitocybe dealbata (Fr.) Kum.

Clitocybe morbifère ou sudorifère

Espèce humicole croissant en été et en automne dans les prés, les pâturages, les pelouses et parfois dans les clairières. Il est considéré comme étant vénéneux, car il provoque des intoxications de type sudorien.

Le chapeau (a) (1-4 cm diam.) est blanc à crème, convexe, plat, parfois en entonnoir et givré. La chair (b) est blanche, mince, hygrophane, à odeur de farine. Les lamelles (c) sont blanches ou blanc crème, adnées ou légèrement décurrentes, étroites et serrées. Le pied (d) (2-4 cm long.) est blanc, assez court, le plus souvent égal, légèrement fibrilleux et creux (e). Espèce à sporée blanche.

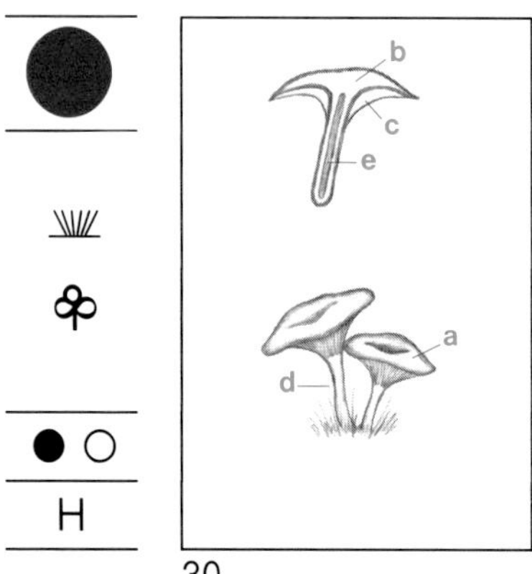

Lyophyllum decastes (Fr.) Sing.

Lyophylle en touffe

31

Espèce humicole croissant à l'été et à l'automne dans les prés, les pâturages, les pelouses et sous les feuillus. Cette espèce est très variable et difficile à reconnaître d'un habitat à l'autre. C'est un comestible très acceptable.

Le chapeau (a) (5-15 cm diam. et parfois plus) est blanc à jaunâtre, brunâtre, gris brunâtre, grisâtre, convexe, parfois mamelonné, lisse et luisant à l'humidité. La chair (b) est blanche à jaunâtre, très variable en épaisseur, à odeur forte et à saveur agréable. Les lamelles (c) sont blanches, jaunâtres ou grisâtres, adnées ou un peu décurrentes. Le pied (d) (5-10 cm long. ou plus) est cylindrique ou déformé, égal ou aminci à la base, plein et plus ou moins fibrilleux. Espèce à sporée blanche.

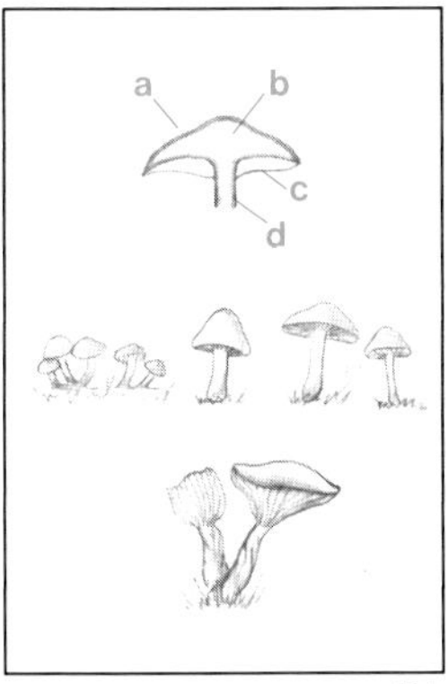

32

Pleurotus ulmarius (Fr.) Kum.

Pleurote de l'orme

Espèce lignicole croissant à l'automne sur les feuillus, particulièrement sur l'orme. On peut aussi le retrouver sur l'érable, le hêtre, le chêne et quelques autres feuillus. C'est un très bon comestible qu'il faut cueillir jeune.

Le chapeau (a) (7-20 cm diam.) est blanc crème, jaunâtre ou brunâtre en vieillissant, convexe et quelquefois étalé, à surface pubescente ou craquelée et à marge le plus souvent enroulée. La chair (b) est blanche, consistante, à saveur douce et agréable. Les lamelles (c) sont de blanches à crème, brunâtres avec l'âge, adnées et serrées. Le pied (d) (3-7 cm long.) est blanc à crème, jaunâtre à brunâtre avec l'âge, ferme, pubescent ou lisse, excentrique. Espèce à sporée blanche.

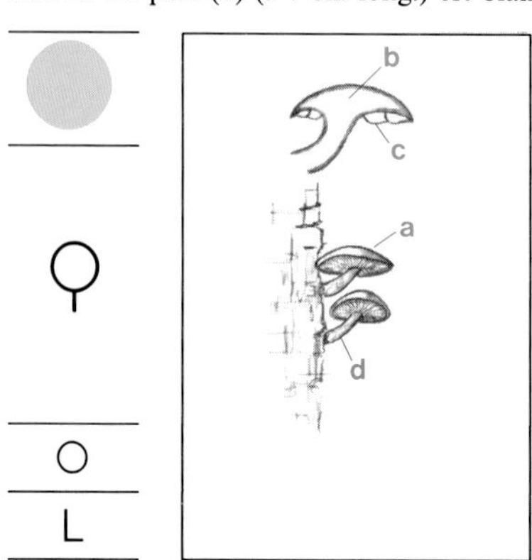

Pleurotus ostreatus (Fr.) Kum.

33

Pleurote en forme d'huître ou en coquille

Espèce lignicole croissant à l'été et à l'automne sur les peupliers. Il croît en touffe parfois très dense et imbriquée sur son support. C'est un très bon comestible surtout s'il est cueilli jeune.

Le chapeau (a) (2-25 cm diam.) est blanc, jaunâtre, gris jaunâtre, brun grisâtre, brun noirâtre, convexe, étalé et plus ou moins déprimé, en forme de coquille, plus ou moins duveteux surtout près du pied ou du point d'attache sur le support. La chair (b) est blanche à jaunâtre, épaisse, consistante, à odeur et à saveur douces et agréables. Les lamelles (c) sont blanches à crème ou grisâtres, décurrentes, veinées, espacées et larges. Le pied (d) (1-3 cm long.) est blanc à crème, excentrique ou latéral, plein, ferme et parfois duveteux à la base. On retrouve souvent des formes sessiles sur le support. Espèce à sporée blanche.

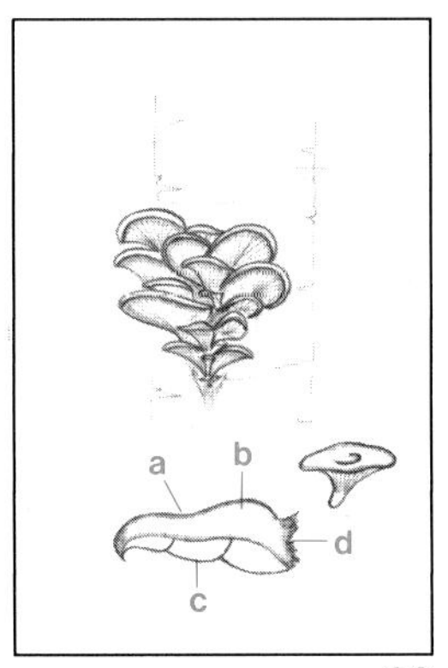

L

34 Pleurotus sapidus (Kalch.) Sacc.

Pleurote sapide

Espèce lignicole croissant en été et en automne sur les feuillus, particulièrement sur les érables. Longtemps considérée comme étant une forme commune au Pleurote en forme d'huître, elle s'en distingue par des caractères microscopiques qui en font une espèce à part. Les caractères microscopiques sont identiques à ceux du Pleurote en forme d'huître, mais cette espèce croît sur les érables et quelques autres feuillus alors que l'autre ne croît que sur le peuplier. Le chapeau (a), la chair (b), les lamelles (c) et le pied (d) sont semblables au précédent. C'est un très bon comestible qu'il faut cueillir jeune. Espèce à sporée lilas pâle.

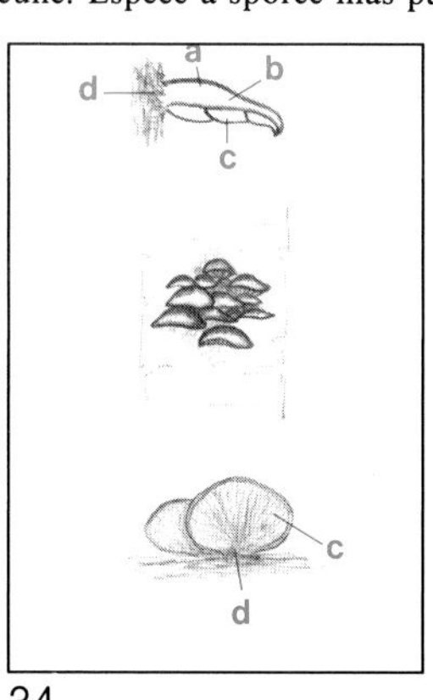

Pleurotellus porrigens (Fr.) Küh. et Rom.

35

Pleurote étalé

Espèce lignicole croissant à la fin de l'été et à l'automne sur le bois ou sur les souches pourries de conifères. On peut la retrouver sous tous les types de couverts forestiers. C'est un très bon comestible à saveur délicate.

Le chapeau (a) (2-6 cm diam.) est blanc, en forme d'éventail, convexe, puis étalé, ondulé, lisse et sessile sur son support. La chair (b) est blanche, mince, à saveur agréable et douce. Les lamelles (c) sont blanches, décurrentes, rayonnantes, étroites, serrées et fourchues. Le pied (d) est inexistant. Espèce à sporée blanche.

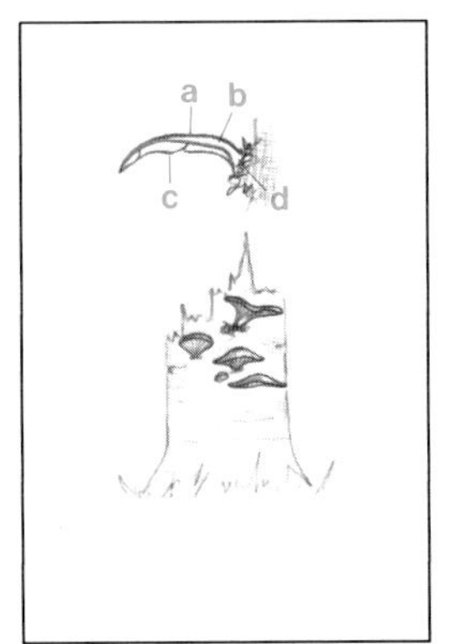

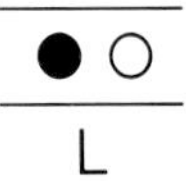

36 Panellus serotinus (Fr.) Küh.

Pleurote tardif

Espèce lignicole croissant à l'automne sur les arbres morts feuillus. Il pousse en touffe dense ou isolément. C'est un comestible à saveur appréciable.

Le chapeau (a) (1-8 cm diam.) est brun olivâtre, jaune olivâtre ou olivâtre, en forme de rein ou arrondi, convexe, étalé, visqueux, velouté ou finement pubescent, surtout près du pied, à marge enroulée. La chair (b) est blanche, ferme, gélatineuse avec une fine zone verdâtre ou olivâtre sous la pellicule, à saveur douce. Les lamelles (c) sont jaunes à jaune orangé, adnées, plus ou moins décurrentes, serrées, étroites et minces. Le pied (d) (0,2 à 1,5 cm long.) est jaune et facilement discernable sous le chapeau, court et ferme. Espèce à sporée blanche.

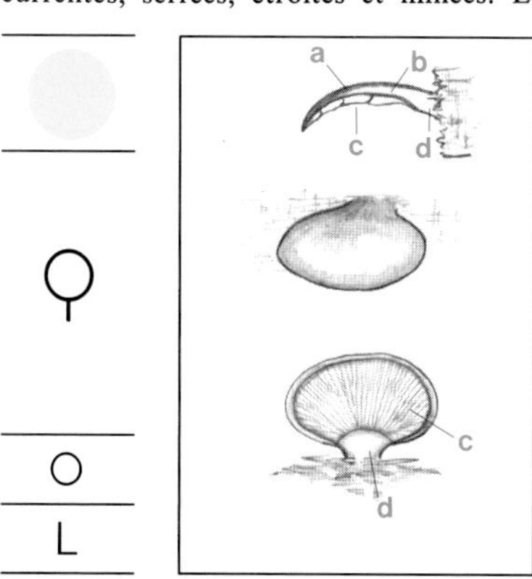

O

L

Panellus stipticus (Fr.) Karst.

37

Pan styptique

Espèce lignicole croissant à l'été et à l'automne sur les arbres feuillus. Sans intérêt pour le gastronome, cette belle petite espèce offre un intérêt certain pour le mycologue.

Le chapeau (a) (0,5-3 cm diam.) est brun pâle, brun cannelle ou chamois, en forme de rein, convexe et étalé, zoné et pubescent. La chair (b) est blanche et mince. Les lamelles (c) sont ocrées, brunâtres ou brun foncé, décurrentes, étroites et rayonnantes. Le pied (d) (0,5-1 cm long.) est blanc, excentrique ou latéral et fibrilleux. Espèce à sporée blanche.

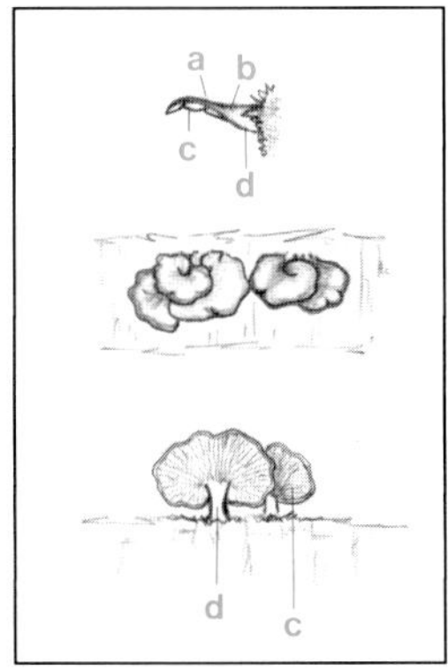

L

38 Schizophyllum commune Fr.

Schizophylle commun

Espèce lignicole croissant à l'été et à l'automne sur le bois pourri ou mort des arbres feuillus. Ce petit champignon ne représente aucun intérêt pour le gastronome, mais c'est une curiosité intéressante pour le mycologue.

Le chapeau (a) (0,5-3 cm diam.) est grisâtre à brun grisâtre, coriace, en éventail et tomenteux. La chair (b) est blanche et très mince. Les pseudo-lamelles (c) sont blanchâtres, grisâtres ou brun grisâtre et rayonnantes. Le pied est inexistant, le chapeau est sessile (d) au support. Espèce à sporée blanche ou crème.

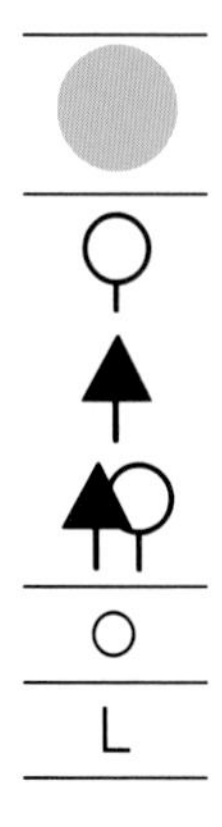

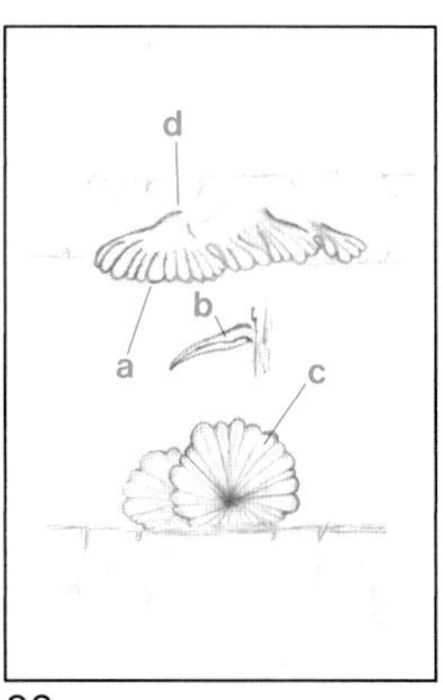

Phyllotopsis nidulans (Fr.) Sing.

Phyllotopsis ou Pleurote petit nid

Espèce lignicole croissant à l'automne sur le bois mort des conifères et des feuillus. Ce beau champignon offre un intérêt certain pour le mycologue sans être pour cela un comestible intéressant. Il croît en touffe dense et s'entremêle avec le support.

Le chapeau (a) (1-8 cm diam.) est jaune à orangé, en forme de rein ou de demi-lune, tomenteux et sessile. La chair (b) est jaunâtre, coriace, à odeur peu agréable et à saveur amère. Les lamelles (c) sont jaunes à orangées, rayonnantes et légèrement espacées. Le pied est inexistant, le chapeau est sessile (d) au support. Espèce à sporée rosée.

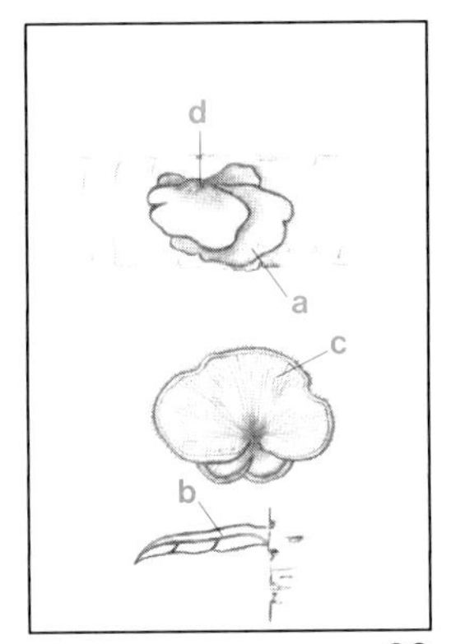

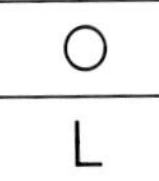

40 Crepidotus mollis (Fr.) Staude.

Crepidote mou

Espèce lignicole croissant en été et en automne sur le bois mort des feuillus et de certains conifères. C'est un champignon intéressant à observer, mais il n'offre aucun intérêt véritable pour le gastronome.

Le chapeau (a) (0,5-5 cm diam.) est brun pâle, brun ocré ou brun foncé, convexe, en forme de rein, hygrophane et finement fibrilleux. La chair (b) est blanchâtre, mince, à saveur agréable. Les lamelles (c) sont blanchâtres à brunâtres, décurrentes et rayonnantes. Le pied est inexistant, le chapeau est sessile (d) au support. Espèce à sporée brune.

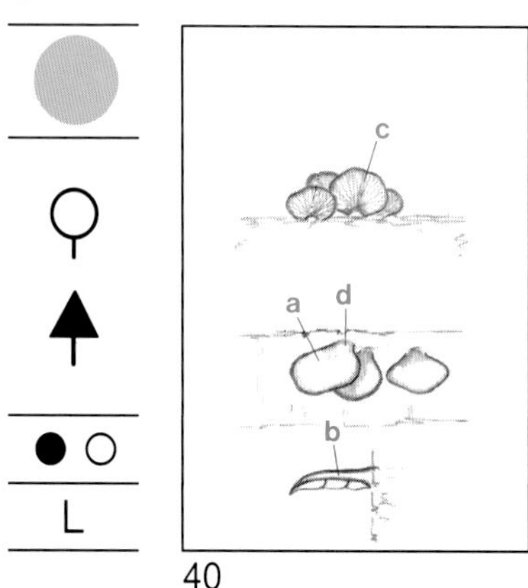

Lentinellus cochleatus (Fr.) Fay.

Lentin en colimaçon

Espèce lignicole croissant à l'été et à l'automne sur le bois pourri des feuillus. S'il est consommé jeune, c'est un comestible acceptable.

Le chapeau (a) (2-12 cm diam.) est brunâtre, brun roux, brun ocré, en forme de spatule ou d'entonnoir, à marge enroulée ou relevée. La chair (b) est blanchâtre à roussâtre, assez tendre dans le jeune âge, mais plus coriace en vieillissant, à odeur d'anis pas toujours perceptible cependant. Les lamelles (c) sont blanchâtres à brunâtres, longuement décurrentes et dentelées à l'arête. Le pied (d) est brun roussâtre à ocracé, tors, assez coriace, central ou excentrique, plein ou creux, profondément sillonné et aminci à la base. Espèce à sporée blanche.

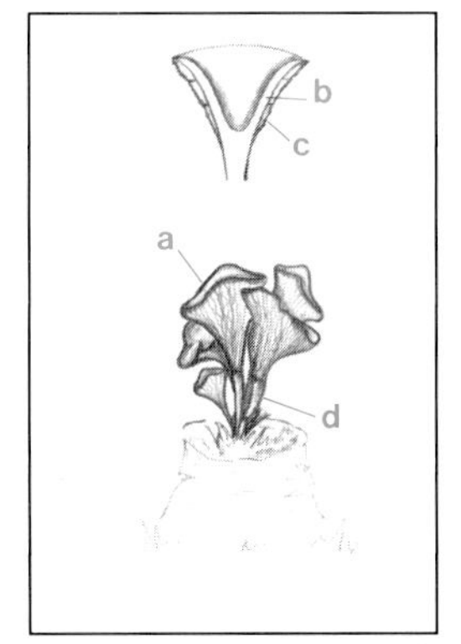

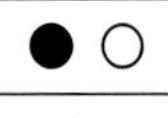

L

42 Lentinus lepideus (Fr.) Fr.

Lentin joli ou écailleux

Espèce lignicole croissant du printemps à l'automne sur le bois des conifères, comme sur les poteaux, les dormants de chemin de fer et autres bois de construction. Il cause une carie brune cubique. C'est un comestible difficile à consommer en raison de sa chair trop coriace.

Le chapeau (a) (5-20 cm diam.) est blanchâtre et couvert de plus ou moins grosses écailles brunâtres, surtout à la périphérie, convexe et étalé chez les sujets plus âgés. La chair (b) est blanche, ferme, épaisse et parfumée. Les lamelles (c) sont blanches, décurrentes, espacées et dentelées à l'arête. Le pied (d) (3-8 cm long.) est blanc, court et trapu, égal ou aminci à la base, excentrique ou latéral, écailleux vers la base, à anneau fugace laissant une trace. Espèce à sporée blanche.

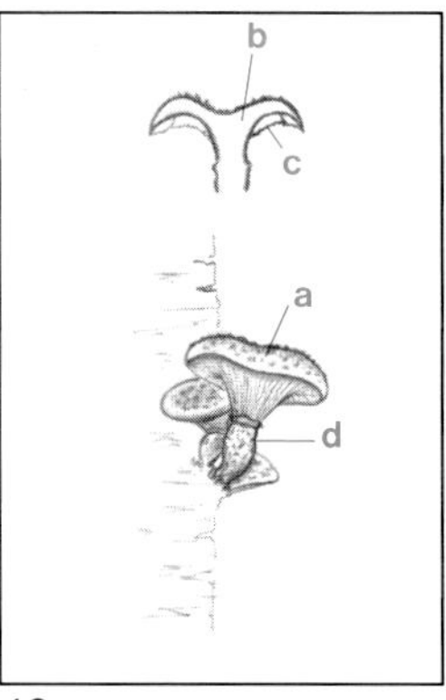

Geopetalum geogenium (D.C. ex Fr.) Pat.

Pleurote terrestre

Espèce humicole ou lignicole croissant à l'été et à l'automne près des racines, sur les tapis d'aiguilles ou sur la sciure dans les serres, sous les feuillus et les conifères. Comestible qu'il faut consommer jeune.

Le chapeau (a) (1-10 cm diam.) est brun grisâtre, gris jaunâtre, parfois gris roussâtre ou brun plus foncé, en spatule ou en demi-entonnoir, à surface lisse, luisante et duveteuse ou pubescente (e). La chair (b) est blanche à brunâtre, épaisse, tenace, avec une pellicule gélatineuse située sous la cuticule duveteuse. Les lamelles (c) sont blanches à crème, longuement décurrentes, serrées, étroites et souvent fourchues. Le pied (d) (1-4 cm long.) est blanc à brunâtre, court et souvent trapu, plein, latéral, inégal et irrégulier. Espèce à sporée blanche.

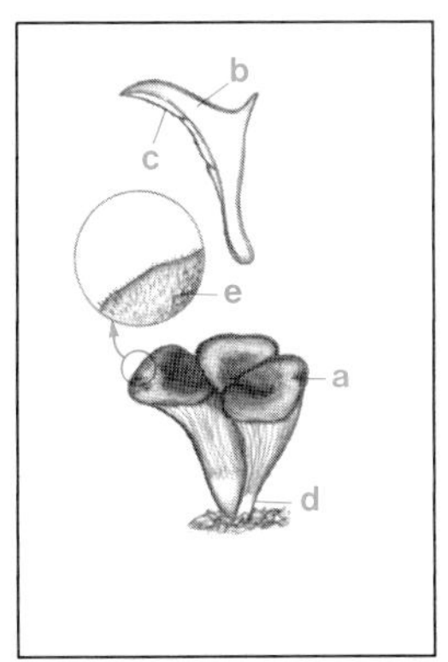

44

Oudemansiella radicata (Fr.) Sing.

Collybie radicante ou à racine

Espèce humicole croissant à l'été et à l'automne près des souches ou sur le bois pourri, sous les feuillus et dans les forêts mélangées. C'est un comestible médiocre, mais il demeure intéressant à observer et à connaître.

Le chapeau (a) (3-10 cm diam.) est brun gris, gris brunâtre ou brunâtre, campanulé, étalé et déprimé avec l'âge, plus ou moins mamelonné, visqueux et ridé. La chair (b) est blanche, tendre ou coriace, mince, sans odeur ou saveur particulière. Les lamelles (c) sont blanches, larges, espacées, adnées et arrondies près du pied. Le pied (d) (6-20 cm long.) est blanchâtre à brunâtre, aminci vers le sommet; il s'épaissit près du sol, il est creux, terminé par une pseudo-racine (e) qui s'enfonce dans le support. Espèce à sporée blanche.

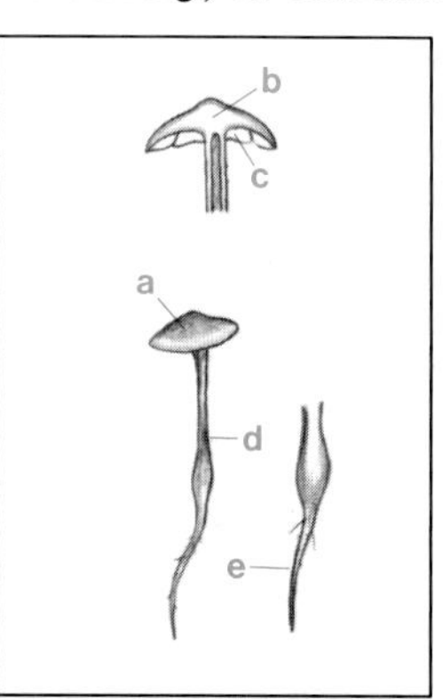

Collybia maculata (Fr.) Quél.

Collybie tachée ou maculée

Espèce humicole croissant à l'automne sous les conifères ou dans les forêts mélangées. À rejeter en raison de sa saveur désagréable.

Le chapeau (a) (4-10 cm diam.) est blanc et taché de brun roux, étalé, le plus souvent mamelonné, épais, lisse et bosselé. La chair (b) est blanche, épaisse, ferme, à odeur nulle et à saveur acidulée. Les lamelles (c) sont blanches dans le jeune âge, puis brunâtre roux en vieillissant, adnées, serrées, étroites et denticulées près de l'arête. Le pied (d) (6-10 cm long.) est blanc ou taché de brun roux, parfois ventru, strié, cartilagineux, creux (e) et parfois radicant (f). Espèce à sporée blanche.

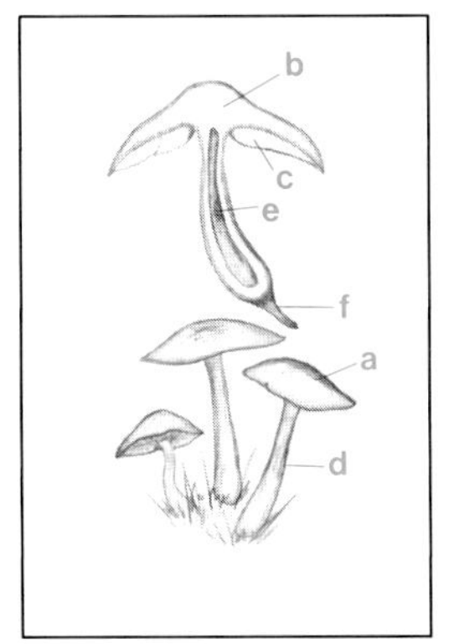

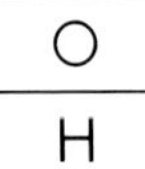

H

46 Collybia butyracea (Fr.) Quél.

Collybie butyracée

Espèce humicole croissant à l'automne sous les feuillus, les conifères et dans les forêts mélangées. Elle est trop peu charnue pour avoir une valeur culinaire acceptable.

Le chapeau (a) (3-7 cm diam.) est brun ocre à brun rougeâtre, convexe, étalé avec l'âge, souvent mamelonné, lisse et visqueux par temps humide ou après une pluie. La chair (b) est blanchâtre à brunâtre, mince, molle, à saveur douce. Les lamelles (c) sont blanches, adnées, serrées et crénelées à l'arête. Le pied (d) (3-8 cm long.) est brun rougeâtre ou de couleur semblable au chapeau, aminci au sommet et renflé à la base, assez coriace, creux et strié. Le pied peut parfois être déformé (e) par un parasite du genre Christiansenia mycetophila. Espèce à sporée blanche.

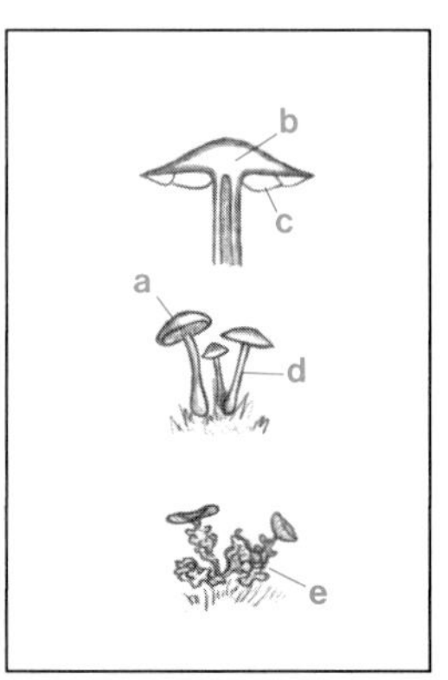

Collybia dryophila (Fr.) Kum.

Collybie des chênes

Espèce humicole croissant en été et à l'automne sous les feuillus et dans les forêts mélangées, parfois en colonies très denses. Comestible sans grand intérêt pour le gastronome, car il est trop peu charnu.

Le chapeau (a) (2-6 cm diam.) est brun roux, brun orangé ou brunâtre, convexe, puis étalé et parfois déprimé, hygrophane, lisse, à marge plus ou moins relevée. La chair (b) est blanchâtre à brunâtre, peu épaisse, molle, à saveur douce. Les lamelles (c) sont blanches, adnées, serrées et minces. Le pied (d) (2-6 cm long.) est brunâtre à brun rougeâtre, parfois jaunâtre, égal, coriace, creux et lisse. Tout comme la Collybie butyracée, elle est parfois déformée (e) par le parasite Christiansenia mycetophila. Espèce à sporée blanche.

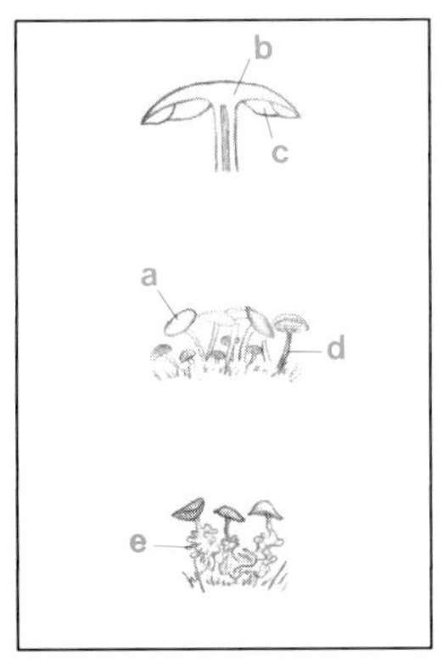

48 Flammulina velutipes (Fr.) Sing.

Collybie à pied velouté

Espèce lignicole croissant du début de l'été à l'automne sur les arbres morts et les bois morts d'arbres feuillus, en particulier sur l'orme, en colonies souvent très denses. C'est un comestible acceptable et agréable au goût.

Le chapeau (a) (2-5 cm diam.) est jaune roux, orangé à brun orangé, convexe, déprimé avec l'âge, souvent mamelonné, lisse, visqueux et à cuticule séparable. La chair (b) est blanche, assez épaisse, consistante, à odeur agréable et à saveur douce. Les lamelles (c) sont jaunes ou roussâtres, adnées, plus ou moins larges et espacées. Le pied (d) (2-7 cm long.) est de même couleur que le chapeau ou plus sombre, de brun roussâtre à brun noirâtre, aminci à la base, excentrique sur certains sujets, velouté (e) sur toute sa longueur, coriace et creux. Espèce à sporée blanche.

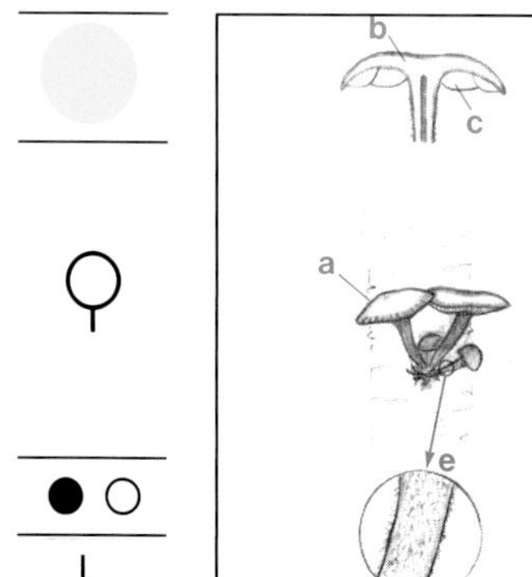

● ○

L

Marasmius oreades (Fr.) Fr.

Marasme des Oréades ou Faux Mousseron

Espèce humicole croissant de l'été à l'automne sur les pelouses, les prés, les pâturages et en bordure des routes où elle forme des «ronds de sorcière». C'est un excellent comestible qui prend plus de saveur après séchage. Ne consommer que les chapeaux car le pied est trop coriace.

Le chapeau (a) (2-5 cm diam.) est jaunâtre, jaune rougeâtre, jaune brunâtre ou brunâtre, conique ou campanulé, convexe, étalé et mamelonné, lisse, hygrophane, légèrement visqueux, surtout après la pluie. La chair (b) est blanche, plus ou moins épaisse, ferme, à odeur faible et à saveur agréable. Les lamelles (c) sont blanchâtres à jaunâtres, libres, plus ou moins espacées et interveinées (e). Le pied (d) (3-7 cm long.) est de couleur semblable au chapeau ou un peu plus foncé, égal, parfois tors, raide, fibreux, coriace et plein. Espèce à sporée blanche.

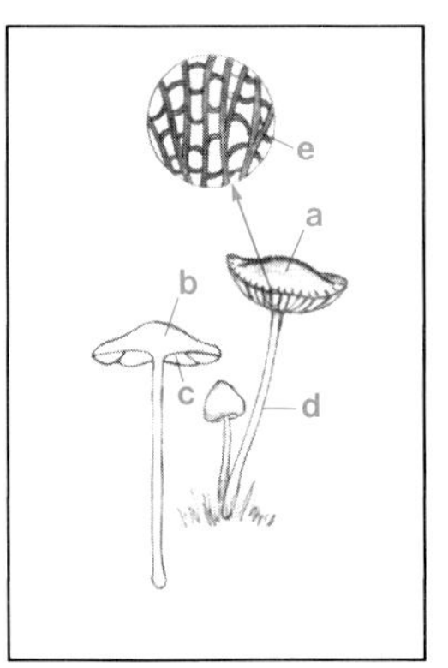

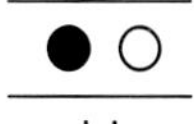

H

50 Marasmius scorodonius (Fr.) Fr.

Marasme à odeur d'ail

Espèce humicole croissant à l'été et à l'automne sous les conifères ou dans les forêts mélangées, dans les endroits humides au travers des débris végétaux. Ce comestible peut servir à aromatiser certains plats.

Le chapeau (a) (0,5-1,2 cm diam.) est jaune pâle à roussâtre, convexe, plus aplani, lisse et ridé radialement en bordure. La chair (b) est blanchâtre, mince, légèrement fibreuse, à forte odeur d'ail. Les lamelles (c) sont blanchâtres, adnées, étroites et parsemées de petits flocons à l'arête. Le pied (d) (2-4 cm long.) est rougeâtre, brun rougeâtre ou brun foncé, égal, étroit, rigide et cylindrique. Espèce à sporée blanche.

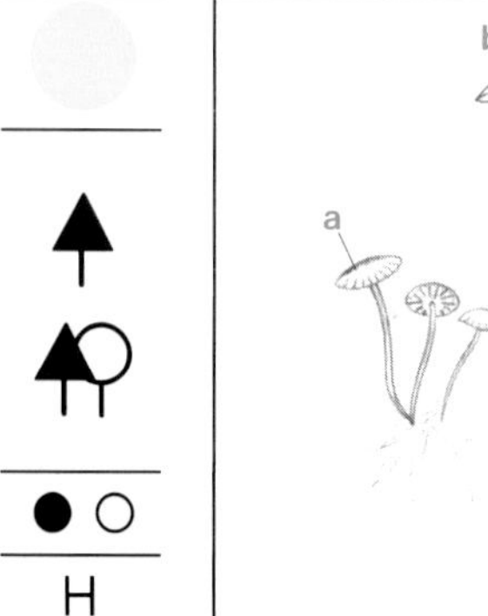

H

Marasmius fœtidus Fr.

Marasme fétide

Espèce lignicole croissant à l'été et à l'automne sur le bois pourri comme les souches, les vieux troncs ou les vieilles racines, sous les feuillus ou dans les forêts mélangées. Comestible à rejeter en raison de son odeur et de sa taille peu intéressantes.

Le chapeau (a) (1-3 cm diam.) est brun rougeâtre à orangé rougeâtre, d'abord convexe, puis étalé et longuement strié. La chair (b) est rougeâtre, mince, à odeur fétide et à saveur désagréable. Les lamelles (c) sont rousses ou rougeâtres, adnées, larges et espacées. Le pied (d) (2-3 cm long.) est rougeâtre, rouge foncé ou rouge noirâtre, court et pubescent. Espèce à sporée blanche.

L

52

Xeromphalina campanella
(Fr.) Küh. et Maire.

Xéromphaline ou Omphale en clochette

Espèce lignicole croissant du printemps à l'automne sur le bois pourri, comme les vieilles souches, les vieilles racines ou les vieux troncs, sous les conifères et dans les forêts mélangées. Comestible, mais sans grand intérêt pour la gastronomie.

Le chapeau (a) (0,5-2,5 cm diam.) est jaunâtre à orangé ou cannelle, convexe, déprimé avec l'âge, strié et à marge étalée. La chair (b) est jaune à orangée, mince, sans odeur et sans saveur particulières. Les lamelles (c) sont jaunes à orangées, adnées ou décurrentes, épaisses et étroites. Le pied (d) (1-4 cm long.) est jaune brunâtre ou orangé, égal, d'abord pruineux, puis glabre et bulbeux à la base. Espèce à sporée jaunâtre.

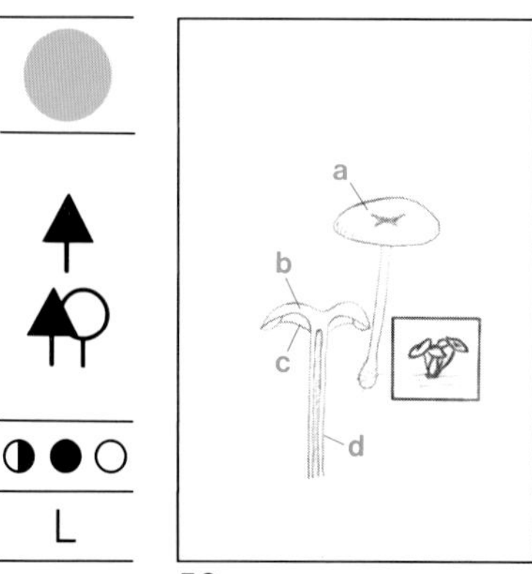

Mycena inclinata (Fr.) Quél.

Mycène incliné

Espèce lignicole croissant du printemps à l'automne sur les troncs et les souches des arbres feuillus, sous les forêts de feuillus et mélangées. Il est trop petit pour être consommé.

Le chapeau (a) (1,3-5 cm diam.) est gris brun, conique, puis campanulé, plus ou moins mamelonné, strié, hygrophane et à marge crénelée. La chair (b) est blanche à grisâtre, mince, à odeur forte et à saveur âcre. Les lamelles (c) sont blanches à grisâtres, adnées et plus ou moins serrées. Le pied (d) (5-10 cm long.) est blanchâtre, surtout vers le sommet, mais plus gris à la base, devenant brun rouge ou jaunâtre avec l'âge, égal, long, grêle, raide et parfois courbe. Espèce à sporée blanche.

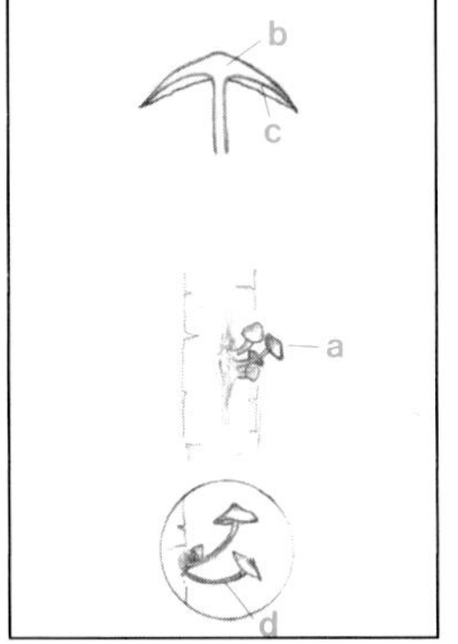

54

Cortinarius trivialis Lange.

Cortinaire graisseux ou trivial

Espèce humicole croissant en fin d'été et à l'automne sous les feuillus ou dans les forêts mélangées. Comestible, il est considéré par certains comme très agréable; d'autres l'aiment moins.

Le chapeau (a) (3-10 cm diam.) est brun cuivre, brun brique, brun ocré, brun orangé ou brun olive, convexe, épais, plus ou moins campanulé, mamelonné, lisse et visqueux surtout par temps humide. La chair (b) est blanchâtre, jaunâtre ou brunâtre, épaisse, ferme, à saveur agréable. Les lamelles (c) sont blanchâtres, puis brunâtres avec l'âge, adnées, serrées et ventrues. Le pied (d) (5-10 cm long.) est blanchâtre ou argilacé, égal ou parfois un peu aminci à la base, creux, portant dans sa partie supérieure une cortine (e), recouvert de bandes irrégulières et concentriques (f), visqueuses et brillantes. Espèce à sporée brune.

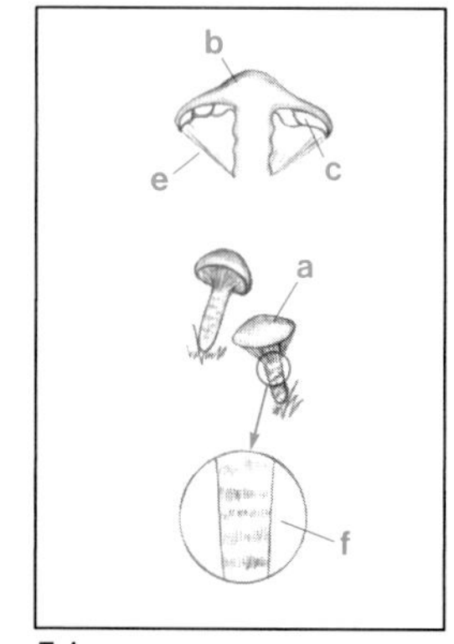

Cortinarius multiformis (Fr.) Fr.

Cortinaire variable ou multiforme

55

Espèce humicole croissant en été et à l'automne sous les feuillus et dans les forêts mélangées. À rejeter en raison de ses propriétés laxatives et de sa consistance.

Le chapeau (a) (5-10 cm diam.) est jaune foncé, brun jaunâtre, brun ocré ou brun orangé, convexe, par la suite étalé, glabre et plus ou moins visqueux. La chair (b) est blanche à jaunâtre, à odeur et à saveur assez douces. Les lamelles (c) sont d'abord blanchâtres à jaunâtres, puis brunes, roussâtres ou cannelle avec l'âge, adnées, serrées et étroites. Le pied (d) (4-9 cm long.) est blanc à jaunâtre, égal ou bulbeux à la base (e) et plein. Espèce à sporée brune.

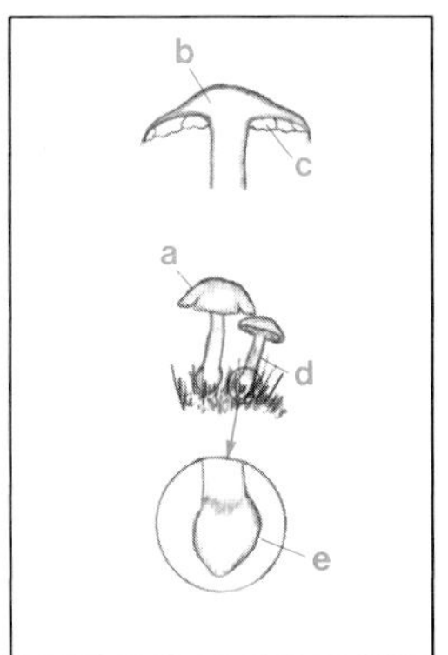

56 Cortinarius alboviolaceus (Fr.) Fr.

Cortinaire blanc-violet

Espèce humicole croissant à l'automne sous les feuillus, les conifères et dans les forêts mélangées. Comestible acceptable quand il est jeune.

Le chapeau (a) (3-8 cm diam.) est blanc violacé, brun violacé ou violacé, convexe, étalé, mamelonné ou bosselé et sec. La chair (b) est blanchâtre ou violacée, consistante, à odeur et à saveur agréables. Les lamelles (c) sont grisâtres ou violacées, puis brunâtres à ocrées avec l'âge, adnées, larges et serrées. Le pied (d) (4-8 cm long.) est de couleur semblable à celle du chapeau ou faiblement plus pâle, aminci vers le haut ou élargi vers le centre, d'abord plein puis creux avec l'âge, muni d'une cortine (e) au sommet, surtout visible chez les jeunes sujets. Espèce à sporée brune.

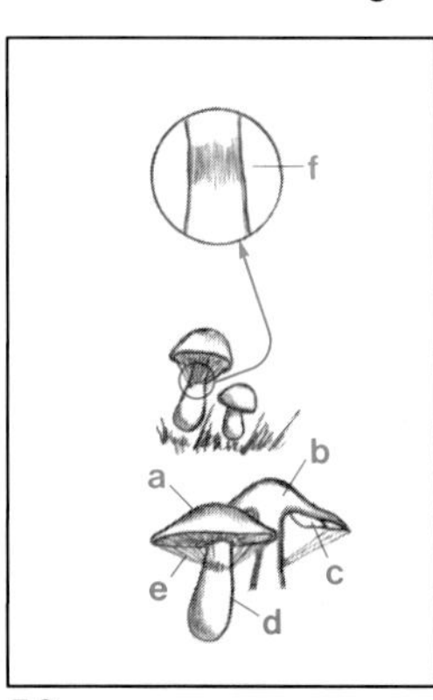

Cortinarius traganus (Fr.) Fr.

Cortinaire à odeur de bouc

Espèce humicole croissant à l'automne sous les conifères ou dans les forêts mélangées. À rejeter en raison de son odeur fortement désagréable.

Le chapeau (a) (4-12 cm diam.) est lilacé ou brun lilas, convexe, étalé, mamelonné avec l'âge, sec et soyeux. La chair (b) est brunâtre, épaisse, ferme, à odeur fortement désagréable de corne brûlée. Les lamelles (c) sont ocrées, brun ocre ou brunes en vieillissant, adnées puis émarginées avec l'âge, larges et inégales. Le pied (d) (7-10 cm long.) est blanchâtre ou légèrement brunâtre, bulbeux, plein et robuste, muni d'une cortine (e) blanchâtre, recouvert à sa base d'un revêtement (f) lilas. Espèce à sporée cannelle.

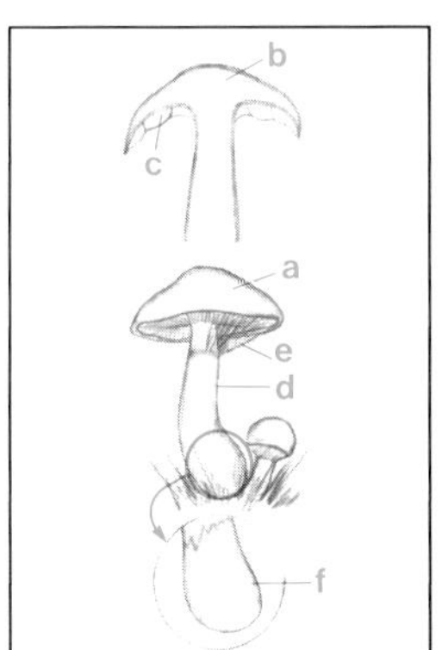

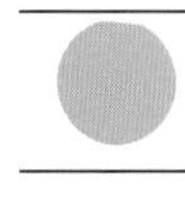

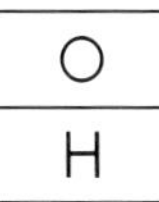

58 Cortinarius cinnamomeus (Fr.) Fr.

Cortinaire cannelle

Espèce humicole croissant en été et en automne sous les conifères, dans les forêts mélangées, les tourbières ou dans les endroits humides. À rejeter, car il peut être toxique.

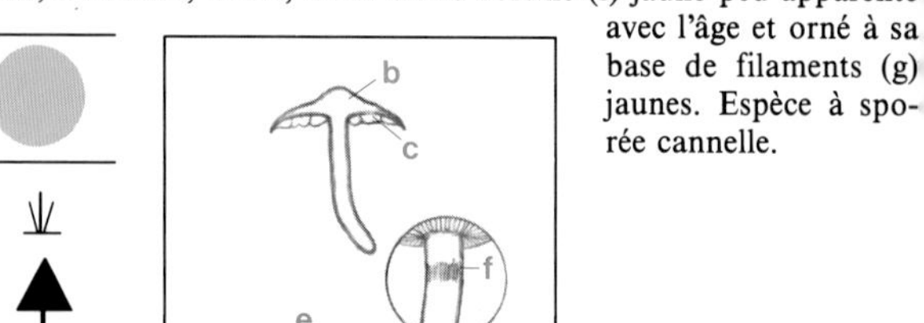

Le chapeau (a) (2-6 cm diam.) est cannelle, brun cannelle ou fauve cannelle, convexe, campanulé au début puis étalé et mamelonné (e). La chair (b) est jaunâtre, mince, à odeur et à saveur nulles. Les lamelles (c) sont jaune brunâtre, jaune cannelle ou jaune olivâtre, adnées, larges, plus ou moins serrées. Le pied (d) (3-6 cm long.) est cannelle, jaune cannelle ou jaune brunâtre, égal, assez grêle, fibrilleux, creux, muni d'une cortine (f) jaune peu apparente avec l'âge et orné à sa base de filaments (g) jaunes. Espèce à sporée cannelle.

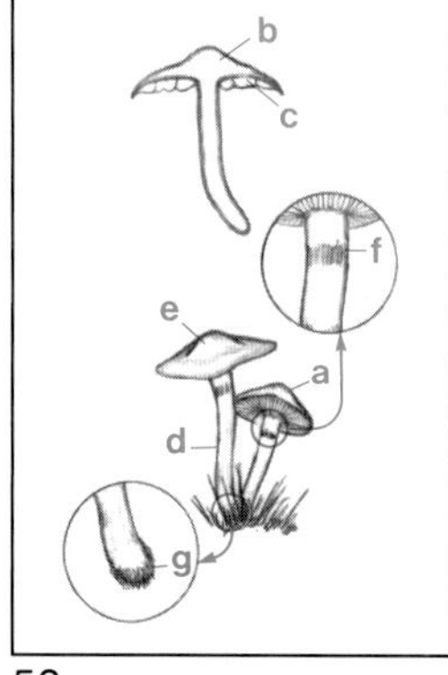

Cortinarius semisanguineus (Fr.) Gill.

Cortinaire à moitié rouge sang

Espèce humicole croissant en été et à l'automne sous les feuillus ou dans les forêts mélangées. À rejeter, car il est vénéneux sans être toutefois mortel.

Le chapeau (a) (4-6 cm diam.) est jaune ocré, brun olive ou roussâtre, campanulé, étalé et mamelonné. La chair (b) est jaune ocré à roussâtre, mince, à odeur de radis et à saveur agréable. Les lamelles (c) sont rouge sang à rouge brun cannelle chez les plus vieux sujets, adnées, plus ou moins larges et espacées. Le pied (d) (5-6 cm long.) est de couleur semblable au chapeau ou plus pâle et muni d'une cortine visible chez les jeunes sujets et de traces (e) chez les sujets plus âgés. Espèce à sporée brune.

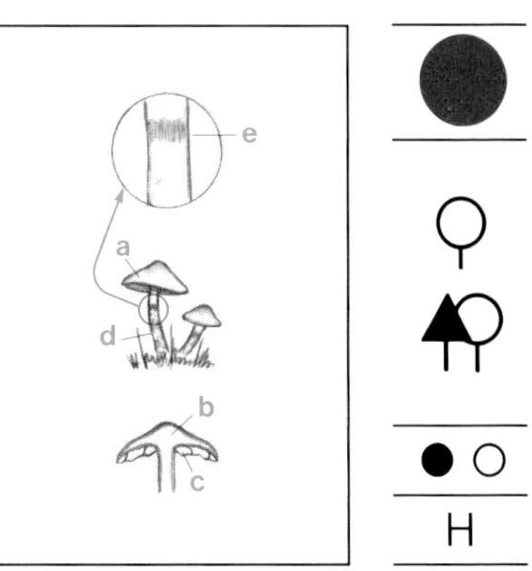

H

60 Cortinarius armillatus (Fr.) Fr.

Cortinaire à bracelets

Espèce humicole croissant en été et à l'automne sous les conifères, dans les forêts mélangées et dans les tourbières. Il est comestible, mais souvent peu apprécié par les gastronomes.

Le chapeau (a) (4-12 cm diam.) est brun ocre, brun rougeâtre ou ocré à roux, campanulé, convexe, légèrement écailleux ou fibrilleux, à marge bordée dans le jeune âge des restes du voile. La chair (b) est d'abord blanche ou un peu brunâtre, épaisse, molle, à odeur de radis. Les lamelles (c) sont cannelle à brunes, adnées, larges et espacées. Le pied (d) (6-12 cm long.) est blanchâtre à brunâtre, gros et bulbeux, plein, radicant, fibrilleux et orné de bracelets (f) ou anneaux brun rougeâtre ou roux au-dessous de la cortine (e). Espèce à sporée cannelle.

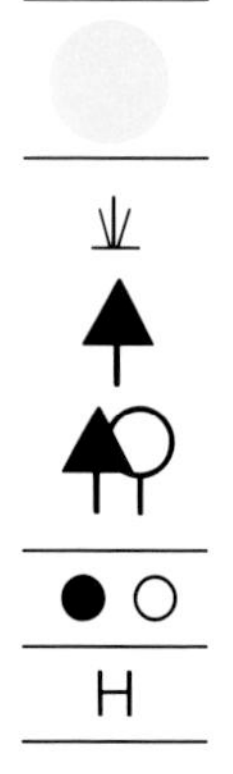

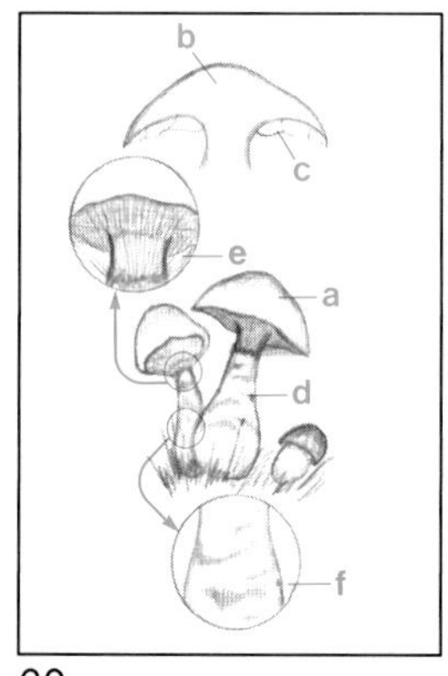

Inocybe lacera (Fr.) Kum.

Inocybe lacéré

Espèce humicole croissant à la fin du printemps et au début de l'été sous les conifères et les feuillus, sur les pelouses et dans les tourbières. Ce champignon est toxique et cause des troubles gastriques intenses.

Le chapeau (a) (1-4 cm diam.) est brun, brun ocré ou brun foncé, convexe, le plus souvent campanulé et mamelonné, fibrilleux dans le jeune âge puis écailleux (e) ou lacéré. La chair (b) est blanche, assez mince, à odeur fétide et à saveur agréable. Les lamelles (c) sont blanches au début, puis gris brunâtre ou brunes, serrées, larges et sinuées. Le pied (d) (2-4 cm long.) est blanc, brunâtre ou gris brun, égal, fibrilleux (g) surtout vers la base, un peu floconneux ou glabre vers le sommet, assez gros et plein (f). Espèce à sporée brune.

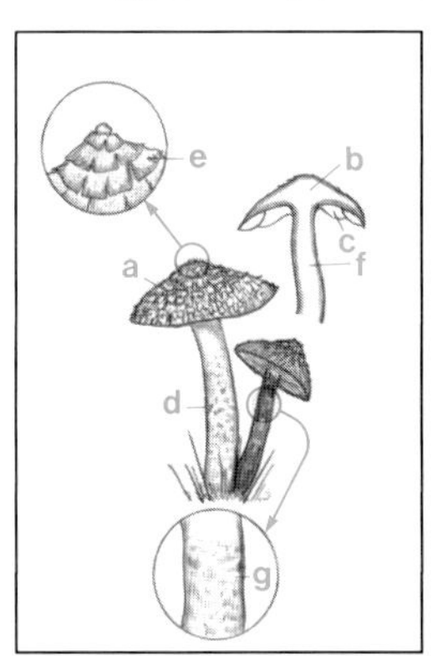

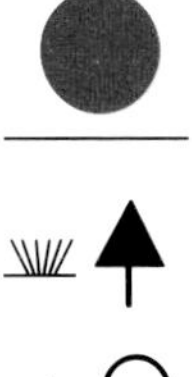

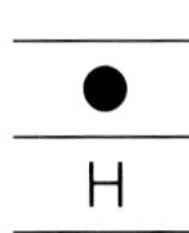

62

Hebeloma hiemale Bres.

Hébélome hivernal

Espèce humicole croissant tôt au printemps et tard à l'automne dans les lieux dégagés et les bois ouverts. Douteux et peut-être même toxique comme plusieurs des Hébélomes.

Le chapeau (a) (3-5 cm diam.) est jaunâtre à la marge et brun roussâtre vers le centre, convexe, étalé et déprimé avec l'âge, mamelonné et glabre. La chair (b) est blanchâtre à jaunâtre, sans odeur particulière et à saveur amère. Les lamelles (c) sont blanchâtres à grisâtres, adnées et serrées. Le pied (d) (2-3 cm long.) est blanchâtre à jaunâtre, plus pâle que le chapeau, égal; il se creuse avec l'âge et est légèrement fibrilleux à la base. Espèce à sporée brune.

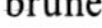

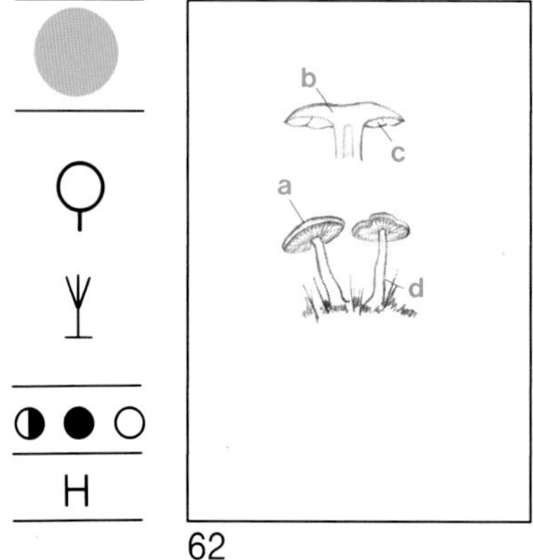

Hygrophoropsis morgani (Pk.) Bigelow.

Hygrophore odorant

Espèce humicole rare croissant en été et à l'automne sous les forêts de conifères comme la sapinière et la pinède. Comestible, mais rare.

Le chapeau (a) (1,5-4 cm diam.) est blanc rosâtre, rosé orangé ou rose feu, parfois plus clair ou chamois, étalé, puis déprimé ou en entonnoir, légèrement tomenteux (f), à marge ondulée, sinuée ou lobée et irrégulière. La chair (b) est blanchâtre ou légèrement rosâtre, mince, tendre, à odeur parfumée de bonbon anglais et à saveur agréable. Les lamelles (c) sont crème, de couleur chair ou semblable au chapeau, décurrentes, fourchues (e) ou ramifiées, interveinées (i), étroites, épaisses et serrées. Le pied (d) (1,2-3 cm long.) est crème ou de couleur semblable au chapeau, central ou excentrique (g), court, aminci vers la base, tenace, légèrement fibrilleux, parfois sillonné ou fendu sur la moitié (h). Espèce à sporée blanche ou crème.

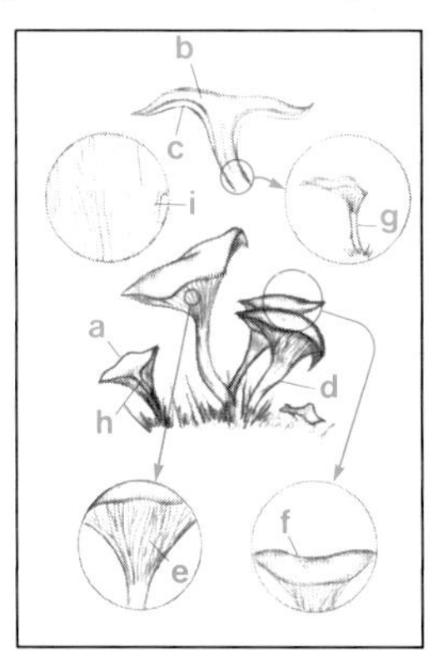

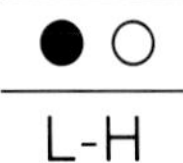

L-H

64 Hygrophoropsis aurantiaca (Fr.) Maire.

Clitocybe orangé

Espèce humicole ou lignicole croissant en été et en automne sur le sol ou le bois pourri, sous les conifères ou dans les forêts mélangées. Comestible, mais pas toujours apprécié.

Le chapeau (a) (2-10 cm diam.) est orangé, jaune orangé ou brun orangé avec l'âge, convexe, puis étalé et déprimé, finement velouté, sec, à marge enroulée, souvent lobée et irrégulière. La chair (b) est jaunâtre ou orangée, assez épaisse, molle au début puis spongieuse avec l'âge, à odeur nulle et à saveur désagréable en vieillissant. Les lamelles (c) sont jaune orangé, orangées ou rouge orangé, décurrentes, étroites, serrées et ramifiées (e). Le pied (d) (2-8 cm long.) est jaune orangé à brun orangé, assez égal, légèrement velouté et plein. Espèce à sporée blanche ou crème.

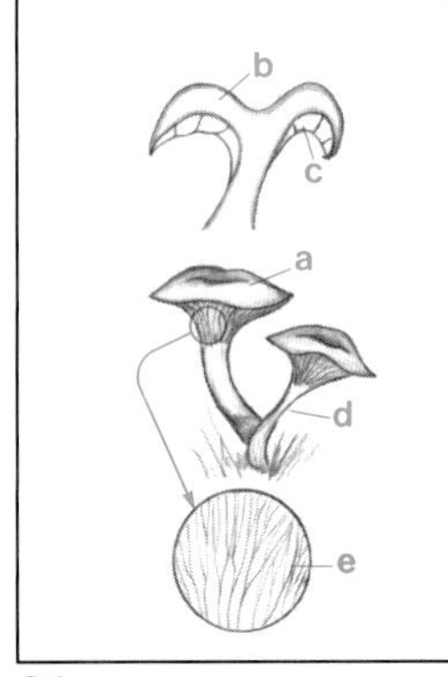

Paxillus involutus (Fr.) Fr.

Paxille enroulé

Espèce humicole croissant en été et en automne sous les feuillus, les conifères, dans les forêts mélangées, et parfois dans les prés et sur les pelouses. Considéré par certains comme étant toxique s'il est consommé cru.

Le chapeau (a) (4-15 cm diam.) est brun, brun roussâtre, brun cannelle ou brun jaunâtre, convexe, étalé et profondément déprimé avec l'âge, visqueux après la pluie, et soyeux ou velouté au sec, à marge enroulée et tomenteuse (e). La chair (b) est jaunâtre à jaune brunâtre et tourne au brun rougeâtre à l'air libre ; elle est épaisse, molle et tendre. Les lamelles (c) sont jaunâtres à ocrées, tournant au brun rougeâtre quand on les froisse, décurrentes, anastomosées à la base ou ramifiées (f), serrées, larges, se détachant facilement de la chair. Le pied (d) (4-5 cm long.) est de couleur semblable au chapeau ou plus foncé, court, plein, coriace et le plus souvent aminci à la base. Espèce à sporée brune.

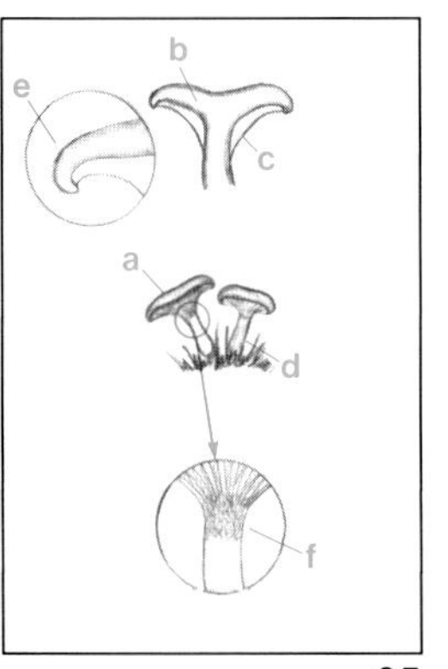

66 Chroogomphus vinicolor (Fr.) Mil.

Gomphide vineux

Espèce humicole croissant en été et à l'automne sous les conifères, comme le pin, le mélèze, la pruche et l'épinette. Comestible.

Le chapeau (a) (1-8 cm diam.) est brun orangé, brun rougeâtre, ocre orangé ou rouge vineux, convexe, mamelonné, glabre, lisse et luisant, même à sec. La chair (b) est orangée à saumonée, à odeur nulle et à saveur douce. Les lamelles (c) sont de même couleur que le chapeau ou plus foncées, décurrentes, espacées et épaisses. Le pied (d) (5-10 cm long.) est brun ocré, brun pâle, brun rougeâtre ou brun vineux, légèrement aminci à la base, plein, muni d'une petite bande noirâtre (e) sous les lamelles. Espèce à sporée brun foncé.

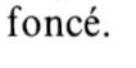

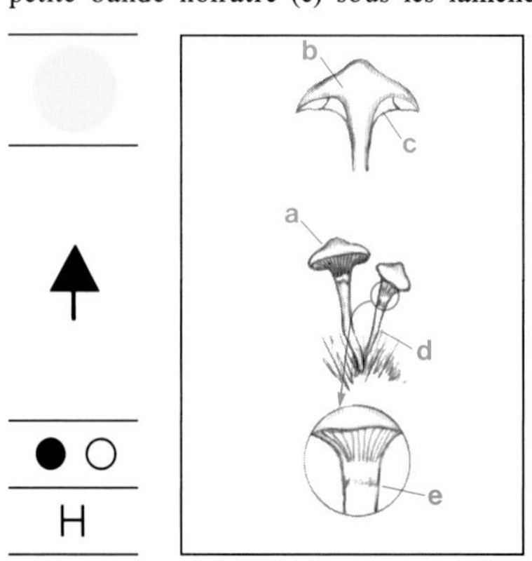

H

Gomphidius glutinosus (Fr.) Fr.

Gomphide glutineux

Espèce humicole croissant en été et à l'automne sous les conifères, en particulier sous la pessière. Comestible agréable au goût.

Le chapeau (a) (5-12 cm diam.) est brun chocolat, brun grisâtre, nuancé de pourpre ou de violet, convexe, étalé, charnu, mamelonné avec l'âge, lisse, glutineux ou visqueux. La chair (b) est blanche et légèrement brunâtre sous la cuticule, épaisse, molle, spongieuse, à odeur et à saveur douces. Les lamelles (c) sont blanchâtres au début, puis deviennent grisâtres à gris noirâtre avec l'âge; elles sont décurrentes, épaisses, espacées et arquées. Le pied (d) (4-10 cm long.) est blanc et jaunâtre à la base, égal ou un peu renflé, plein, muni d'une zone annulaire (e) colorée par le dépôt des spores juste au-dessous des lamelles et couvert d'une pellicule visqueuse (f). Espèce à sporée noire.

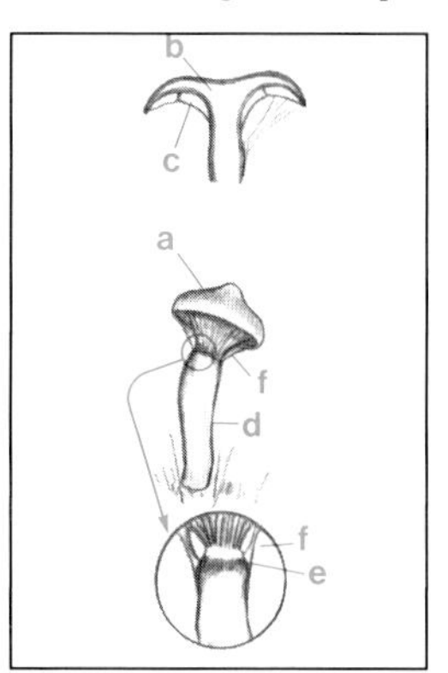

68 Agrocybe dura (Fr.) Sing.

Agrocybe ou Pholiote dure

Espèce humicole croissant au printemps et en été en bordure des routes, dans les prairies herbeuses, les champs cultivés et sur les pelouses. Comestible, mais peu intéressant en raison de sa saveur peu engageante.

Le chapeau (a) (3-7 cm diam.) est blanc jaunâtre à blanc brunâtre, convexe, épais, le plus souvent crevassé et recouvert de fins lambeaux à la marge. La chair (b) est blanchâtre à jaunâtre, épaisse, à odeur nulle et à saveur désagréable. Les lamelles (c) sont d'un blanc brunâtre au début, puis plus foncées avec l'âge, adnées et plus ou moins larges. Le pied (d) (4-10 cm long.) est blanchâtre ou parfois teinté de jaune, surtout à la base, égal, ferme, assez coriace, creux, muni d'un anneau (e) cotonneux et fin. Espèce à sporée brune.

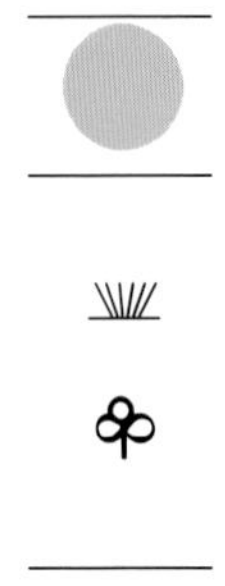

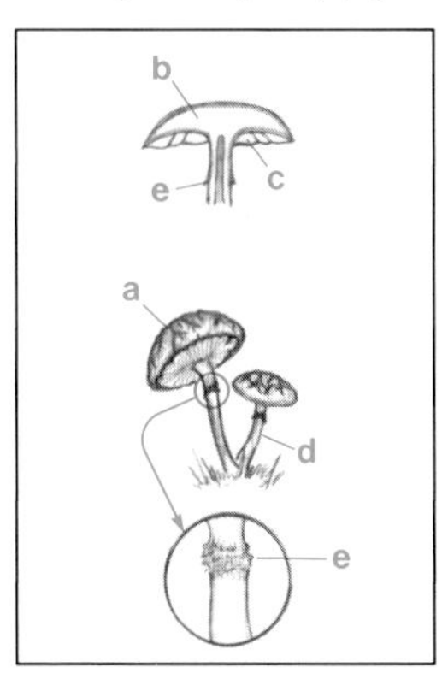

Conocybe lactea (Lange) Mét.

Conocybe laiteux

Espèce humicole croissant à l'été sur les pelouses après la pluie. Comestible peu intéressant en raison de sa taille.

Le chapeau (a) (1-3 cm diam.) est blanchâtre, crème ou ocracé, en forme de cloche ou campanulé, sillonné (e) et à marge légèrement retroussée. La chair (b) est blanchâtre, mince, fragile, à odeur nulle ou presque et à saveur douce. Les lamelles (c) sont blanchâtres à brunâtres avec l'âge, adnées, minces, étroites et serrées. Le pied (d) (5-12 cm long.) est blanc, long, fin, bulbeux (f) à la base, fragile, creux (g) et légèrement pruineux. Espèce à sporée brune ou rouille.

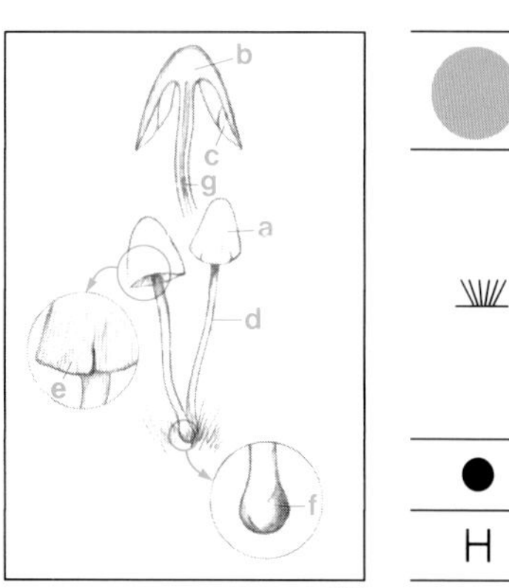

H

70

Bolbitius vitellinus (Fr.) Fr.

Bolbitie jaune d'œuf

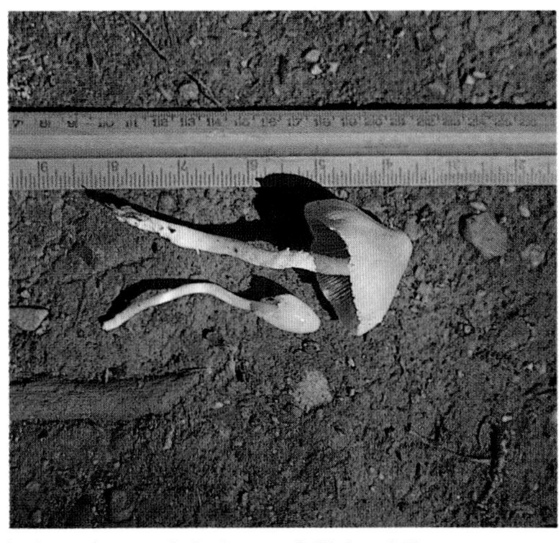

Espèce humicole croissant généralement à l'été et à l'automne, parfois tard au printemps, sur la paille en décomposition, les feuilles, le crottin ou le fumier, quelquefois sur les gazons ou dans les prairies herbeuses. Sans intérêt pour le consommateur.

Le chapeau (a) (1-4 cm diam.) est jaune citron ou jaune d'œuf, campanulé, puis étalé, mamelonné, visqueux et strié à la marge. La chair (b) est blanche à jaunâtre, très mince, sans odeur ni saveur particulières. Les lamelles (c) deviennent jaunâtres, brunâtres avec l'âge; elles sont libres, étroites, plus ou moins espacées et légèrement déliquescentes. Le pied (d) (5-10 cm long.) est blanc ou légèrement jaunâtre, long, grêle, pruineux, creux, bulbeux (e) ou élargi à la base. Espèce à sporée brune.

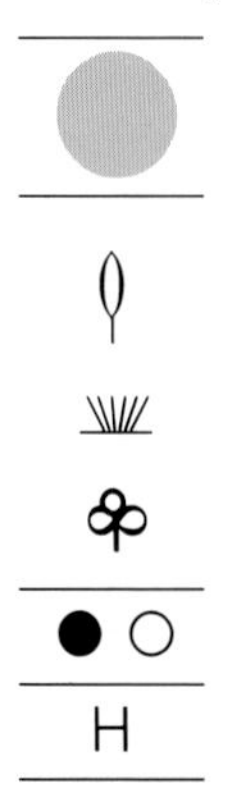

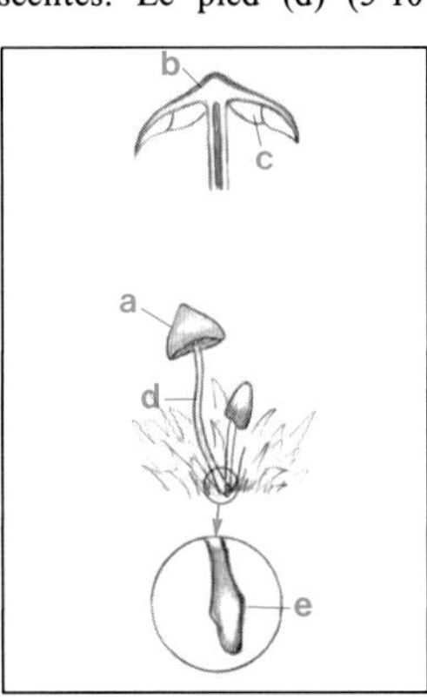

Hypholoma sublateritium (Fr.) Quél.

Hypholome couleur de brique

Espèce lignicole croissant en fin d'été et à l'automne en colonies nombreuses sur le bois pourri des arbres feuillus. Comestible, mais à rejeter en raison de sa saveur désagréable.

Le chapeau (a) (2-10 cm diam.) est jaune rougeâtre à jaune brique, parfois brun rougeâtre, convexe et étalé, rarement déprimé, glabre, lisse, couvert au début de fins lambeaux du voile. La chair (b) est blanc jaunâtre à brun pâle, épaisse, ferme, sans odeur particulière mais à saveur désagréable. Les lamelles (c) sont jaunâtres puis gris olivâtre avec l'âge, adnées, serrées, plus larges vers le pied et étroites à la marge. Le pied (d) (5-10 cm long.) est jaune souffre, mais devient brun roux avec l'âge; il est robuste, recourbé le plus souvent, égal ou plus épais vers le sommet, devient creux avec l'âge, finement fibrilleux au-dessous d'une zone (e) noircie par les spores. Espèce à sporée violacée.

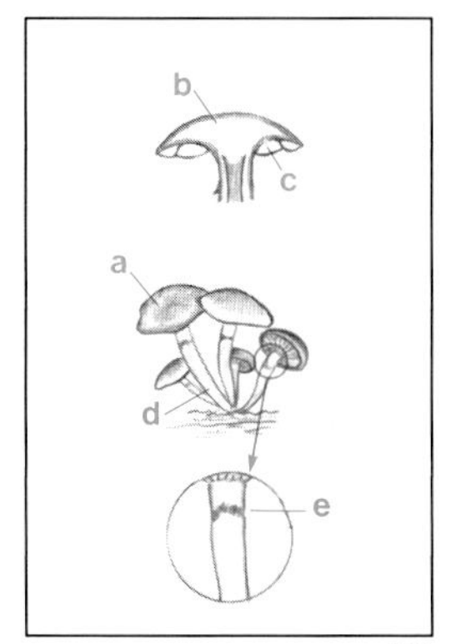

72 Stropharia coronilla (Fr.) Quél.

Strophaire petite couronne

Espèce humicole croissant à l'été et à l'automne dans les prés, les pâturages, les pelouses et les clairières. Douteux au point de vue comestible, il aurait déjà provoqué des intoxications bénignes.

Le chapeau (a) (2-6 cm diam.) est blanchâtre, jaunâtre ou citrin, hémisphérique, convexe et étalé avec l'âge, rarement mamelonné, lisse, légèrement visqueux ou humide, à marge légèrement floconneuse. La chair (b) est blanche, assez épaisse, à odeur faible et à saveur douce. Les lamelles (c) sont blanchâtres dans le jeune âge puis deviennent gris violacé à brunâtres; elles sont adnées, serrées, larges et inégales. Le pied (d) (2-5 cm long.) est blanchâtre, assez court, avec un léger renflement à la base, finement strié, à anneau (e) étroit, et strié (f) et creux (g). Espèce à sporée pourpre violacé.

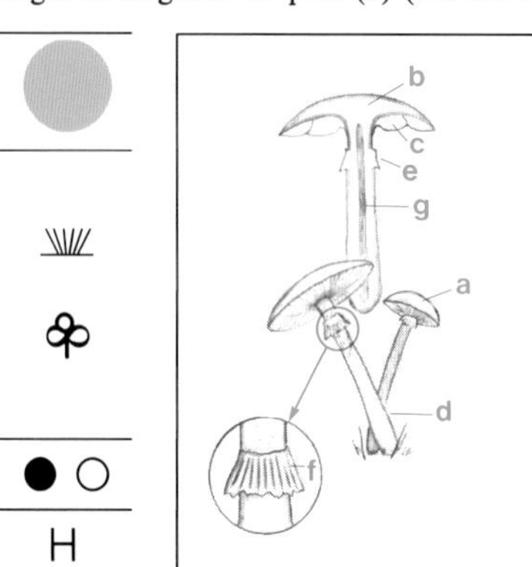

H

Stropharia aeruginosa (Fr.) Quél.

Strophaire vert-de-gris

Espèce humicole et lignicole croissant en été et à l'automne sur les débris végétaux comme les copeaux, la sciure, le bois pourri, sous les feuillus et dans les forêts mélangées. On le retrouve parfois sur les pelouses riches. À rejeter en raison de l'incertitude où on en est quant à sa comestibilité.

Le chapeau (a) (2-8 cm diam.), vert bleuâtre, vert-de-gris dans le jeune âge, jaunit par la suite ; il est convexe, puis étalé, plus ou moins mamelonné, visqueux, luisant et couvert de fines mèches en bordure. La chair (b) est blanchâtre à bleuâtre, surtout sous la cuticule, plus ou moins épaisse, sans odeur particulière et à saveur un peu acide. Les lamelles (c) sont blanchâtres, puis se colorent de brun rougeâtre à gris rougeâtre, adnées, serrées, larges et un peu échancrées. Le pied (d) (5-8 cm long.) est bleu verdâtre ou vert bleuâtre, robuste, charnu, égal ou élargi à la base, visqueux, muni d'un anneau (e) membraneux étroit qui ne persiste pas longtemps. Espèce à sporée brun violacée.

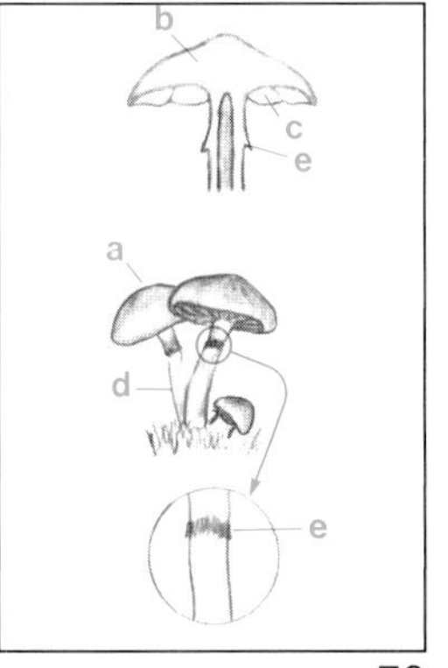

74

Stropharia hornemannii

(Fr.) Lund. et Nannf.

Strophaire lacéré

Espèce lignicole croissant en été et en automne sous les conifères ou dans les forêts mélangées, sur les souches ou les troncs pourris. Sa comestibilité semble douteuse.

Le chapeau (a) (4-15 cm diam.) est jaune rosâtre, jaune brunâtre, brun pourpre et parfois brun violacé; d'abord convexe, il s'étale avec l'âge, parfois mamelonné, visqueux, légèrement écailleux, à marge plus souvent frangée. La chair (b) est blanc jaunâtre au début, puis jaune avec l'âge, assez épaisse, plus ou moins molle, à odeur et à saveur peu agréables. Les lamelles (c) sont d'abord grisâtres puis brun gris, adnées et serrées. Le pied (d) (5-12 cm long.) blanchâtre ou jaunâtre, couvert de mèches (g) sur presque toute sa longueur, est égal, creux (f) et muni d'un anneau (e) membraneux blanc et fragile. Espèce à sporée gris pourpre.

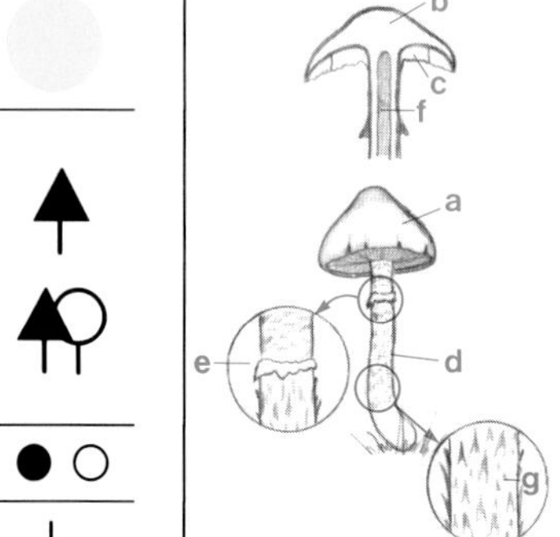

L

Pholiota mutabilis (Fr.) Kum.

Pholiote changeante

75

Espèce lignicole croissant à l'été et à l'automne en colonies nombreuses sur les bois feuillus. Comestible acceptable, surtout s'il est consommé jeune. Le pied est à rejeter car il est trop coriace.

Le chapeau (a) (1-6 cm diam.) est jaune rougeâtre, rougeâtre, brun rougeâtre, roussâtre ou brun roussâtre, convexe, puis étalé, campanulé, plus ou moins mamelonné ou bosselé, lisse et hygrophane. La chair (b) est blanchâtre à jaunâtre, mince, à odeur plus ou moins agréable et à saveur douce si elle est jeune. Les lamelles (c) sont brunâtres, ocracées, roussâtres ou brun ocré, adnées, serrées et larges. Le pied (d) (4-10 cm long.) est brunâtre à noirâtre, surtout vers la base, et plus pâle au-dessus de l'anneau retombant, égal ou un peu plus mince à la base, creux et couvert de petites écailles au-dessous de l'anneau (e). Espèce à sporée brune.

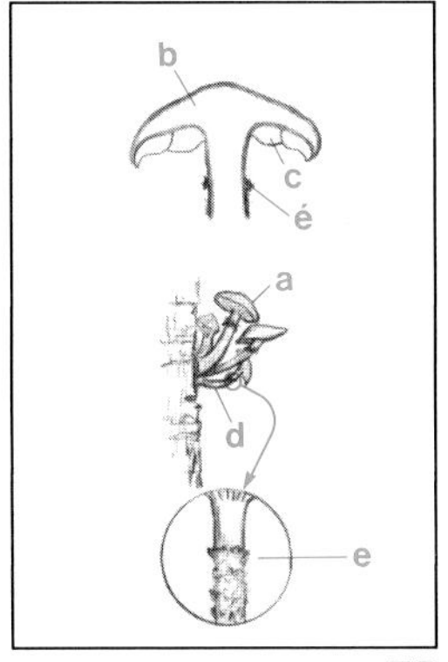

76 Pholiota squarrosa (Fr.) Kum.

Pholiote écailleuse

Espèce lignicole croissant en été et à l'automne en colonies parfois très denses sur les arbres feuillus. Comestible agréable surtout s'il est cueilli jeune. Le pied est trop coriace pour être consommé.

Le chapeau (a) (2-7 cm diam.) est blanc jaunâtre, jaunâtre à jaune brunâtre, couvert d'assez grosses écailles brun rougeâtre, convexe, campanulé, étalé avec l'âge et visqueux. La chair (b) est blanche, épaisse, à odeur nulle, ou presque, et à saveur agréable. Les lamelles (c) sont blanches, puis brunâtres avec l'âge, adnées, serrées et plus ou moins larges. Le pied (d) (5-10 cm long.) est blanchâtre à jaunâtre, recouvert de grosses écailles brunes abondantes surtout au-dessous de l'anneau (e) fibrilleux qui tend à disparaître chez les plus vieux sujets, coriace. Espèce à sporée brune.

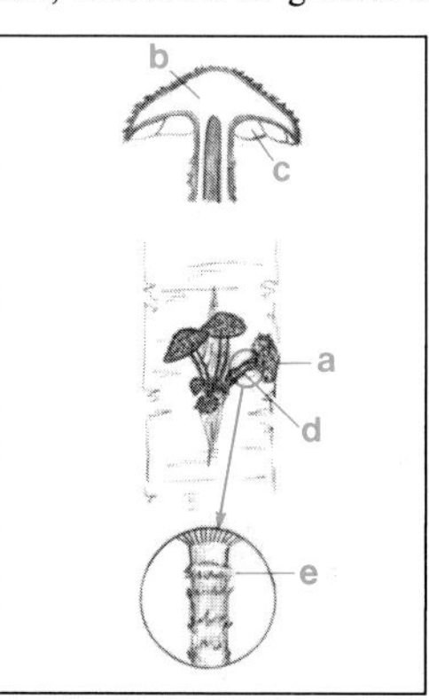

Pholiota squarrosoïdes (Pk.) Sacc.

Pholiote squarreuse

Espèce lignicole croissant en été et à l'automne en colonies parfois nombreuses sur les arbres feuillus. Comestible acceptable s'il est consommé très jeune. Le pied trop coriace est à rejeter.

Le chapeau (a) (4-10 cm diam.) est jaune et couvert d'écailles plus ou moins petites, brun roussâtre à rousses, convexe, campanulé, puis étalé et bosselé ou mamelonné. La chair (b) est jaunâtre, épaisse, ferme, à saveur douce si le sujet est jeune. Les lamelles (c) sont jaunes puis brun roussâtre avec l'âge, décurrentes, serrées et étroites. Le pied (d) (4-10 cm long.) est de même couleur que le chapeau ou un peu plus pâle, couvert de petites mèches foncées au-dessous de l'anneau (e) fibrilleux qui disparaît assez tôt, long, coriace et ligneux. Espèce à sporée brune.

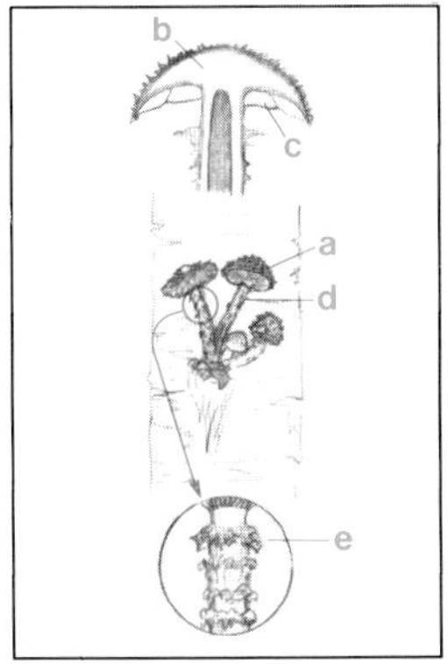

78 Pholiota aurivella (Fr.) Kum.

Pholiote dorée

Espèce lignicole croissant à l'automne en colonies denses sur les troncs vivants ou morts des arbres feuillus comme l'érable, et parfois sur les conifères. À rejeter en raison de son odeur et surtout de sa saveur désagréable.

Le chapeau (a) (4-15 cm diam.) est jaune doré brillant, parfois jaune doré brunâtre ou rouille, convexe, campanulé ou conique, mamelonné et couvert de petites écailles foncées qui disparaissent graduellement avec l'âge, et à pellicule visqueuse. La chair (b) est jaunâtre, ferme, assez coriace, à odeur et à saveur désagréables. Les lamelles (c) sont jaune clair au début puis deviennent brun rouille avec l'âge; elles sont adnées, sinuées et serrées. Le pied (d) (4-8 cm long.) est jaunâtre et se colore de brun roux en vieillissant; il est couvert de petites écailles foncées au-dessous de l'anneau (e), égal, plein, excentrique ou central et courbé. Espèce à sporée brune.

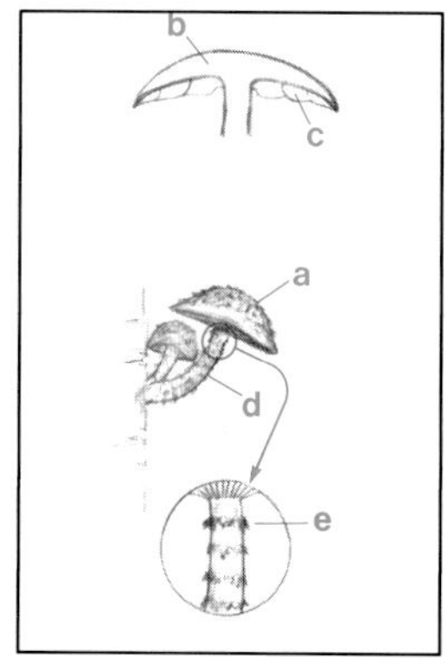

Coprinus comatus (Fr.) S.F. Gray.

Coprin chevelu

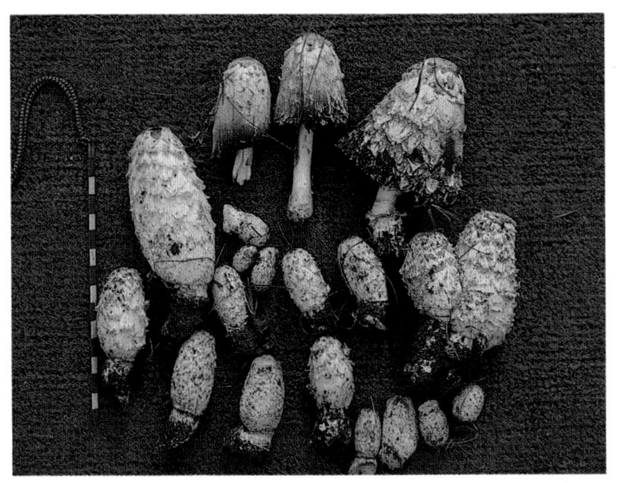

Espèce humicole croissant en fin d'été et à l'automne sur les pelouses, les terrains riches et dans les jardins. Excellent comestible à saveur délicate surtout chez les jeunes sujets. Il est difficile de le conserver longtemps à moins qu'on ne le fasse sécher aussitôt après la récolte. Il ne faut pas consommer les sujets qui commencent à se liquéfier et à noircir.

Le chapeau (a) (5-10 cm haut. sur 206 cm diam.) est blanc et couvert d'écailles retroussées blanchâtres, jaunâtres ou brunâtres; il est fusiforme et campanulé; le sommet, lisse et souvent plus foncé (e), s'étalant par la suite, devient noir et se liquéfie à partir de la base; il est à marge fendillée. La chair (b) est blanche, délicate, à odeur et à saveur très agréables. Les lamelles (c) sont blanches, puis rosâtres et enfin noires; elles deviennent déliquescentes avec l'âge. Le pied (d) (8-20 cm haut.) est blanc, cylindrique, aminci vers le haut, bulbeux, creux, lisse, fibreux et muni d'un anneau (f) mobile. Espèce à sporée noire.

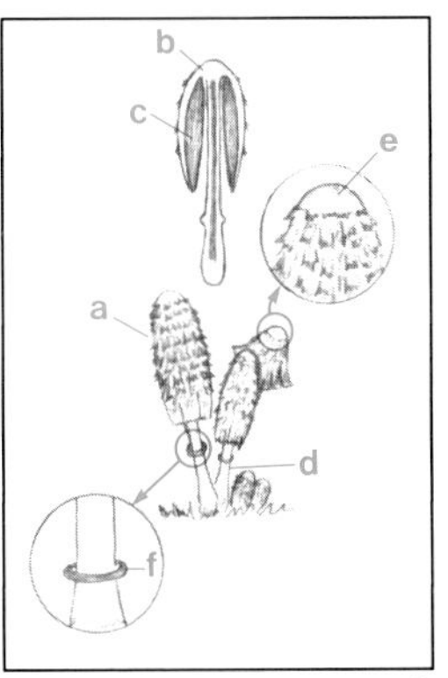

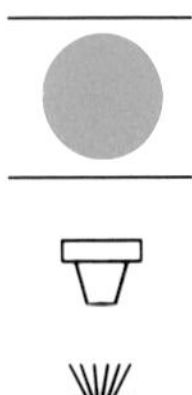

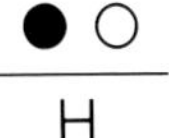

H

80 Coprinus atramentarius (Fr.) Fr.

Coprin noir d'encre

Espèce humicole croissant tôt en été et à l'automne au pied des vieilles souches, dans les champs, les pelouses, les jardins, les parcs, en bordure des routes et des petits boisés. Bon comestible, mais il est préférable de ne pas le consommer avec des boissons alcooliques car il peut causer des intoxications désagréables. Une variété du Coprin noir d'encre pousse sur des souches ou sur du bois pourri; elle est plus écailleuse (f) et brunâtre: c'est le « Coprinus atramentarius var. squamosus Bres. ».

Le chapeau (a) (2-5 cm diam.) est gris blanchâtre, et gris noirâtre avec l'âge; d'abord ovoïde, il devient conique ou épouse la forme d'une cloche et s'étale, lisse ou couvert d'écailles (f) fines sur la cuticule, à marge fendillée. La chair (b) est blanche, puis noircissante, mince, à odeur nulle et à saveur douce. Les lamelles (c) sont blanchâtres, puis noircissantes, libres, serrées et larges. Le pied (d) (5-15 cm long.) est blanc, égale ou élargi à la base, avec une zone annulaire (e) à la base. Espèce à sporée noire.

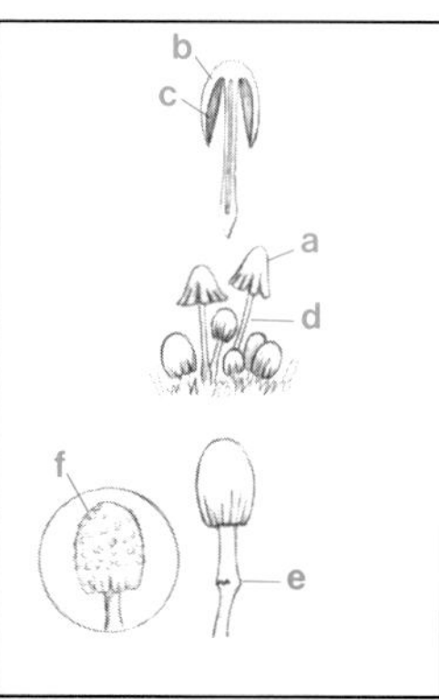

Coprinus niveus Fr.

Coprin de neige

Espèce humicole croissant à l'automne sur le fumier ou le foin pourri. Il est assez rare et trop petit pour être consommé.

Le chapeau (a) (1-3 cm diam.) est couvert de petits flocons (e) blancs comme la neige sur fond gris noirâtre, convexe et étalé par la suite. La chair (b) est grisâtre, mince, sans odeur ni saveur particulières. Les lamelles (c) sont blanchâtres, puis grisâtres, libres et très étroites. Le pied (d) (3-6 cm long.) est blanc, petit et égal. Espèce à sporée noire.

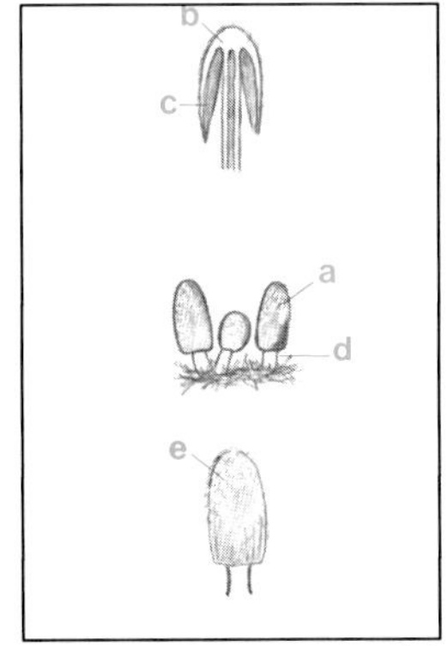

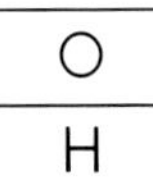

82 Coprinus micaceus (Fr.) Fr.

Coprin micacé

Espèce humicole et lignicole croissant au début de l'été et à l'automne sur les souches pourries ou au pied des arbres, dans les jardins, les parcs, les parterres et parfois en milieu forestier. Comestible considéré par certains auteurs comme étant agréable au goût.

Le chapeau (a) (2-5 cm diam.) est jaune ocré, brunâtre ou ocre pâle; en forme d'œuf au début, il s'ouvre ensuite pour enfin s'étaler avec l'âge; longuement sillonné et fendillé en bordure, il est d'abord recouvert de granulations (e) fines, blanchâtres et luisantes qui disparaissent avec l'âge. La chair (b) est blanche, mince, à odeur nulle et à saveur agréable. Les lamelles (c) sont blanches, puis brunissent et noircissent avec l'âge; libres, serrées, étroites, elles deviennent déliquescentes. Le pied (d) (4-6 cm long.) est blanc, égal ou élargi à la base, fibreux, creux, lisse et sans anneau. Espèce à sporée noire.

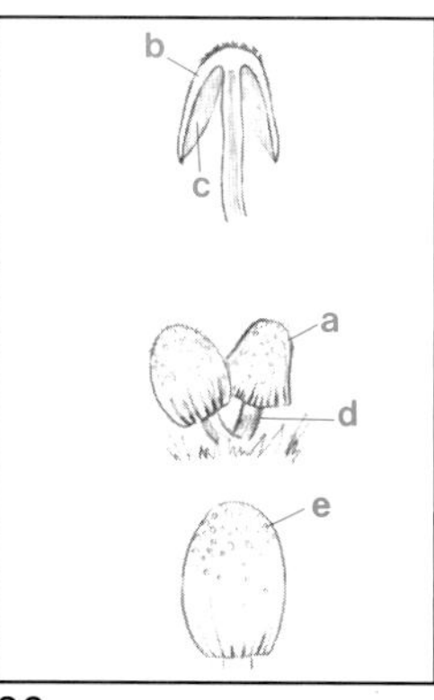

Coprinus disseminatus (Fr.) S.F. Gray.

83

Coprin disséminé

Espèce humicole et lignicole rare croissant en été et à l'automne sur le sol ou sur le bois pourri, comme les souches sur lesquelles il forme des colonies très denses et dispersées. Trop petit pour être intéressant à consommer.

Le chapeau (a) (0,5-1,5 cm diam.) est brun jaunâtre, gris brunâtre ou gris jaunâtre, conique, campanulé, longuement sillonné et légèrement pubescent (e). La chair (b) est brunâtre, très mince, sans odeur ni saveur particulières. Les lamelles (c) sont blanches puis noires en vieillissant, adnées, et elles ne se liquéfient pas. Le pied (d) (2-3 cm long.) est blanc, très fin, grêle et finement pubescent. Espèce à sporée noire.

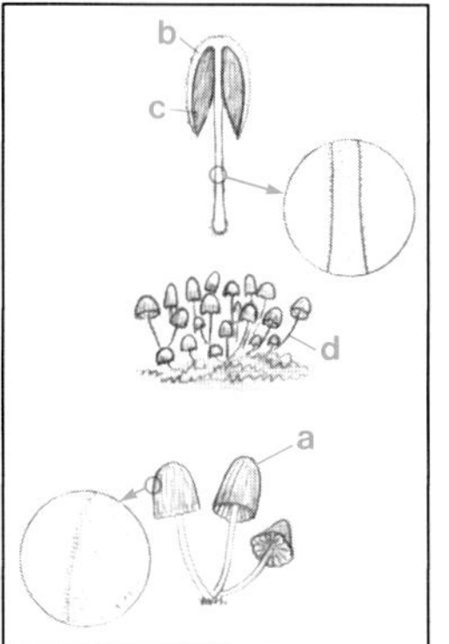

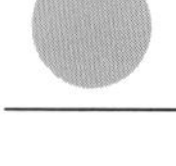

L

84 Panaeolus sphinctrinus (Fr.) Quél.

Panéole sphinx

Espèce humicole croissant en été et à l'automne sur les bouses, le crottin ou le fumier bien décomposé. Certains auteurs prétendent qu'il peut causer des intoxications bénignes alors que d'autres l'ont consommé sans ennui.

Le chapeau (a) (1-3 cm diam.) est blanc grisâtre, gris ocré, gris verdâtre ou noirâtre avec l'âge, conique au début puis campanulé et parfois mamelonné, garni de fins lambeaux (f) à la marge, lisse ou satiné. La chair (b) est blanche à grisâtre, mince, tendre, sans odeur et à saveur faible. Les lamelles (c) sont grisâtres, ponctuées de petites plages noires (e), adnées et plus ou moins larges. Le pied (d) (4-12 cm long.) est gris roussâtre ou semblable au chapeau, égal, fibrilleux au sommet, creux et mince. Espèce à sporée noire.

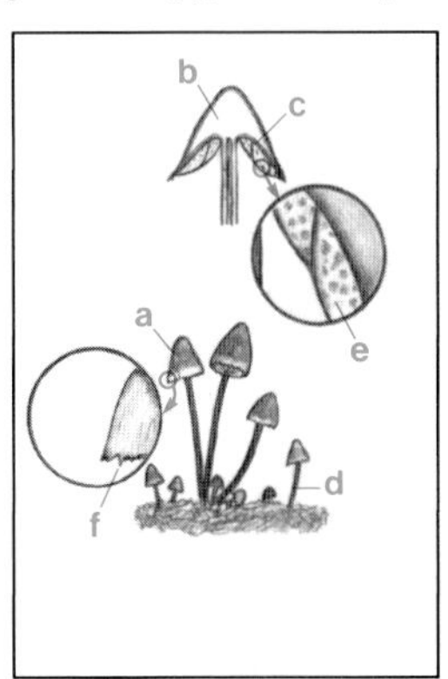

Panaeolus semiovatus
(Fr.) Lund. et Nannf.

Panéole semi-ové

Espèce humicole croissant en été et à l'automne sur les bouses, le crottin et le fumier, en particulier le fumier de cheval. Il ne contient aucune substance hallucinogène et n'est pas toxique, mais sa saveur médiocre en fait un comestible sans intérêt.

Le chapeau (a) (3-8 cm diam.) est blanchâtre, jaunâtre, brunâtre, gris jaunâtre ou gris cendré, conique, à sommet arrondi ou obtus, lisse, glabre, légèrement ridé et visqueux, surtout après la pluie. La chair (b) est grisâtre, épaisse, fragile, sans odeur et à saveur médiocre. Les lamelles (c) sont blanchâtres, brunâtres ou grisâtres, larges, ponctuées de petites plages (f) noires. Le pied (d) (6-14 cm long.) est blanchâtre et taché de noir, égal ou aminci vers le sommet, creux en vieillissant et muni d'un petit anneau (e) membraneux noir. Espèce à sporée noire.

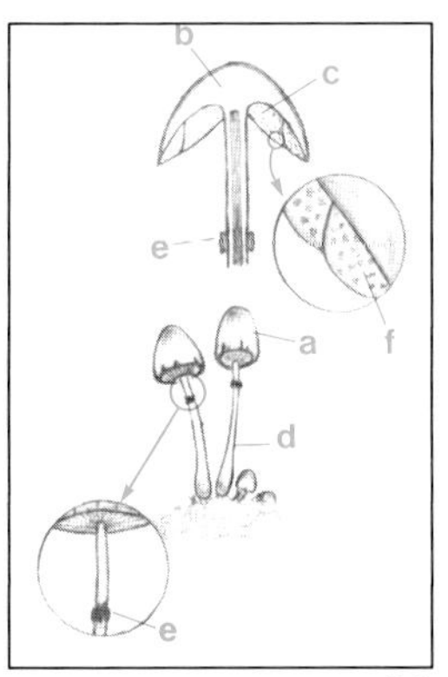

H

86 Psathyrella epimyces (Pk.) Smith.

Psathyrelle parasite

Espèce parasite croissant à l'automne sur les Coprins chevelus où elle cause des déformations remarquables. Sans intérêt pour le gastronome.

Le chapeau (a) (2-5 cm diam.) est blanc à blanc grisâtre ; il forme au début de sa croissance des petites sphères (h) ou globules sur les Coprins déformés (g), puis il s'étale par la suite ; sa cuticule est soyeuse ou finement fibrilleuse ; la marge est fibrilleuse (e) ou nue si le sujet est âgé. La chair (b) est blanche, épaisse, assez molle, à odeur et à saveur nulles. Les lamelles (c) sont grisâtres à brun grisâtre, foncées, adnées et serrées. Le pied (d) (2-6 cm long.) est blanc, gros ou charnu, assez égal, se creusant (f) avec l'âge, poudreux et parfois muni d'un petit anneau blanc à la base. Espèce à sporée noire.

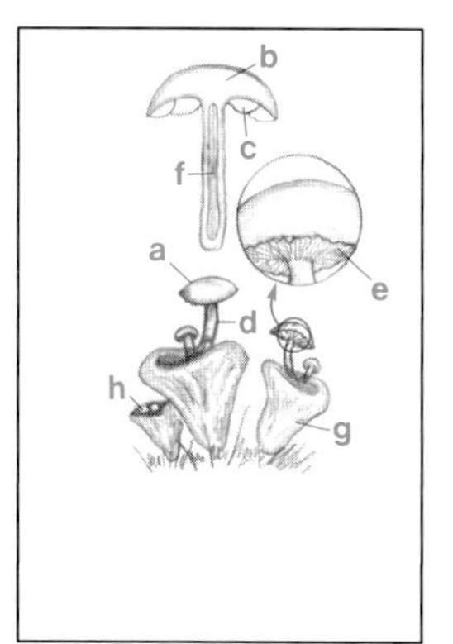

O

Parasite

Psathyrella candolleana (Fr.) Maire.

87

Psathyrelle ou Hypholome de De Candolle

Espèce lignicole croissant du printemps jusqu'à l'automne sur les débris de bois comme les copeaux et la sciure, sur les souches ou sur le bois pourri. Comestible très agréable au goût.

Le chapeau (a) (3-7 cm diam.) est jaunâtre, jaune brunâtre, brunâtre et parfois taché de pourpre, ovale, campanulé, étalé, mamelonné, hygrophane, lisse ou parsemé de petits lambeaux irréguliers à la marge. La chair (b) de couleur semblable au chapeau ou un peu plus pâle, est mince, à odeur et à saveur très agréables. Les lamelles (c) sont blanchâtres au début, puis brun grisâtre ou pourprées, adnées, serrées et étroites. Le pied (d) (3-10 cm long.) est blanc, jaunâtre ou brunâtre, égal, creux, assez fin, soyeux et muni d'un anneau (e) non persistant laissant une trace annulaire en vieillissant. Espèce à sporée brune.

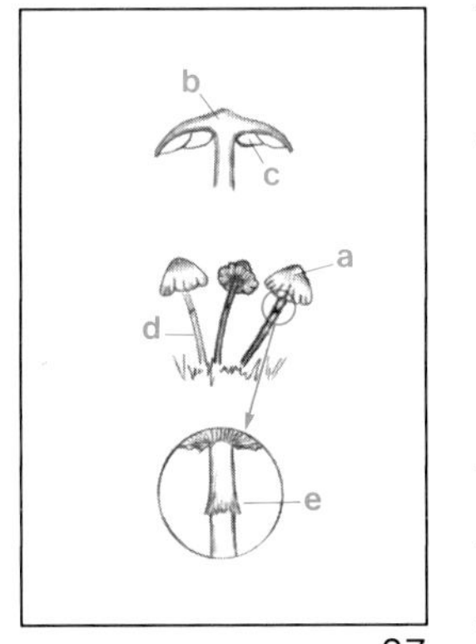

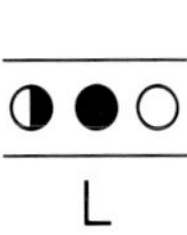

◑ ● ○

L

88 Lepiota naucina (Fr.) Kum.

Lépiote lisse

Espèce humicole croissant en été et à l'automne dans les lieux ouverts comme les champs, en bordure des routes, sur les pelouses, dans les parcs et les jardins. C'est un comestible très délicat, recherché des gastronomes.

Le chapeau (a) (5-12 cm diam.) est blanchâtre, blanc grisâtre, blanc brunâtre ou crème, convexe, étalé, déprimé, légèrement mamelonné, lisse et parfois légèrement écailleux. La chair (b) est blanche, grisâtre ou brunâtre, épaisse, ferme, tendre, parfumée et à saveur douce. Les lamelles (c) sont blanches au début puis rosâtres, rose roussâtre ou rose carné, libres et serrées. Le pied (d) (5-10 cm long.) est blanc à jaunâtre et jaunit au toucher; il est long, élargi ou bulbeux (f) à la base, fibrilleux, creux et muni d'un anneau (e) membraneux libre qui disparaît parfois avec l'âge. Espèce à sporée blanche.

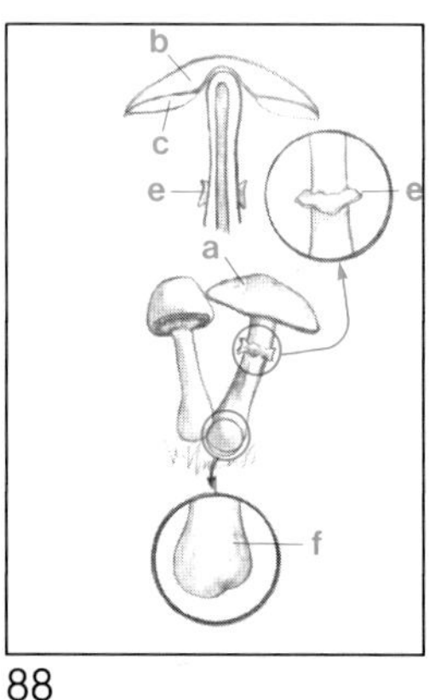

Lepiota procera (Fr.) Kum.

Lépiote élevée

Espèce humicole croissant en été et à l'automne dans les lieux ouverts comme les prés, les pâturages et les clairières, dans les vergers, les buissons, les haies et en bordure des boisés. C'est un excellent comestible, qui dégage un parfum agréable et dont la saveur est très particulière.

Le chapeau (a) (7-20 cm diam.) est brun foncé au début, puis la cuticule se déchire en grosses écailles brunes (e) sur fond pâle ; il est ovoïde, convexe, campanulé, puis étalé et mamelonné. La chair (b) est blanche à brunâtre ou rosâtre, épaisse, tendre, parfumée et à saveur très agréable. Les lamelles (c) sont blanches au début, puis rosâtres ou brunâtres avec l'âge, libres, serrées et inégales. Le pied (d) (15-30 cm long.) est blanc ou brunâtre, couvert d'écailles brunes sur fond pâle, long, égal ou un peu bulbeux (f) à la base ou élargi, creux, ferme, muni d'un anneau (g) double et mobile. Espèce à sporée blanche.

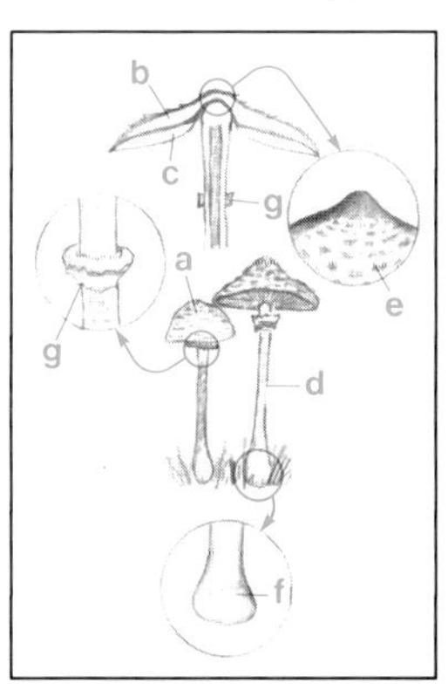

H

90 Lepiota rachodes (Vitt.) Quél.

Lépiote déguenillée

Espèce humicole croissant en été et à l'automne sur les terrains enrichis de compost, de fumier, d'humus et sous les haies, dans les vergers et parfois sous les feuillus, sous les conifères ou dans les forêts mélangées. Excellent comestible, considéré comme supérieur à la Lépiote élevée et à la Lépiote lisse.

Le chapeau (a) (7-20 cm diam.) est brunâtre à gris brunâtre, sa cuticule se déchire pour former de grosses écailles (g) brunes; d'abord convexe, conique et hémisphérique par la suite, il s'étale avec l'âge, le plus souvent mamelonné, avec une marge couverte de lambeaux. La chair (b) est blanche, épaisse, tendre, se colorant de roux à l'air libre, légèrement parfumée et à saveur agréable. Les lamelles (c) sont blanchâtres, ou brunâtres avec l'âge, adnées, serrées, distantes et inégales. Le pied (d) (10-20 cm long.) est blanchâtre ou brunâtre, bulbeux (f), creux, lisse; il se tache de rougeâtre au toucher et il est muni d'un anneau (e) double et mobile. Espèce à sporée blanche.

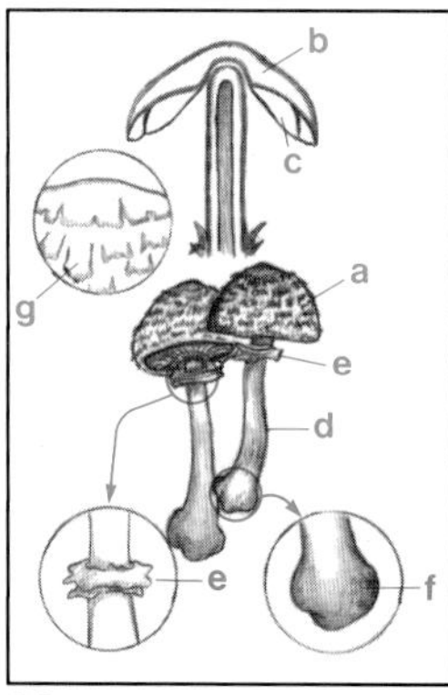

Lepiota cristata (Fr.) Kum.

Lépiote crépue

Espèce humicole croissant en été et à l'automne sur les parterres, les pelouses ou les prairies herbeuses. À rejeter en raison de sa toxicité possible.

Le chapeau (a) (2-5 cm diam.) est blanchâtre et couvert de petites écailles (g) brunâtres ou roussâtres, conique, campanulé, obtus et étalé avec l'âge, mamelonné et couvert de lambeaux à la marge. La chair (b) est blanche, molle, mince, à odeur désagréable. Les lamelles (c) sont blanchâtres à crème, libres, serrées et étroites. Le pied (d) (3-5 cm long.) est blanc ou parfois teinté de rosâtre ou roussâtre vers la base ; égal ou légèrement bulbeux (f), il est creux, fragile et muni d'un anneau (e) membraneux qui souvent disparaît avec le temps. Espèce à sporée blanche.

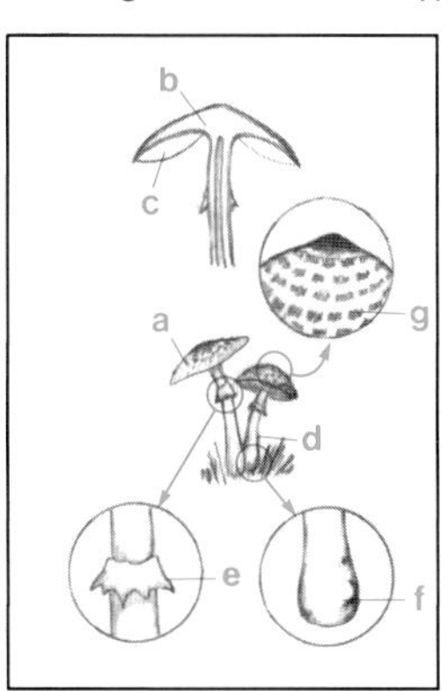

92 Lepiota fuscosquamea Pk.

Lépiote à écailles fauves

Espèce humicole croissant en fin d'été et à l'automne sous les conifères et dans les forêts mélangées. Comestible, mais peu valable, sa chair étant sans saveur particulière.

Le chapeau (a) (3-6 cm diam.) est couvert de petites écailles (e) brun foncé sur fond blanc ; il est convexe, étalé et mamelonné. La chair (b) est blanche, mince, fragile, sans saveur particulière. Les lamelles (c) sont blanches, libres et serrées. Le pied (d) (5-8 cm long.) est couvert de fibrilles brunâtres à la base et squamuleux (f), blanc au sommet, assez gros, élargi à la base ou un peu bulbeux, creux (g) et pourvu d'un anneau blanc et fragile qui disparaît le plus souvent avec l'âge. Espèce à sporée blanche.

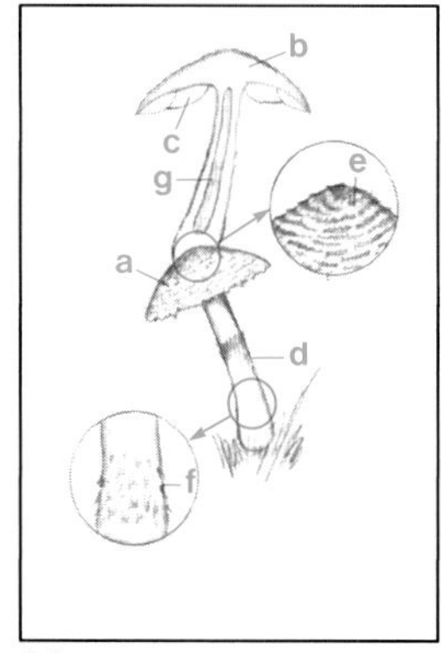

Lepiota birnbaumii (Corda) Godfrin.

Lépiote de Birnbaum ou jaune

Petite espèce humicole croissant en toute saison, mais surtout du printemps à l'automne, dans des conditions favorables de température et d'humidité, sur le sol des serres, sur du terreau ou dans les pots de fleurs. Espèce intéressante pour l'observateur, mais que sa taille et sa rareté rendent inintéressante pour la consommation.

Le chapeau (a) (1-5 cm diam.) est jaune souffre ou jaune citron; campanulé au début, il s'étale par la suite; il est mamelonné, fortement strié à la marge, un peu ondulé et couvert de flocons jaunes ou blanc jaunâtre. La chair (b) est blanc jaunâtre; fragile et délicate lorsqu'elle est fraîche, elle devient élastique en séchant. Les lamelles (c)sont jaunâtres, libres et larges. Le pied (d) (3-6 cm long.) est de même couleur que le chapeau, couvert de flocons plus ou moins persistants, très renflé (g) vers la base, muni d'un anneau (e) délicat et membraneux, souvent creux (f) et terminé par de fins filaments jaunâtres à la base. Espèce à sporée blanche.

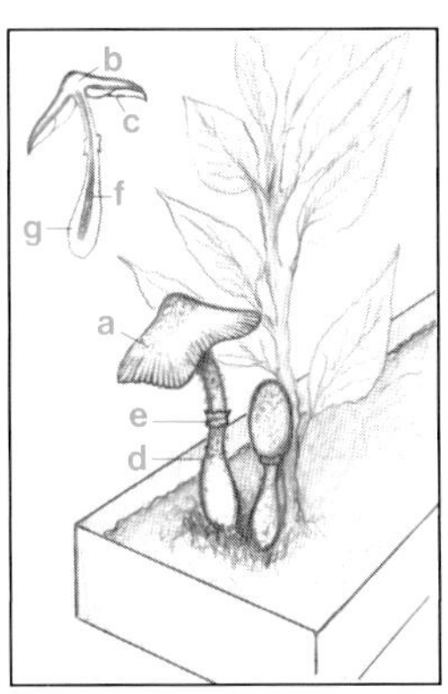

Toute saison

H

94 Agaricus vaporarius (Vitt.) Moser.

Psalliote ou Agaric fumé

Espèce humicole rare croissant à la fin de l'été et en automne sur les pelouses, les parcs ou autres endroits urbanisés. C'est un bon comestible tout comme la plupart des Psalliotes.

Le chapeau (a) (5-15 cm diam.) est brun foncé, brun roux à brun plus pâle et couvert de fines écailles (g) foncées, convexe, puis étalé et enfin déprimé; sa surface, à marge souvent bordée de débris du voile, est visqueuse dans le jeune âge et sèche par la suite. La chair (b) est blanche et se teinte de rougeâtre aussitôt exposée à l'air libre, son odeur est presque nulle et sa saveur assez agréable. Les lamelles (c) sont d'abord rosâtres puis brunes avec l'âge, libres, serrées, étroites et minces. Le pied (c) (5-12 cm long.) est blanc puis brunâtre et couvert de fines écailles foncées, souvent courbé, plein, solide et pourvu d'un anneau (e) membraneux bien visible. Les jeunes sujets (f) ou boutons se récoltent assez profondément dans le sol. Espèce à sporée brun pourpre.

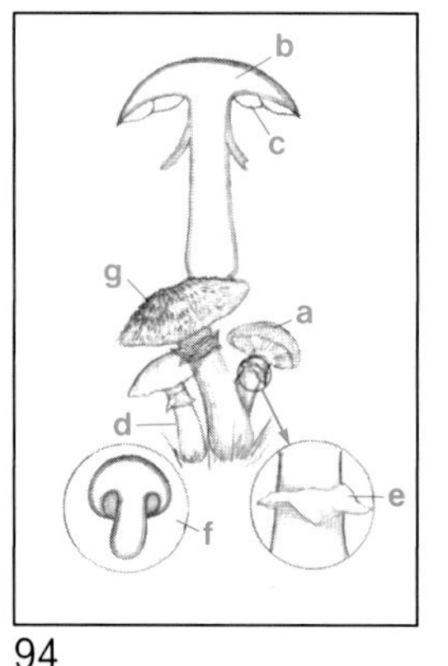

Agaricus campestris Fr.

Agaric champêtre ou Psalliote des prés

Espèce humicole croissant à la fin de l'été et à l'automne dans les pâturages riches, les prés et près des jardins. C'est un excellent comestible dont le goût est supérieur aux champignons de couche ; il est d'autant plus apprécié qu'il est cueilli jeune (f).

Le chapeau (a) (3-12 cm diam.) est blanc, blanc jaunâtre ou brunâtre, parfois couvert de petites écailles ou soyeux au toucher, arrondi, convexe et étalé avec l'âge. La chair (b) est blanche, se tachant de rosâtre à l'air, à odeur et à saveur agréables rappelant le champignon de couche. Les lamelles (c) sont rosâtres au début, puis deviennent pourpres ou rouge vineux, libres et larges. Le pied (d) (3-6 cm long.) est blanc, crème ou jaunâtre, égal ou élargi au sommet, d'abord plein, puis creux avec l'âge, glabre, muni d'un anneau (e) et (f) simple bien visible au début qui disparaît avec le temps. Espèce à sporée brune.

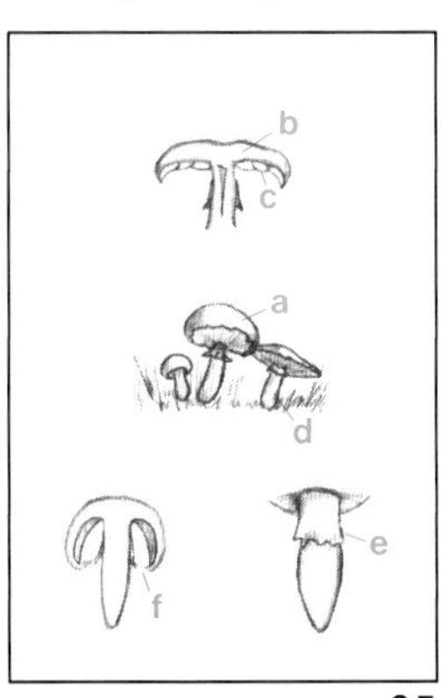

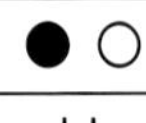

H

96 Agaricus arvensis Schaeff. ex Secr.

Agaric ou Psalliote des jachères

Espèce humicole croissant en été et à l'automne dans les prés, les jardins, en bordure des routes et parfois dans les parcs. C'est un excellent comestible.

Le chapeau (a) (5-20 cm diam.) est d'abord blanc, puis crème à jaunâtre avec l'âge; globuleux, convexe, il s'étale en vieillissant, il est sec et légèrement fibrilleux. La chair (b) est blanche et se teinte de jaunâtre aussitôt exposée à l'air; elle est épaisse, ferme, à odeur agréable et à saveur douce. Les lamelles (c) sont d'abord blanchâtres, puis gris rosâtre à noir pourpré avec l'âge, libres et serrées. Le pied (d) est blanc, puis jaunâtre à maturité, robuste, légèrement renflé à sa base, creux, muni d'un anneau (e) double dentelé et floconneux au-dessous. Espèce à sporée brun pourpré.

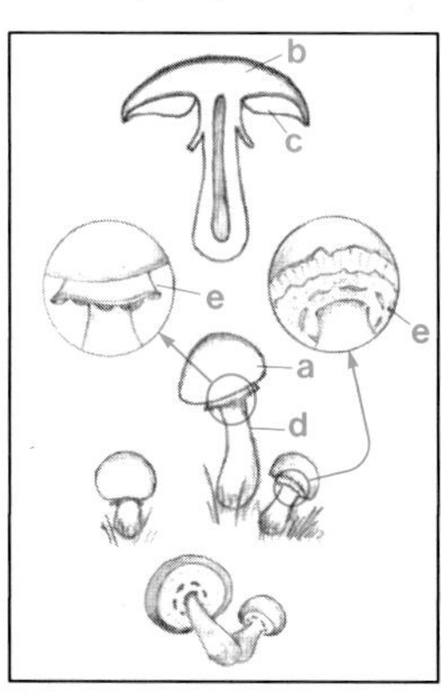

Agaricus crocodilinus Mürr.

Psalliote ou Agaric crocodile

Espèce humicole croissant en fin d'été et au début de l'automne sur les pelouses, dans les parcs, les pâturages, les prés et autres endroits urbanisés. C'est un excellent comestible.

Le chapeau (a) (10-30 cm diam.) est d'abord blanc puis brun, ocré ou brun cendré, couvert d'écailles ou de fibrilles et souvent crevassé, mais parfois plus lisse ; d'abord convexe, il est ensuite plus ou moins étalé et sec. La chair (b) est blanche, épaisse, tendre, à odeur nulle et à saveur agréable. Les lamelles (c) sont d'abord rosâtres, puis brunes avec l'âge, libres, larges, serrées, et ramifiées près du pied. Le pied (d) (10-15 cm long. ou parfois plus) est brunâtre ou plus foncé, assez égal ; se creusant (e) avec l'âge, il se teinte de rougeâtre lorsque sa chair est exposée à l'air ; il est couvert d'écailles ou de flocons et pourvu d'un anneau (f) double membraneux. Espèce à sporée brune.

● ○

H

98 Agaricus silvicola (Vitt.) Pk.

Psalliote ou Agaric des bois

Espèce humicole croissant en été et en automne sous les feuillus ou dans les forêts mélangées. C'est un très bon comestible.

Le chapeau (a) (4-9 cm diam.) est blanc jaunâtre ou blanc brunâtre, convexe puis étalé, à cuticule légèrement satinée et à marge un peu débordante. La chair (b) est blanche et se teinte de jaune aussitôt exposée à l'air; elle est mince, tendre, à odeur d'anis et à saveur douce. Les lamelles (c) sont d'abord rosâtres puis brun pourpre ou brun noirâtre en vieillissant, libres, serrées et étroites. Le pied (d) (5-8 cm long.) est blanc, assez égal ou bulbeux à la base, creux (g) et pourvu d'un anneau (e) double bien visible situé juste au-dessous des lamelles. Les jeunes sujets ou boutons (f) sont d'un beau blanc satiné. Espèce à sporée brun noirâtre.

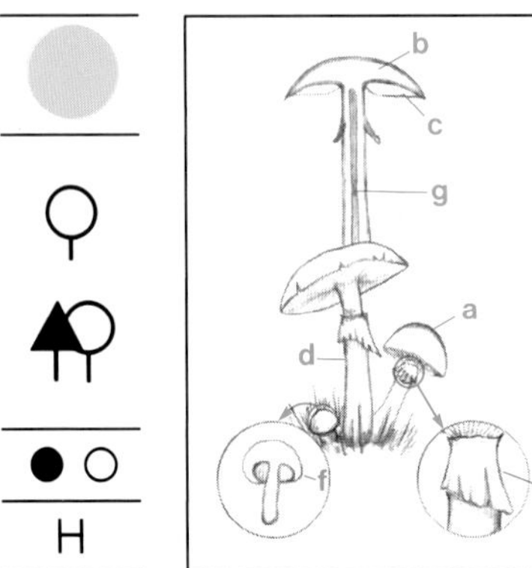

Volvariella bombycina (Fr.) Sing.

Volvaire soyeuse

99

Espèce lignicole rare croissant en été et tôt à l'automne sur les troncs d'arbres feuillus comme l'érable, l'orme et le hêtre. Comestible excellent, il est recherché par les gastronomes.

Le chapeau (a) (5-20 cm diam.) est blanc, jaunâtre ou ocré, conique, campanulé, puis étalé avec un mamelon plus ou moins gros, soyeux au début puis pelucheux (f) et fibrilleux. La chair (b) est blanche, épaisse, à odeur et à saveur agréables et fortes. Les lamelles (c) sont d'abord blanches, puis rosâtres ou rougeâtres en vieillissant, libres, larges et serrées. Le pied (d) (6-20 cm long.) est blanc ou jaunâtre, ferme, assez coriace, élargi à la base, plein, s'insérant dans une longue volve (e) blanchâtre ou jaunâtre et plus ou moins lobée (g). Espèce à sporée rosée.

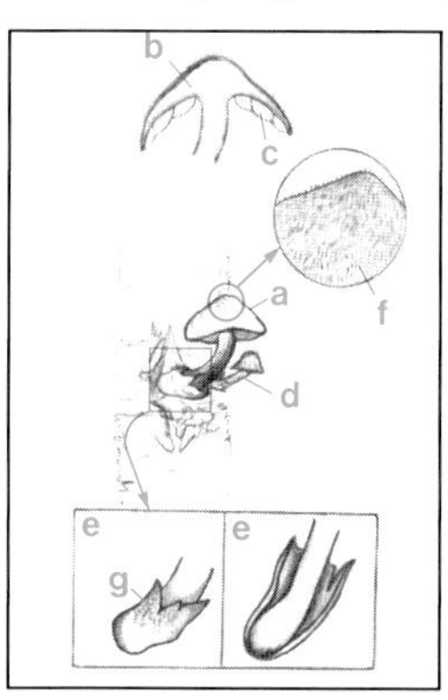

L

100 Volvariella pusilla (Fr.) Sing.

Volvaire petite

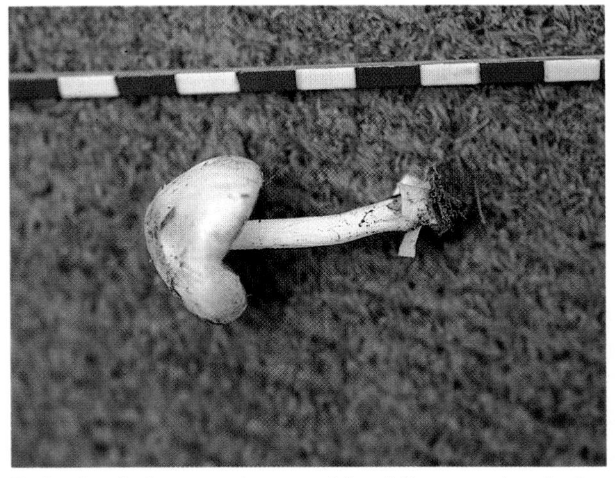

Espèce humicole rare croissant en été et à l'automne dans les jardins, sur les pelouses et parfois dans les boisés riches. Comestible, mais malheureusement peu abondant.

Le chapeau (a) (2,5-8 cm diam.) est blanc à grisâtre, d'abord ovoïde, puis campanulé et enfin étalé en vieillissant, soyeux ou fibrilleux et à marge lisse. La chair (b) est blanche ou légèrement teintée de rose, mince, sans odeur ni saveur particulières. Les lamelles (c) sont blanchâtres puis rosâtres avec l'âge, libres, serrées et assez épaisses. Le pied (d) (1-5 cm long.), de blanc à grisâtre, est égal ou élargi à la base; il s'insèere dans une volve (f) petite, délicate et lobée; il est creux (e) et le plus souvent glabre ou fibrilleux. Espèce à sporée rose.

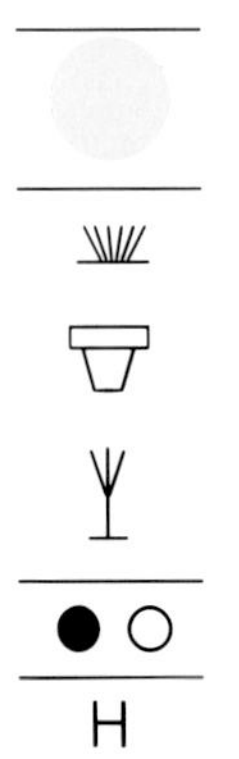

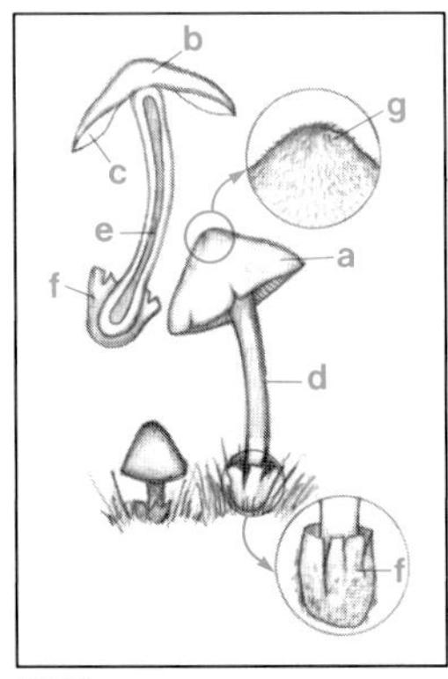

Pluteus cervinus (Fr.) Kum.

Plutée couleur de cerf

101

Espèce lignicole croissant en été et à l'automne sur le bois pourri, sous les feuillus, les conifères et dans les forêts mélangées. Comestible, mais sans saveur particulière.

Le chapeau (a) (5-12 cm diam.) est brun ou brun foncé, convexe, campanulé, plus ou moins mamelonné ; avec l'âge il s'étale ou il s'aplatit ; son cuticule (e) est détachable, finement fibrilleux, visqueux, surtout après une pluie ; et parfois il se fendille pour former de fines écailles. La chair (b) est blanche, molle, assez épaisse, à odeur de radis et à saveur douce. Les lamelles (c) sont d'abord blanches, puis rosées et enfin brunâtres, distantes du pied, libres, serrées et larges. Le pied (d) (5-15 cm long.) est blanc à brunâtre, épaissi à la base, plein et légèrement fibrilleux. Espèce à sporée rose.

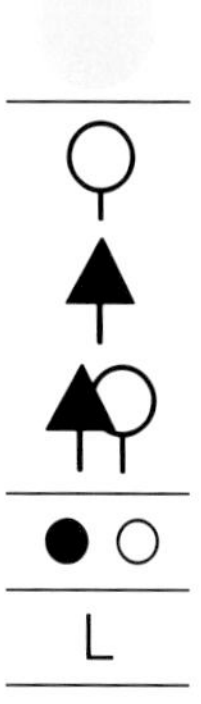

102 Amanita virosa Secr.

Amanite vireuse ou Ange de la mort

Espèce humicole croissant à l'été et à l'automne sous les feuillus, dans les forêts mélangées et même dans certains lieux ouverts. Cette amanite est mortelle. Il convient de ne pas la confondre avec les Agarics ou la Lépiote lisse, auxquels elle peut ressembler surtout lorsqu'ils sont jeunes.

Le chapeau (a) (4-12 cm diam.) est d'un beau blanc pur ; au début, il est conique ou en forme de cloche, puis il s'étale en vieillissant ; il est mamelonné (g), assez charnu, lisse ou visqueux, sans strie, sans lambeau. La chair (b) est blanche, assez mince, molle, à odeur faible et parfois désagréable. Les lamelles (c) sont blanches, libres, serrées et étroites. Le pied (d) (8-15 cm long.) est blanc, long, lisse (h) ou plus ou moins floconneux ou pelucheux (i), creux avec l'âge, élargi à la base, muni d'un anneau fragile (e), terminé à la base par un bulbe enveloppé d'une volve membraneuse (f), détachable, engainante et lobée. Espèce à sporée blanche.

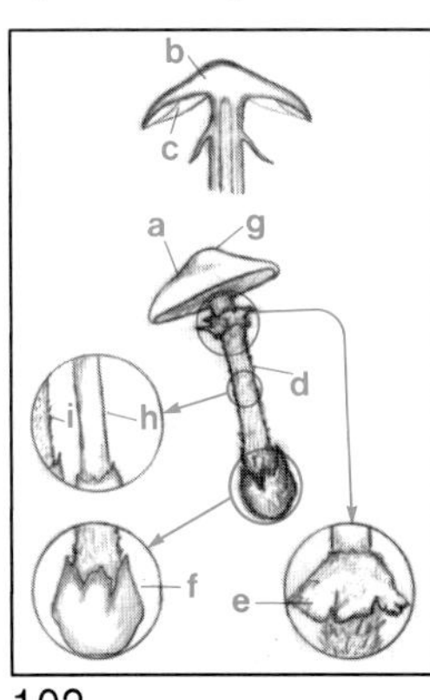

Amanita vaginata (Fr.) Vitt.

Amanite vaginée

Espèce humicole croissant en été et à l'automne sous les feuillus, les conifères et dans les forêts mélangées, en bordure des boisés, des sentiers, des prairies et des pâturages à l'abandon. Cette Amanite est considérée par plusieurs comme un très bon comestible, délicat et savoureux. Elle se distingue des autres par l'absence d'anneau sur le pied.

Le chapeau (a) (4-10 cm diam.) est blanc grisâtre, grisâtre, gris bleuâtre ou gris brunâtre, conique dans le jeune âge, convexe et étalé en vieillissant, souvent mamelonné, lisse ou parsemé de lambeaux, vestiges du voile; la marge est striée (f) et cannelée. La chair (b) est blanche, molle, mince, fragile, légèrement parfumée et à saveur douce. Les lamelles sont blanches, plus ou moins serrées, libres, distantes du pied et inégales. Le pied (d) (8-20 cm long.) est blanc ou grisâtre, élancé, faiblement élargi à la base, creux, fragile, couvert de fines fibrilles grisâtres, sans anneau, pourvu à la base d'une volve (e), libre. Espèce à sporée blanche.

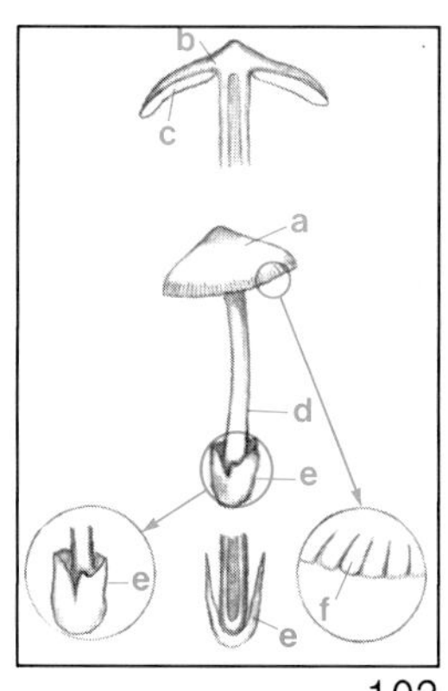

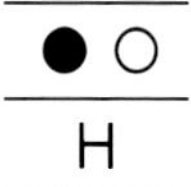

H

104 Amanita jacksonii Pomerleau.

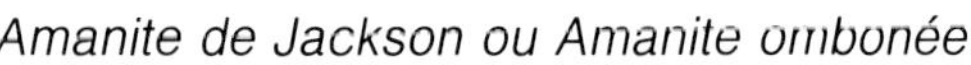

Amanite de Jackson ou Amanite ombonée

Espèce humicole rare croissant à l'été et à l'automne sous les chênaies, parfois sous les forêts de conifères, comme les pins, et dans les forêts mélangées. C'est un excellent comestible, très recherché par les gastronomes.

Le chapeau (a) (8-30 cm diam.) est parfois rouge vif, rouge orangé, rouge plus foncé, puis roussâtre ou roux orangé ; d'abord conique, campanulé, puis étalé et déprimé avec un mamelon bien visible, à marge sillonnée et cannelée, il est sec, lisse et luisant. La chair (b) est blanche, légèrement orangée sous la cuticule, épaisse, assez ferme, à odeur et à saveur très délicates. Les lamelles (c) sont jaunâtres ou jaune, libres, plus ou moins larges, serrées, espacées et floconneuses à l'arête. Le pied (d) (10-25 cm long.) est jaune, robuste, allongé, légèrement élargi à la base, plein au début, puis creux, fibrilleux, muni d'un anneau (e) membraneux, jaune ; la volve (f) est blanche, épaisse, membraneuse, lobée et résistante. Espèce à sporée blanche.

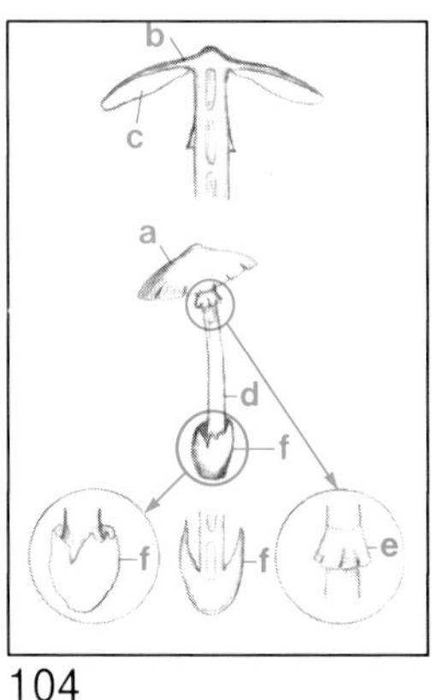

Amanita citrina S.F. Gray.

Amanite citrine

Espèce humicole croissant à l'été et à l'automne sous les feuillus et dans les forêts mélangées. À rejeter, car elle peut être toxique.

Le chapeau (a) (4-9 cm diam.) est blanc jaunâtre, jaunâtre et couvert de flocons (e) blancs, d'abord convexe puis étalé, visqueux et brillant. La chair (b) est blanche, assez mince, à odeur de navet et à saveur amère. Les lamelles (c) sont d'abord blanches puis crème avec l'âge, libres, serrées et ventrues. Le pied (d) (4-10 cm long.) est blanc à jaune très pâle, égal, muni d'un anneau (f) membraneux blanc jaunâtre à jaunâtre, parfois taché de grisâtre en bordure, plein, bulbeux et à volve membraneuse (g). Espèce à sporée blanche.

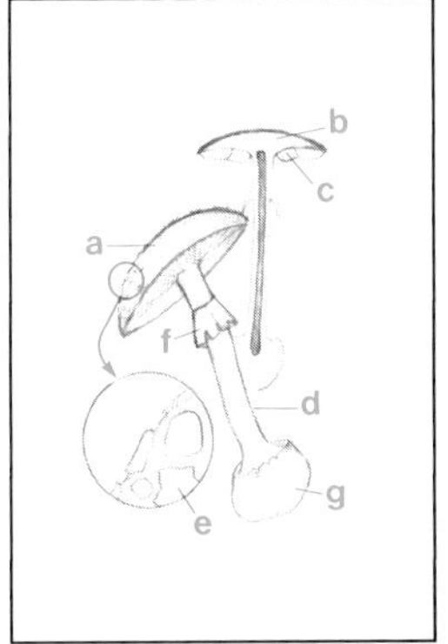

H

106 Amanita muscaria (Fr.) Hook.

Amanite tue-mouche

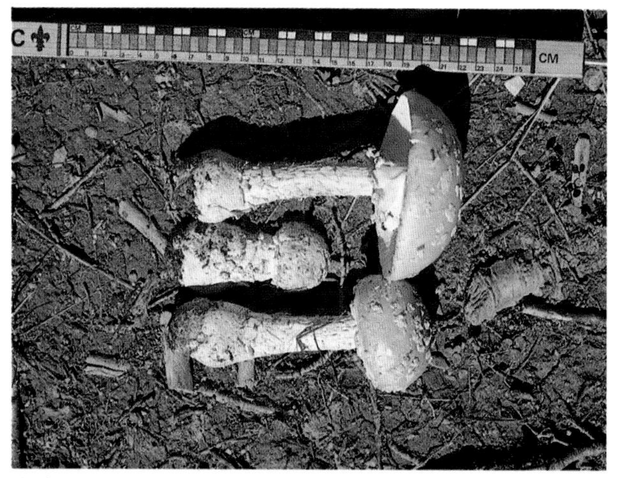

Espèce humicole croissant en été et à l'automne dans des habitats très variés, sous les feuillus, les conifères ou dans les forêts mélangées, en bordure des boisés, dans les clairières, souvent sur les sols acides. À rejeter, car elle est toxique et hallucinogène.

Le chapeau (a) (6-20 cm diam.) est d'abord jaune, jaune orangé, puis orangé à rouge, convexe, étalé, couvert d'écailles (g) de différentes grosseurs, blanches ou jaunâtres, qui sont détachables, et qui disparaissent souvent après la pluie ; il est à marge striée. La chair (b) est blanche ou jaunâtre, surtout sous la cuticule, ferme, à odeur et à saveur plus ou moins agréables suivant l'âge. Les lamelles (c) sont blanches, puis jaunissent en vieillissant ; elles sont libres, larges, serrées et ventrues. Le pied (d) (10-25 cm long.) est blanc à jaunâtre, bulbeux, enveloppé par une volve floconneuse et couverte de bourrelets squameux (f), muni d'un anneau (e) blanc, membraneux. Le pied est creux et couvert de fibrilles. Espèce à sporée blanche.

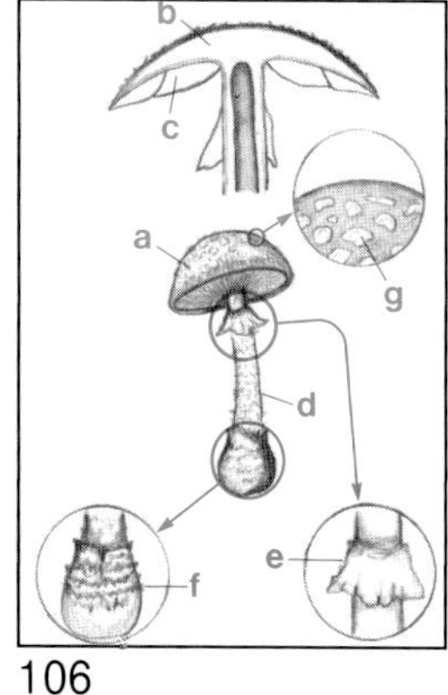

Amanita brunnescens Atk.

Amanite brunissante

Espèce humicole croissant à l'été et à l'automne sous les feuillus et sous les forêts mélangées. À rejeter, car elle peut être toxique.

Le chapeau (a) (5-20 cm diam.) est brunâtre, brun plus foncé ou brun olive, d'abord conique, puis campanulé, étalé et mamelonné en vieillissant, lisse, parfois visqueux ou couvert de flocons ou de petites écailles (g) blanches. La chair (b), blanche, délicate, molle, brunit à l'air libre; elle est sans odeur ni saveur particulières. Les lamelles (c) sont blanches à brunâtres, libres, serrées et plus ou moins larges. Le pied (d) (6-8 cm long.) est blanc ou brunâtre, élargi à la base, creux en vieillissant, squameux, avec un anneau (e) membraneux et un bulbe (f) fendu ou crevassé, enveloppé par une volve (g) membraneuse morcelée. Espèce à sporée blanche.

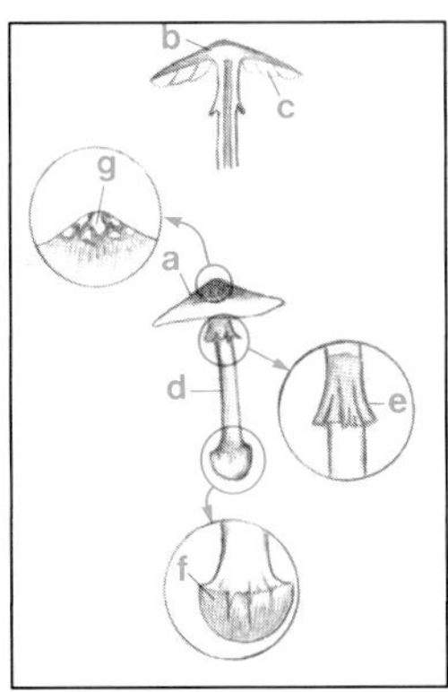

H

108 Amanita porphyria (Fr.) Secr.

Amanite porphyre

Espèce humicole croissant à la fin de l'été et à l'automne sous les conifères ou dans les forêts mélangées. À rejeter en raison de son odeur et aussi de sa saveur désagréables. On croit qu'elle peut causer des intoxications.

Le chapeau (a) (4-8 cm diam.) est gris brun nuancé de violet; convexe, campanulé, il s'étale en vieillissant; il est fibrilleux, satiné, visqueux, et souvent couvert de plaques grisâtres, vestiges du voile. La chair (b) est blanche, tendre, à odeur de pomme de terre et à saveur désagréable. Les lamelles (c) sont blanches, libres, serrées et étroites. Le pied (d) (5-10 cm long.) est blanc et teinté de fibrilles grisâtres ou violacées, grêle, égal ou élargi à la base, creux avec l'âge, à bulbe (f) arrondi et marginé recouvert d'une volve libre, et muni d'un anneau (e) délicat et persistant, d'abord blanc jaunâtre à blanc grisâtre, puis noircissant avec l'âge. Espèce à sporée blanche.

H

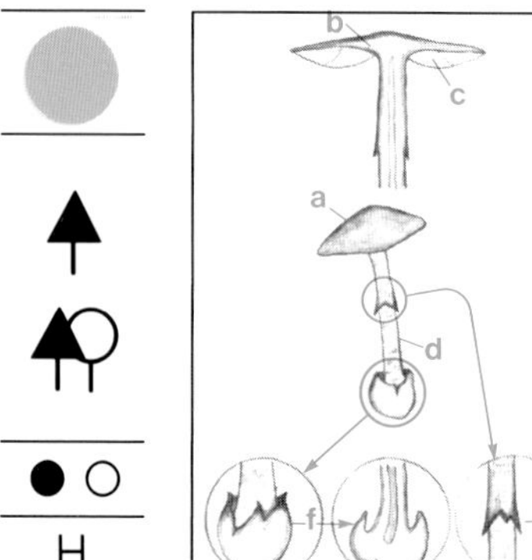

Amanita rubescens (Fr.) S.F. Gray.

Amanite rougissante

Espèce humicole croissant en été et à l'automne sous les feuillus, les conifères ou dans les forêts mélangées. C'est un comestible très recherché et savoureux.

Le chapeau (a) (5-15 cm diam.) est blanc brunâtre, brunâtre, puis d'un rouge vineux, convexe et étalé en vieillissant, visqueux ou sec, couvert de plaques (g) écailleuses jaunâtres, brunâtres ou grisâtres. La chair (b) est blanche, mais se teinte de rougeâtre à la cassure; elle est mince, sans odeur particulière mais à saveur légèrement amère. Les lamelles (c) sont blanches ou teintées de rougeâtre vineux, libres, serrées, et inégales. Le pied (d) (5-20 cm long.) est blanc et rougeâtre, ou vineux vers la base, robuste, égal ou un peu plus gros à la base, creux, muni d'un bulbe (f) non marginé couvert de débris de la volve, et d'un anneau (e) blanc ou légèrement teinté de rougeâtre; il est strié, pendant, haut sur le pied, et persistant. Espèce à sporée blanche.

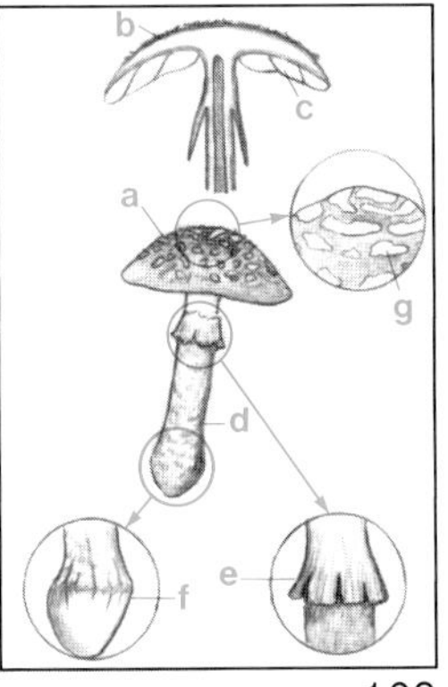

110 Amanita flavoconia Atk.

Amanite à voile jaune

Espèce humicole croissant en été et à l'automne sous les feuillus, les conifères ou dans les forêts mélangées. C'est une espèce à rejeter parce qu'elle pourrait être toxique.

Le chapeau (a) (3-8 cm diam.) est jaune, jaune orangé ou orangé, convexe, puis étalé, mamelonné, visqueux, couvert d'écailles (g) jaunes qui disparaissent avec le temps. La chair (b) est blanche, sans odeur ni saveur particulières. Les lamelles (c) sont blanches ou rosâtres, libres et serrées. Le pied (d) est jaunâtre ou jaune orangé, égal ou plus mince au sommet, terminé à sa base par un bulbe enveloppé d'une volve (f) morcelée, et muni d'un anneau (e) membraneux jaunâtre. Espèce à sporée blanche.

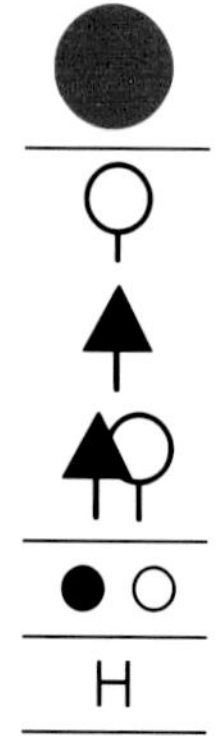

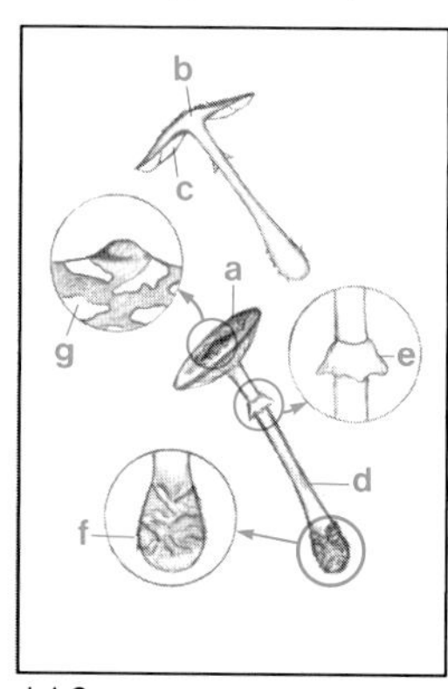

Entoloma abortivum (B. et C.) Donk.

Clitopile ou Entolome avorté

Espèce humicole et lignicole croissant en fin d'été et à l'automne sous les feuillus ou dans les forêts mélangées ; on le retrouve parfois sur le bois ou les souches pourries des arbres feuillus. Comestible très apprécié et recherché des gastronomes, on dit que sa forme avortée (e) est aussi à consommer si elle n'est pas trop parasitée.

Le chapeau (a) (4-15 cm diam.) est blanc grisâtre, grisâtre, gris brunâtre ou brun grisâtre ; d'abord convexe, il s'étale ensuite et se déprime (e) ; il est mamelonné, soyeux ou finement fibrilleux ou glabre. La chair (b) est blanche, délicate, mince, à odeur et à saveur douces. Les lamelles (c) sont grisâtres, puis rosâtres ou cannelle, décurrentes, plus ou moins larges et serrées. Le pied (d) (6-15 cm long.) est de couleur semblable au chapeau, égal ou un peu élargi à la base, robuste, plein, fibreux et floconneux au sommet. Espèce à sporée saumonée ou rose.

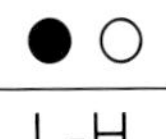

L-H

112 Russula brevipes Pk.

Russule à pied court ou Russule sevrée

Espèce humicole croissant en été et à l'automne sous les conifères, ou dans les forêts mélangées, particulièrement dans la sapinière, la pessière, la pinède, et parfois sous les arbres feuillus. Considéré comme un bon comestible.

Le chapeau (a) (8-20 cm diam.) est blanc crème, blanc jaunâtre, blanc brunâtre, convexe, puis déprimé avec l'âge et enfin en forme d'entonnoir (e); il est sec, légèrement pubescent ou rugueux. La chair (b) est blanche, ferme, épaisse, cassante, granuleuse et à saveur douce. Les lamelles (c) sont blanches, décurrentes, minces, serrées et ramifiées ou veinées près du pied. Le pied (d) (3-8 cm long.) est blanc ou brunâtre, trapu, court, robuste, plein, égal (f) ou élargi au sommet. Espèce à sporée crème.

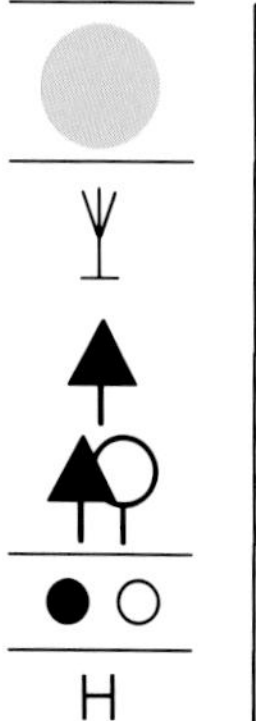

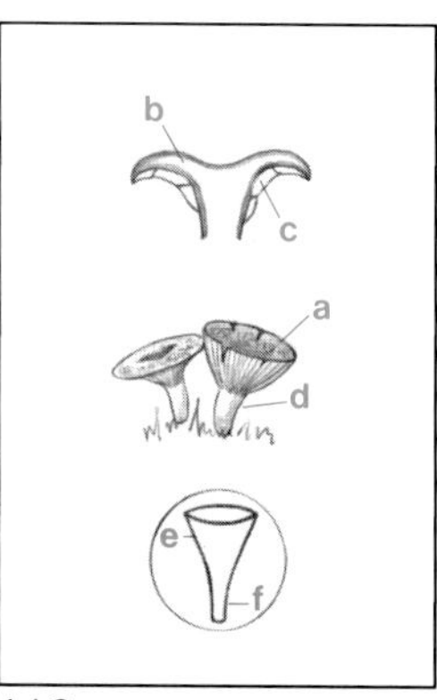

Russula subfœtens W.G. Smith.

Russule fétide

113

Espèce humicole croissant en été et à l'automne sous les feuillus, parfois sous les conifères, et dans les forêts mélangées. À rejeter, en raison de son parfum désagréable et de son goût amer.

Le chapeau (a) (5-15 cm diam.) est jaune brunâtre, brun jaunâtre, brunâtre ou jaune orangé brunâtre, convexe, étalé avec l'âge, puis déprimé, visqueux ou sec, lisse, à marge striée et irrégulière. La chair (b) est de blanchâtre à jaunâtre, mince, ferme, à odeur forte et à saveur désagréable. Les lamelles (c) sont blanc jaunâtre quand le sujet est jeune et deviennent jaune orangé avec l'âge; elles sont adnées, larges, serrées et laissent échapper des gouttelettes transparentes lorsqu'on les froisse. Le pied (d) (5-12 cm long.) est blanc à blanc brunâtre, robuste, assez ferme, spongieux ou lacuneux (e), lisse ou légèrement rugueux. Espèce à sporée jaune orangé pâle.

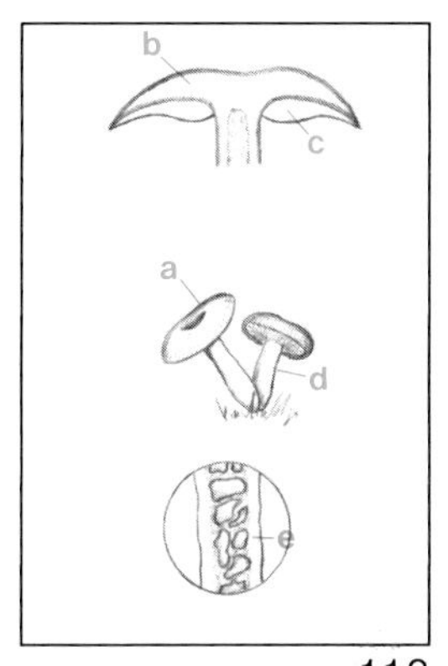

114 Russula laurocerasi Melzer.
Russule laurier-cerise

Espèce humicole croissant en été et à l'automne sous les feuillus et dans les forêts mélangées. À rejeter, car c'est un comestible médiocre.

Le chapeau (a) (6-13 cm diam.) est brunâtre, brunâtre roux ou brun ocré, convexe, déprimé avec l'âge, visqueux ou sec, à marge irrégulière et ondulée, à cuticule (f) séparable à la marge. La chair (b) est d'abord blanche puis brunâtre, épaisse, à odeur et à saveur désagréables. Les lamelles (c) sont de blanches à crème, puis brunâtres à ocrées, espacées avec des lamellules. Le pied (d) (5-15 cm long.) est blanchâtre à brunâtre, surtout vers la base, plein au début puis creux ou caverneux (e). Espèce à sporée crème.

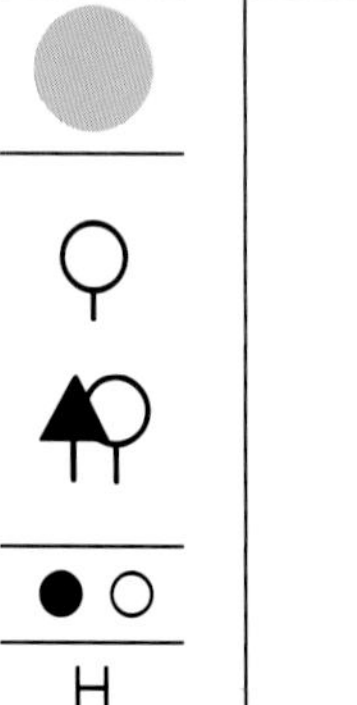

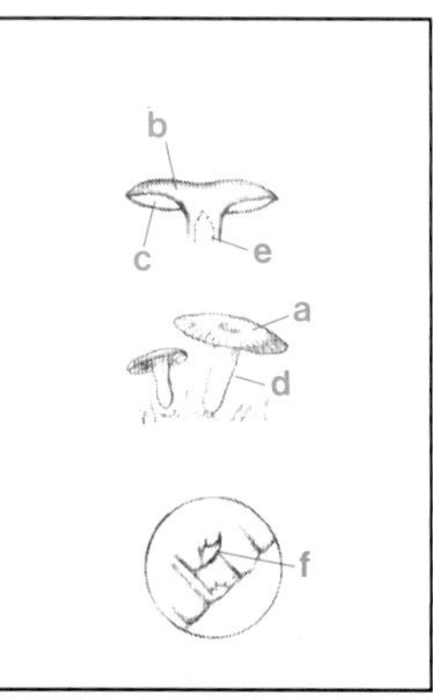

Russula mariae Pk. 115

Russule de Marie

Espèce humicole assez rare croissant en été et au début de l'automne sous les feuillus et parfois dans les forêts mélangées. C'est un comestible agréable et recherché pour son bon goût.

Le chapeau (a) (2-8 cm diam.) est rouge pourpre, pourpre ou marron, parfois rouge délavé; convexe au début, il s'étale avec l'âge et devient légèrement déprimé; il est visqueux ou sec, légèrement poudreux (g) ou granuleux sous la cuticule et à marge plus ou moins sillonnée. La chair (b) est blanche, consistante, cassante, à odeur et à saveur douces. Les lamelles (c) sont blanches, puis se tachent de rougeâtre ou de pourpre, étroites et plus ou moins serrées. Le pied (d) (2-8 cm diam.) est blanchâtre ou teinté de rougeâtre, légèrement élargi au sommet, ferme, spongieux (e) et légèrement poudreux (f) à la surface. Espèce à sporée crème.

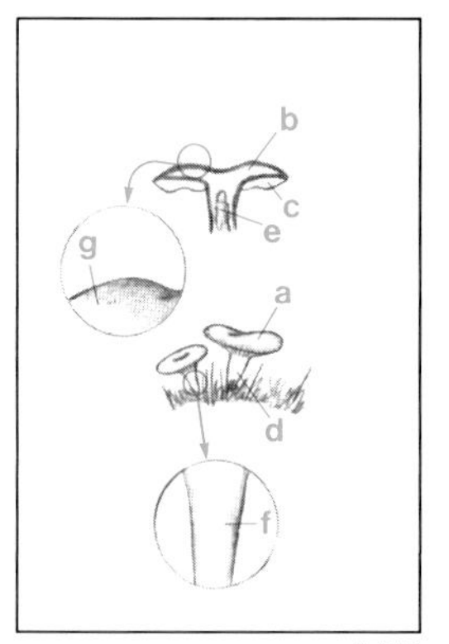

116 Russula cyanoxantha (Shaeff.) Fr.

Russule charbonnière

Espèce humicole croissant en fin d'été et à l'automne sous les feuillus ou les forêts mélangées. Elle est assez répandue sous les chênes. Comestible très recherché et apprécié pour son parfum, sa saveur délicate et sa taille intéressante.

Le chapeau (a) (5-12 cm diam.) a une couleur très variable suivant les sujets; son rouge se nuance de verdâtre, de grisâtre, de bleuâtre, de violacé et de noirâtre; convexe, puis étalé, enfin déprimé avec l'âge, il est légèrement visqueux, à cuticule séparable près de la marge striée. La chair (b) est blanche, parfois teintée des mêmes couleurs que le chapeau, ferme, épaisse, à odeur faible. Sa saveur douce et agréable devient légèrement âcre quand on l'a mâchée. Les lamelles (c) sont blanches, résistantes (f), serrées, épaisses, et libres. Le pied (d) (4-10 cm long.) est blanc ou légèrement taché de bleu, assez égal, souvent spongieux (e) et ridé sur sa longueur. Espèce à sporée blanche.

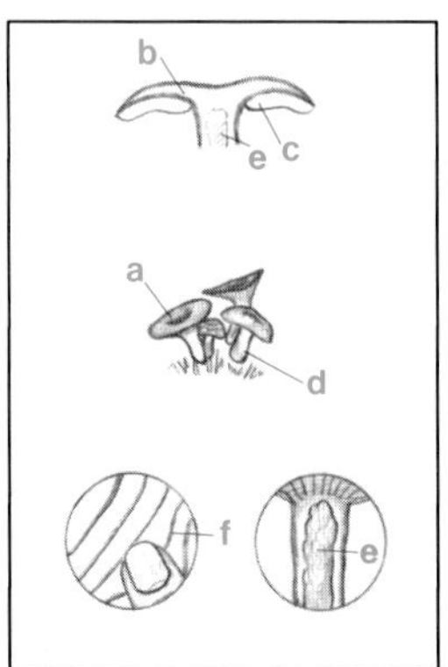

Russula variata Bann.

Russule variable

Espèce humicole croissant en été et à l'automne sous les feuillus et dans les forêts mélangées. Comestible, il est très agréable au goût.

Le chapeau (a) (5-15 cm diam.) est comme son nom l'indique de différentes couleurs, qui vont du rougeâtre nuancé de brun, de verdâtre, d'olivâtre et de grisâtre à une teinte verdâtre, grisâtre, pourpre ou rougeâtre; d'abord convexe, il s'étale ensuite et prend une forme d'entonnoir en vieillissant; il est légèrement visqueux, même au sec, un peu rugueux et à cuticule séparable (f). La chair (b) est blanchâtre, ferme, à odeur nulle et à saveur douce ou un peu amère. Les lamelles (c) sont blanches ou jaunâtres, parfois tachées de brun, adnées, élastiques et ramifiées. Le pied (d) (4-8 cm long.) est blanchâtre et parfois taché des couleurs du chapeau, assez égal, spongieux (e) avec l'âge et ferme. Espèce à sporée blanche.

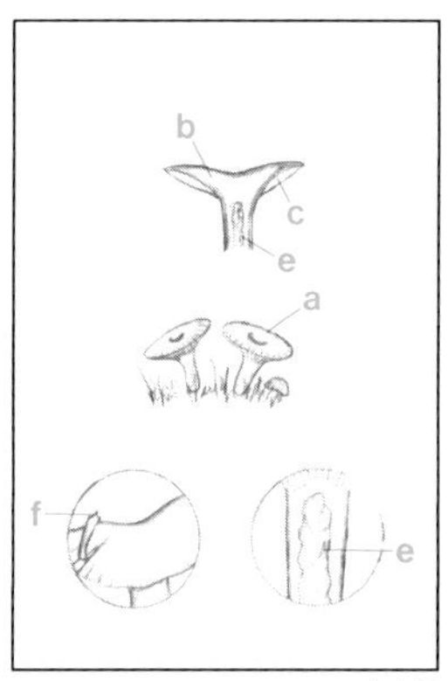

118 Russula vesca Fr.

Russule comestible

Espèce humicole croissant à l'été et au début de l'automne sous les feuillus ou dans les forêts mélangées. Comestible savoureux très acceptable.

Le chapeau (a) (6-10 cm diam.) est rosâtre, rouge délavé, brun rougeâtre ou rouge grisâtre; d'abord convexe, puis déprimé, il est glabre, sec, à marge lisse ou striée et à cuticule séparable (e). La chair (b) est blanche à jaunâtre, ferme, assez épaisse, fragile au toucher, à odeur nulle et à saveur douce. Les lamelles (c) sont blanches ou tachées de jaunâtre ou de brunâtre, adnées, larges, régulières, serrées et ramifiées près du pied. Le pied (d) (5-6 cm long.) est blanc teinté de rosâtre, de rougeâtre ou de jaunâtre, élargi au sommet, rugueux et plein. Espèce à sporée blanche.

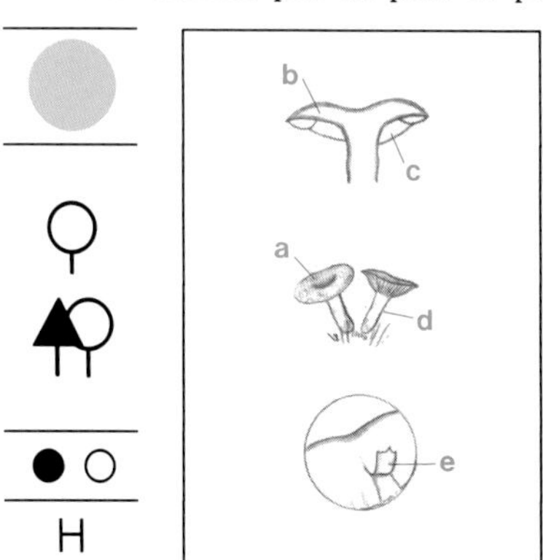

H

Russula xerampelina (Secr.) Fr.

Russule feuille morte

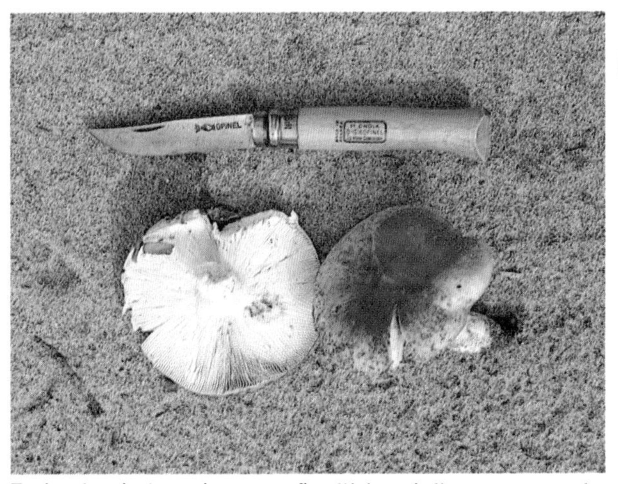

Espèce humicole croissant en fin d'été et à l'automne sous les conifères et dans les forêts mélangées. Comestible acceptable qui peut accompagner d'autres champignons.

Le chapeau (a) (4-10 cm diam.) est rouge nuancé de brun, ocre ou pourpre; convexe, étalé, puis déprimé, il est assez épais, à marge irrégulière ou ondulée, à cuticule séparable (f) à la marge. La chair (b) est blanche, épaisse ou un peu charnue, ferme, à odeur légèrement désagréable et à saveur douce. Les lamelles (c) sont d'abord blanches, puis jaunâtres ou brunâtres, serrées et ramifiées. Le pied (d) (3-8 cm long.) est blanc ou rougeâtre, assez égal, spongieux (e) et rugueux à sa base.

Espèce à sporée ocre.

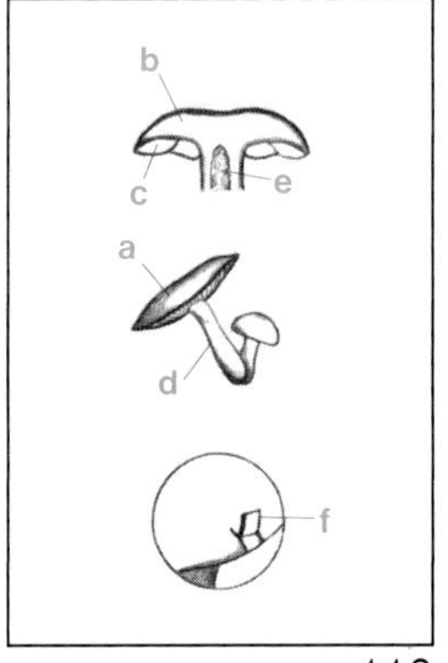

H

120 Russula emetica (Fr.) S.F. Gray.

Russule émétique

Espèce humicole croissant à l'été et à l'automne sur les sols acides, les bois humides et sablonneux, les tourbières, en bordure des marécages au travers des sphaignes, et parfois sous des conifères comme la pessière noire. Il est comestible, mais peu intéressant en raison de sa saveur poivrée, à moins qu'on s'en serve en petite quantité, comme condiment.

Le chapeau (a) (4-11 cm diam.) est rouge vermillon ou rouge vif, parfois rouge délavé; convexe, étalé, puis déprimé, il a une cuticule visqueuse, luisante et séparable (f). La chair (b) est blanche à jaunâtre, assez fragile, épaisse, un peu coriace, à saveur poivrée ou âcre. Les lamelles (c) sont blanches ou jaunâtres, libres ou adnées, espacées ou serrées et ramifiées. Le pied (d) (4-8 cm long.) est blanc, assez égal, spongieux (e) et délicat. Espèce très variable et à sporée blanche.

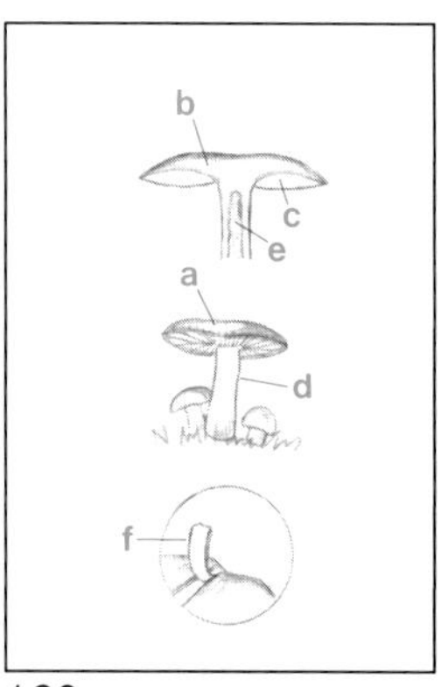

Russula betulina Burl.

Russule des bouleaux

Espèce humicole croissant en été et à l'automne sous les feuillus et dans les forêts mélangées, en particulier sous les bouleaux. C'est un comestible acceptable.

Le chapeau (a) (6-9 cm diam.) est jaune saumon, rouge rouille ou parfois un peu rougeâtre ; convexe, étalé et déprimé, il est plus ou moins visqueux et glabre. La chair (b) est blanche, consistante, à odeur nulle et à saveur assez agréable. Les lamelles (c) sont blanches ou jaunâtres, plus ou moins serrées et ramifiées. Le pied (d) (3-7 cm long.) est blanc, assez égal, spongieux (e) ou plein et lisse. Espèce à sporée ocre.

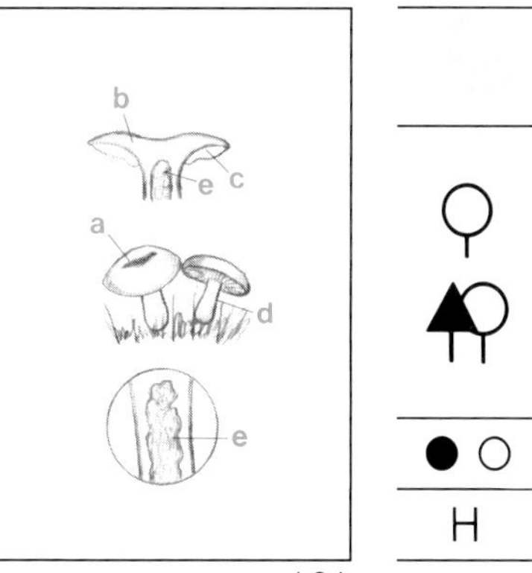

H

122 Lactarius indigo (Schw.) Fr.
Lactaire indigo

Espèce humicole croissant vers la fin de l'été et à l'automne sou
les conifères, en particulier sous les pinèdes, et plus rarement sou
les feuillus et dans les forêts mélangées. Rare, il est comestible mai
sa saveur est discutable.

Le chapeau (a) (5-15 cm diam.) est d'un beau bleu indigo o
bleu grisâtre, parfois gris, convexe, étalé et déprimé, visqueux, mar
qué de zones concentriques plus foncées, à marge enroulée qui s'é
tale avec l'âge. La chair (b) est bleu grisâtre parfois nuancé d
verdâtre, ferme, à odeur nulle et à saveur un peu amère. Les la
melles (c) sont bleues à bleu grisâtre ou bleu verdâtre, exsudant u
lait bleu (e) à la cas
sure ; elles sont légère
ment décurrentes, four
chues et serrées. L
pied (d) (2-8 cm long
est de bleu à grisâtre
égal ou élargi vers l
sommet, creux (f), pa
fois excentrique, orn
de fossettes (g) plu
ou moins apparentes
Espèce à sporée crèm
ou jaunâtre.

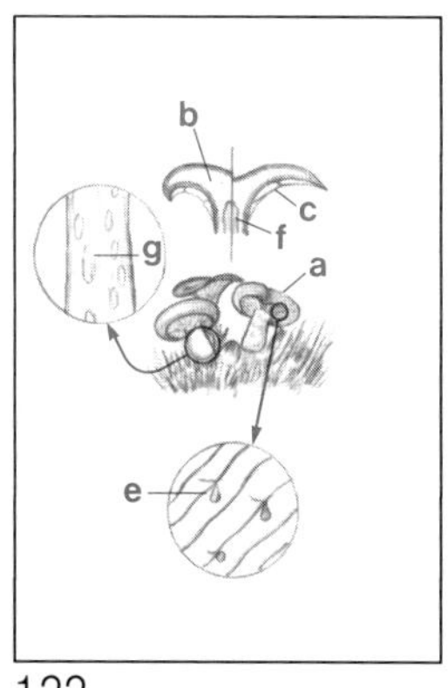

Lactarius deliciosus (Fr.) S.F. Gray.

Lactaire délicieux

Espèce humicole croissant en été et à l'automne sous les conifères et dans les champs, en bordure des boisés de conifères. Comestible. Il est très apprécié car sa saveur est particulière. On trouve aussi une espèce très affinée, le Lactarius thyinos aux lamelles moins nombreuses et plus espacées, sans fossettes sur le pied et ne verdissant pas. Certains le trouvent meilleur.

Le chapeau (a) (4-12 cm diam.), d'un beau jaune orangé, ou roussâtre, se tache de vert en vieillissant ; il est convexe, d'abord étalé, puis déprimé et enfin en entonnoir, marqué de zones concentriques plus foncées, légèrement visqueux et glabre. La chair (b) est orangée verdâtre, fragile et granuleuse. Les lamelles (c) sont jaune orangé, exsudant un lait orangé (f) qui les verdit en séchant, légèrement décurrentes, serrées et fragiles. Le pied (d) (3-6 cm long.) est de même couleur que le chapeau, creux (e), plus ou moins visqueux, orné de fossettes (g). Espèce à sporée blanche.

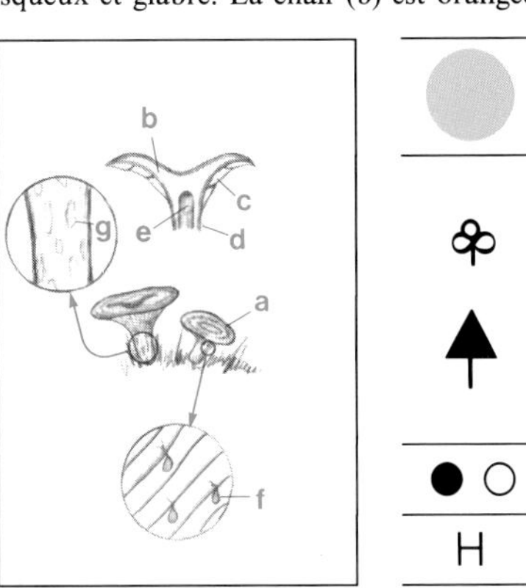

● ○

H

124 Lactarius volemus (Fr.) Fr.

Lactaire à lait abondant ou Vachette

Espèce humicole croissant en été sous les feuillus, particulièremen les chênes. C'est un bon comestible, délicat et savoureux.

Le chapeau (a) (6-15 cm diam.) est brun rougeâtre, fauve orang ou plus foncé; il est convexe puis déprimé, parfois mamelonné, à cuticule sèche, ridée ou fendillée (e) à la marge. La chair (b) blanche à jaunâtre, épaisse, tendre, fragile, se teintant de brun aus sitôt exposée à l'air, a un lait blanc (f) immuable; elle est à odeu d'écrevisse et à saveur douce. Les lamelles (c) sont crème à crèm jaunâtre, se teintant de brun à la moindre meurtrissure, minces espacées et étroites. Le pied (d) (5-12 cm long.) est de jaune orang à orangé, assez égal souvent caverneux, lé gèrement pruineux o lisse et parfois un pe ridé. Espèce à sporé blanche.

H

Lactarius piperatus (Fr.) S.F. Gray.

Lactaire poivré

Espèce humicole croissant en été et au début de l'automne sous les euillus, les conifères ou dans les forêts mélangées. Comestible s'il st utilisé comme succédané du poivre.

Le chapeau (a) (4-13 cm diam.) est blanc à blanc jaunâtre ou blanc brunâtre; d'abord convexe, il s'étale ensuite et forme enfin n entonnoir; sa surface est dépourvue de poil, crevassée par temps ec ou avec l'âge, sans zone concentrique et sans ride. La chair (b) t (g) est blanche, mais devient jaune verdâtre lorsqu'on l'expose à 'air libre; elle est ferme, assez coriace, épaisse, à odeur de fruits rais et à saveur piquante ou poivrée. Les lamelles (c) sont blanches t tachées de verdâtre, xsudant un lait blanc f) qui verdit en séhant, décurrentes, arquées, épaisses et parois à reflets brunâres. Le pied (d) (2-6 m long.) est blanc et aché de verdâtre ou e brunâtre, assez gal, court et trapu, lein, coriace et lisse. Espèce à sporée blanhe.

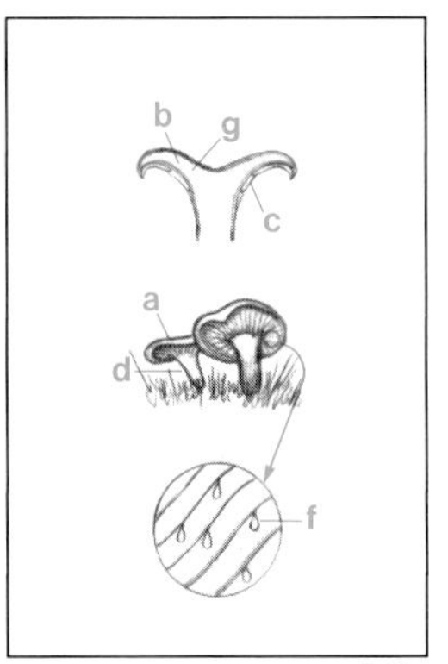

126 Lactarius uvidus (Fr.) Fr.

Lactaire raisin

Espèce humicole croissant en été et en automne sous tous les types de couverts forestiers, dans les stations humides, les pâturages et les prés. À rejeter en raison de son goût amer.

Le chapeau (a) (3-8 cm diam.) est grisâtre, brun grisâtre, gris brunâtre ou brun pourpre, convexe, puis plus ou moins déprimé et mamelonné, à cuticule visqueuse, tachée et faiblement zonée. La chair (b) est de blanche, se tachant de bleuâtre ou de lilas aussitôt exposée à l'air, à lait (f) blanc devenant rapidement lilas, à odeur nulle et à saveur amère. Les lamelles (c) sont jaunâtres et tachées de lilas, serrées et assez étroites. Le pied (d) (3-7 cm long.) est de blanc à jaunâtre, égal visqueux et creux (e). Espèce à sporée crème.

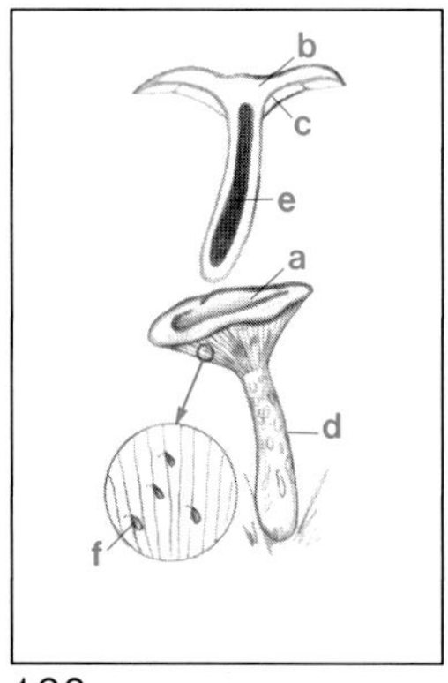

Lactarius torminosus (Fr.) S.F. Gray.

Lactaire toisonné

Espèce humicole croissant en été et à l'automne sous les feuillus, les conifères et dans les forêts mélangées. À rejeter en raison de sa saveur âcre et très irritante pour l'estomac.

Le chapeau (a) (4-12 cm diam.) est crème orangé, orangé, rose roussâtre ou rose brique, convexe, puis déprimé avec l'âge, couvert de longs poils (h) entremêlés à la marge, marqué de zones concentriques, visqueux et souvent raboteux. La chair (b) est blanche, épaisse, à odeur de fruits frais et à saveur très âcre. Les lamelles (c) sont crème, crème ocré, rose ocre ou ocre saumon, exsudant un lait blanc (f) qui ne change pas de couleur, serrées et étroites. Le pied (d) (2-6 cm long.) est blanchâtre à rosâtre orangé, souvent marqué d'une zone annulaire sous les lamelles, égal ou un peu aminci à la base, creux (e), garni de fossettes (g), lisse ou légèrement poudreux. Espèce à sporée blanche ou crème.

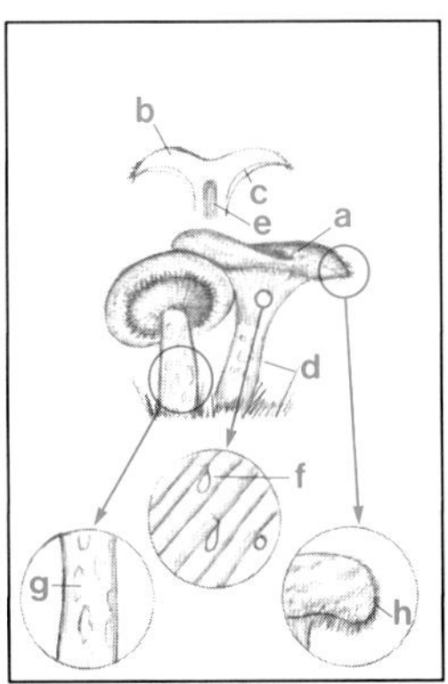

128 Lactarius turpis (Wein.) Fr.

Lactaire hideux

Espèce humicole croissant en été et à l'automne sous les conifères et dans les forêts mélangées. À rejeter en raison de son goût âcre.

Le chapeau (a) (10-25 cm diam.) est brun olive, brun olive foncé et jaune ou brun pâle verdâtre à la marge; convexe, il devient fortement déprimé avec l'âge; il est gros, ferme, visqueux et légèrement pubescent surtout à la marge. La chair (b) est blanche, et se colore de brunâtre ou de gris violacé à la cassure; elle est épaisse, coriace à odeur nulle et à saveur très âcre. Les lamelles (c) sont jaunes devenant brunâtres ou grisâtres à la moindre meurtrissure, exsudant un lait blanc (f), serrées et épaisses. Le pied (d) (3-4 cm long.) est de même couleur que le chapeau ou plus pâle, trapu, court, coriace, visqueux, lisse creux (e), et parfois marqué de fossettes plus ou moins évidentes. Espèce à sporée crème.

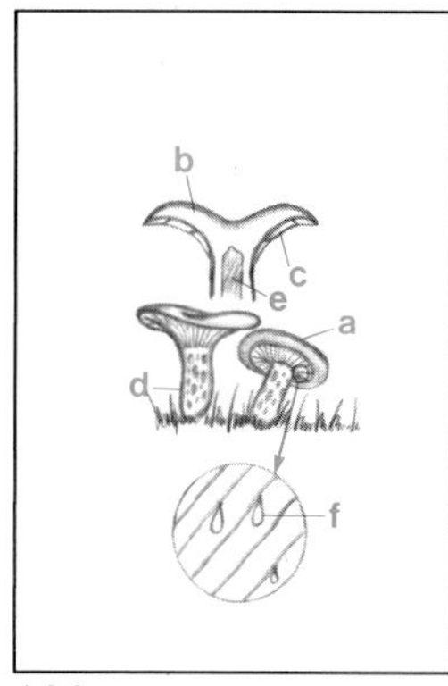

Lactarius rufus (Fr.) Fr.

Lactaire roux

Espèce humicole croissant en été et à l'automne sous les conifères. À rejeter en raison de son goût poivré ou brûlant.

Le chapeau (a) (3-10 cm diam.) est d'un beau roux, d'un brun rougeâtre ou d'un rouge brique ; il est convexe, puis déprimé et plus ou moins mamelonné (g) ; givré en bordure ou légèrement pubescent dans le jeune âge, il est parfois entièrement glabre, sans zone concentrique et sec. La chair (b) est blanche ou légèrement teintée de roux sous la cuticule, ferme à odeur nulle et à saveur très âcre ou piquante. Les lamelles (c) sont jaunâtres, puis roussâtres ou ocre roussâtre ; rougissantes à la moindre meurtrissure, elles exsudent un lait blanc (f) ; elles sont décurrentes, serrées et interveinées. Le pied (d) (3-8 cm long.) est de même couleur que le chapeau ou un peu plus pâle, égal et creux (e). Espèce à sporée blanche.

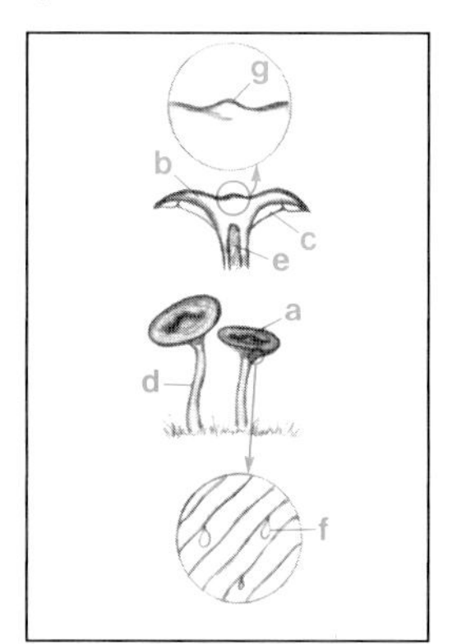

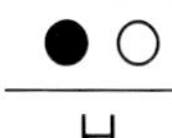

H

130 Lactarius lignyotus (Fr.) Fr.

Lactaire couleur de suie

Espèce humicole croissant en été et en automne sous les conifères ou dans les forêts mélangées. À rejeter en raison de son goût amer.

Le chapeau (a) (2-8 cm diam.) est brun noirâtre à noirâtre, d'abord conique, puis étalé et enfin déprimé ; il est papillé (e), velouté (g), à marge sillonnée (h) et lobée. La chair (b) est blanche devenant rosâtre à l'air, exsudant un lait blanc (f) immuable, à odeur nulle et à saveur amère. Les lamelles (c) sont blanches au début, puis ocracées et tachées de rouge par endroits, décurrentes avec une zone (j) noirâtre sur le pied, serrées et interveinées. Le pied (d) (5-12 cm long.) est de même couleur que le chapeau, égal, velouté

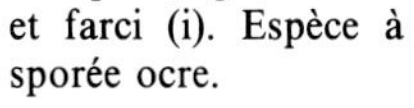

et farci (i). Espèce à sporée ocre.

H

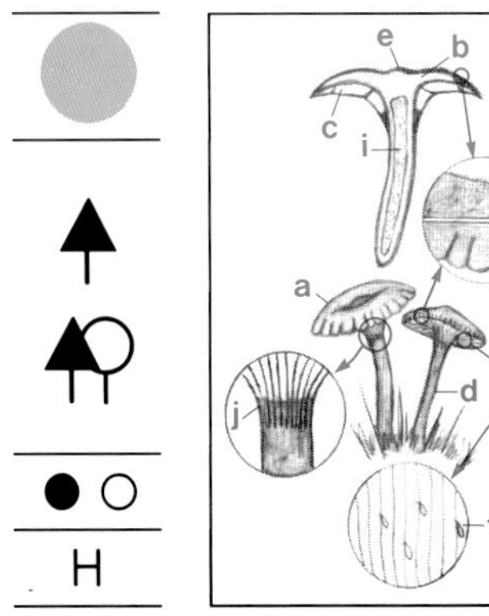

Lactarius glyciosmus (Fr.) Fr.

Lactaire odorant ou à odeur douce

Espèce humicole croissant à l'automne sous les conifères et dans les forêts mélangées. Comestible, mais sans intérêt pour le gastronome à cause de son goût âcre.

Le chapeau (a) (2-8 cm diam.) est gris rosé, rosâtre, parfois lilas ou grisâtre ; convexe, puis étalé et enfin déprimé, il est légèrement feutré et faiblement zoné, à marge (g) plus ou moins striée. La chair (b) est blanche, mince, délicate, à odeur de noix de coco et à saveur âcre ou brûlante. Les lamelles (c), blanchâtres ou crème, exsudent un lait blanc (f) qui ne change pas de couleur avec le temps ; elles sont légèrement décurrentes, serrées et minces. Le pied (d) (2-8 cm long.) est de même couleur que le chapeau ou un peu plus pâle, égal, étroit, fragile et creux (e). Espèce à sporée crème.

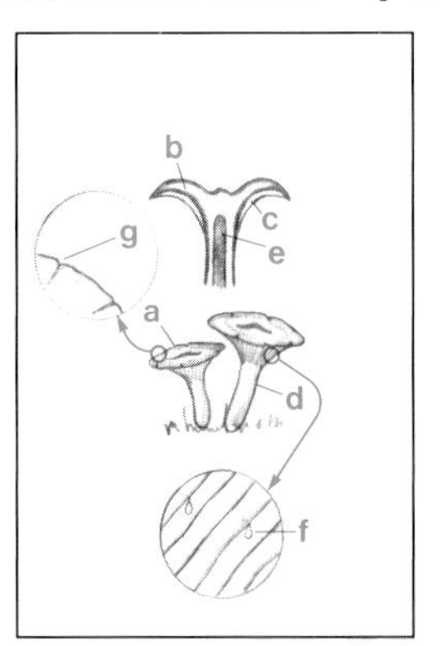

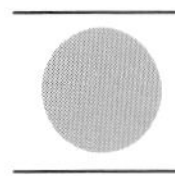

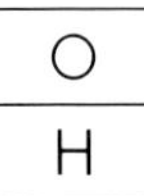

132 Lactarius aquifluus Pk.
Lactaire à lait aqueux

Espèce humicole croissant à la fin de l'été et au début de l'automne sous les conifères ou dans les forêts mélangées, en station humide et dans les tourbières. À rejeter en raison de son goût âcre, malgré son odeur engageante.

Le chapeau (a) (4-12 cm diam.) est brunâtre, parfois chamois ou brun rougeâtre, convexe, déprimé, parfois mamelonné et floconneux. La chair (b), de même couleur que le chapeau ou un peu plus pâle, est assez épaisse, tendre, à lait (e) aqueux, à odeur de biscuit à l'érable ou de chicorée, et à saveur un peu âcre. Les lamelles (c) sont ocrées ou brunâtres, décurrentes, épaisses et étroites. Le pied (d) (5-15 cm long.) est de même couleur que le chapeau, égal, creux et finement pubescent. Espèce à sporée blanche.

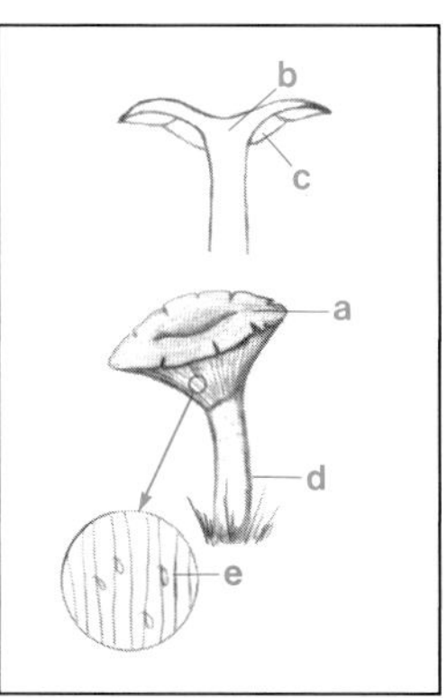

Lactarius chrysorheus Fr.

Lactaire au lait jaune

Espèce humicole croissant en été et à l'automne sous les feuillus ou dans les forêts mélangées. À rejeter en raison de son goût âcre ou très irritant pour la bouche et l'estomac.

Le chapeau (a) (4-10 cm diam.) est jaune cannelle, jaune roussâtre, jaune orangé roussâtre ou rose cannelle ; d'abord convexe, puis étalé ou plus ou moins déprimé avec l'âge, il est légèrement visqueux, à zones concentriques (g) bien évidentes à la marge. La chair (b) est blanche ou jaunissante à l'air libre, ferme ou fragile lorsque le sujet est jeune et mince. Les lamelles (c) sont de blanches à jaunâtres, à lait blanc (f) jaunissant rapidement à l'air, serrées, minces et étroites. Le pied (d) (4-5 cm long.) est blanc ou teinté de roussâtre, égal, lisse et creux (e). Espèce à sporée jaune pâle.

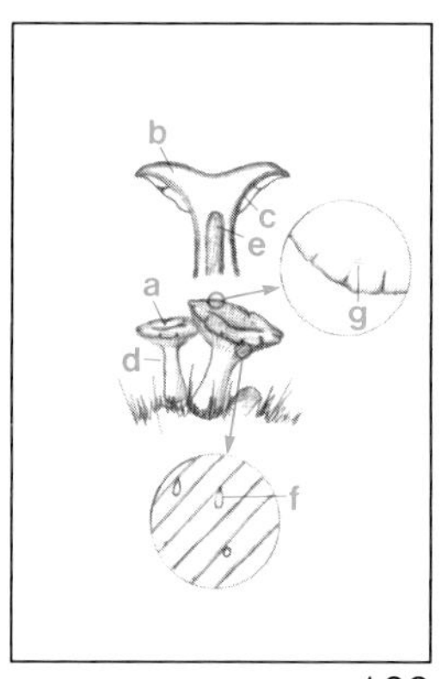

134 Lactarius minusculus Burl.

Lactaire minuscule

Espèce humicole croissant en été et à l'automne en bordure des boisés, au travers des mousses et des plantes herbacées, dans des conditions d'humidité adéquates. Comestible, mais sans intérêt en raison de son goût âcre et de sa petite taille.

Le chapeau (a) (1-3 cm diam.) est brun roux à cannelle, d'abord convexe, puis déprimé avec l'âge, plus ou moins mamelonné, creux au centre, papillé, légèrement visqueux, à marge faiblement striée (g) et cannelée. La chair (b) est blanche et tachée de roux, mince, molle, à odeur nulle et à saveur âcre ou piquante. Les lamelles (c) sont blanchâtres ou tachées de brun roux avec l'âge, à lait blanc (f) ne changeant pas de couleur à l'air, serrées et plus ou moins larges. Le pied (d) (2-5 cm long.) est de couleur semblable au chapeau, égal, creux (e) et lisse. Espèce à sporée blanche.

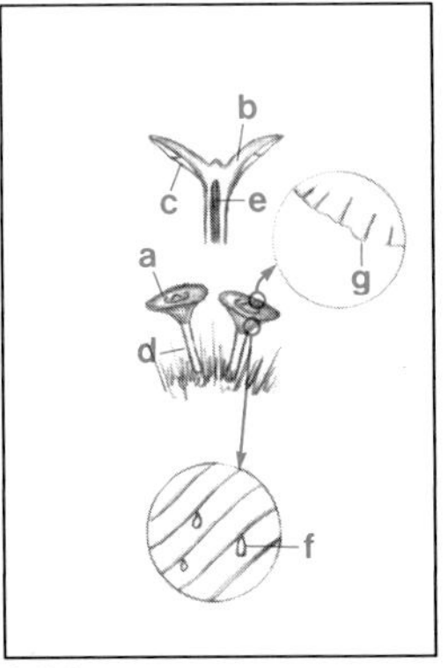

Cantharellus cibarius Fr.

Chanterelle ciboire ou commune

Espèce humicole croissant en été et à l'automne sous les conifères et parfois dans les forêts mélangées. C'est un excellent comestible, fort apprécié et très facile à conserver.

Le chapeau (a) (2-10 cm diam.) est jaune à jaune orangé ; d'abord convexe, puis étalé, enfin en forme de ciboire comme son nom l'indique, à marge le plus souvent irrégulière ou ondulée et bosselée. La chair (b) est blanchâtre à jaunâtre, épaisse, ferme, résistante à la pourriture, à saveur très agréable, un peu acidulée. Les lamelles (c) sont en réalité des replis ramifiés (e) de couleur semblable au chapeau ; elles sont longuement décurrentes sur le pied, plus ou moins étroites et serrées. Le pied (d) (2-8 cm long.) est de même couleur que le chapeau, le plus souvent aminci à la base, plein, fibreux, ferme, court et lisse. Espèce à sporée jaune.

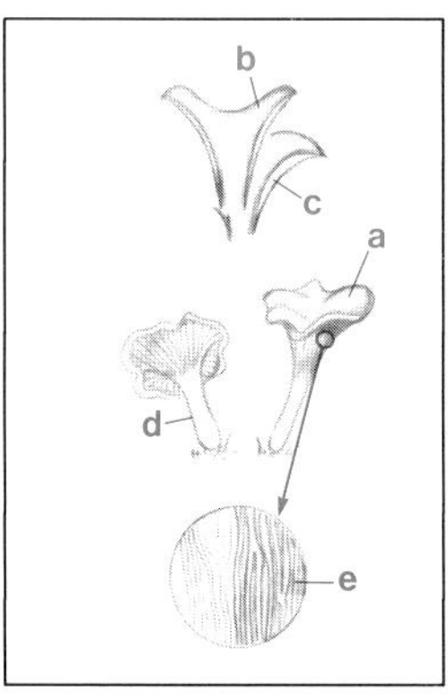

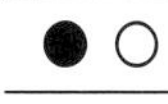

H

136 Cantharellus tubaeformis Fr.

Chanterelle en trompette ou en entonnoir

Espèce humicole croissant en été et à l'automne sous les conifères et dans les forêts mélangées. C'est une espèce comestible, mais moins recherchée et appréciée que la Chanterelle ciboire.

Le chapeau (a) (2-5 cm diam.) est brun jaunâtre, jaune grisâtre ou gris brunâtre, convexe, étalé et en forme d'entonnoir ou de trompette (g), à marge crénelée et ondulée. La chair (b) est de couleur assez semblable au chapeau, mince, très fragile, sans odeur ni saveur particulières. Les lamelles (c) sont réduites à des replis ramifiés (f) et interveinés, elles sont étroites et espacées. Le pied (d) (2-6 cm long.) est jaune ou jaune orangé, parfois ocracé ou brunâtre, égal ou légèrement élargi vers le sommet, creux (e) et finement sillonné ou lisse. Espèce à sporée blanche.

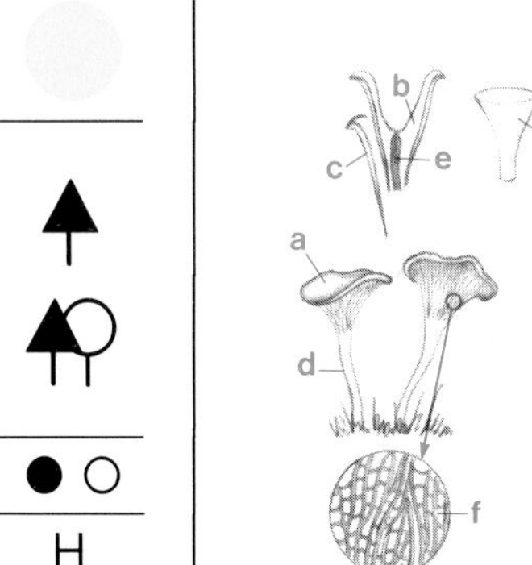

Gomphus floccosus (Schw.) Sing.

Chanterelle à flocons

Espèce humicole croissant en été et à l'automne sous les conifères ou dans les forêts mélangées. C'est un très bon comestible à saveur douce, et légèrement laxatif.

Le chapeau (a) (3-10 cm diam.) est jaunâtre à beige pâle ou brun saumoné, ocré ou orangé, en forme de cornet ou d'entonnoir, creux (f) jusqu'à sa base, floconneux ou écailleux à l'intérieur. La chair (b) est blanche ou crème, ferme, épaisse, consistante, fibreuse, à odeur et à saveur agréables. Les lamelles (c) sont réduites à de simples replis ramifiés (e) ou ridés de couleur beige ou ocre. Le pied (d) (0,5-2 cm long.) est blanc et peu visible, car il est très court, plein ou creux avec le temps. Espèce à sporée ocre.

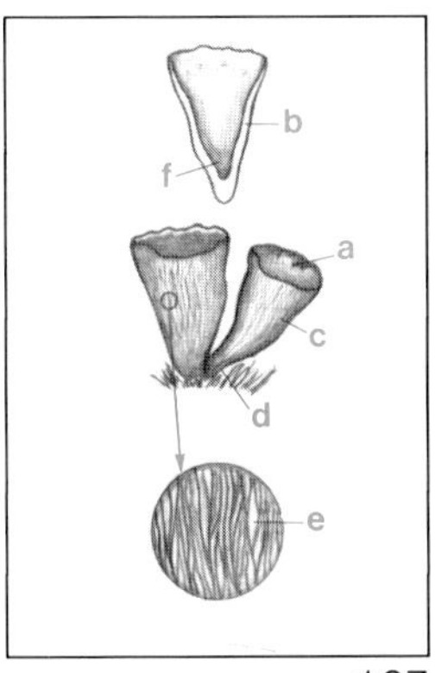

138 Craterellus fallax Smith.

Craterelle corne d'abondance ou Fausse corne d'abondance

Espèce humicole croissant en été sous les feuillus et dans les forêts mélangées. C'est un comestible très recherché pour sa saveur délicate.

Le chapeau (a) est gris clair, gris brunâtre, cendré ou gris noirâtre, en forme d'entonnoir ou de trompette, creux (f) jusqu'à sa base, à marge ondulée et enroulée (g); sa surface intérieure est rugueuse. La chair (b) est grisâtre à noirâtre, mince, friable, à odeur et à saveur douces. Les lamelles (c) sont réduites à de simples ondulations ramifiées (e) ou ridées; elles sont gris clair, gris brunâtre, cendrées ou gris noirâtre et longuement décurrentes. Le pied (d) est presque inexistant; très court, il est de même couleur que l'ensemble, creux et le plus souvent enfoncé au travers des mousses ou de la litière. Espèce à sporée ocre saumoné.

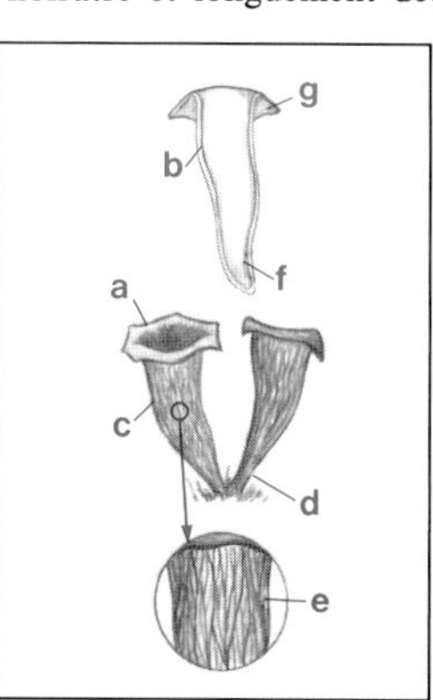

Gyrodon merulioides (Schw.) Sing. 139

Boletin ou Bolet veiné

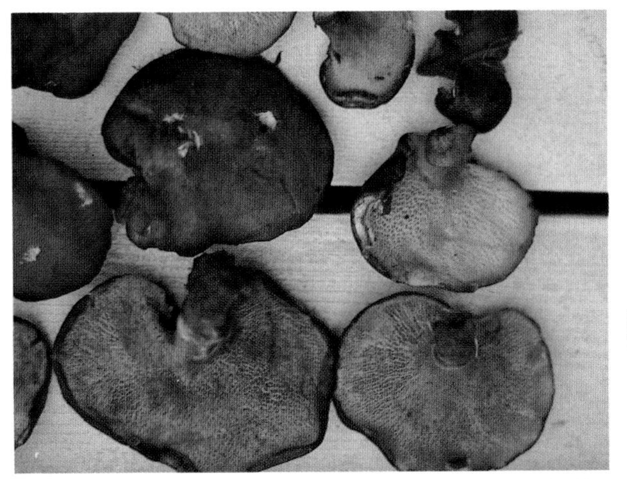

Espèce humicole croissant en été et à l'automne sous les feuillus ou dans les endroits dégagés comme les parcs, les parterres, les champs. Il est souvent associé aux frênes. Il est comestible.

Le chapeau (a) (5-15 cm diam.) est jaune brunâtre, jaune olivâtre, brun olivâtre ou olivâtre, convexe, puis étalé, à marge irrégulière et ondulée, légèrement fibrilleux et sec. La chair (b) est jaunâtre, jaune brunâtre ou brunâtre, épaisse, ferme, bleuissante à l'air libre, sans odeur particulière, mais à saveur particulière de féculents. Les tubes (c) sont jaunes ou plus foncés avec l'âge, décurrents, irréguliers, anguleux (e) et disposés en rayons (f). Le pied (d) (1-6 cm long.) est de même couleur que le chapeau, égal ou aminci à sa base, excentrique et plein. Espèce à sporée brune.

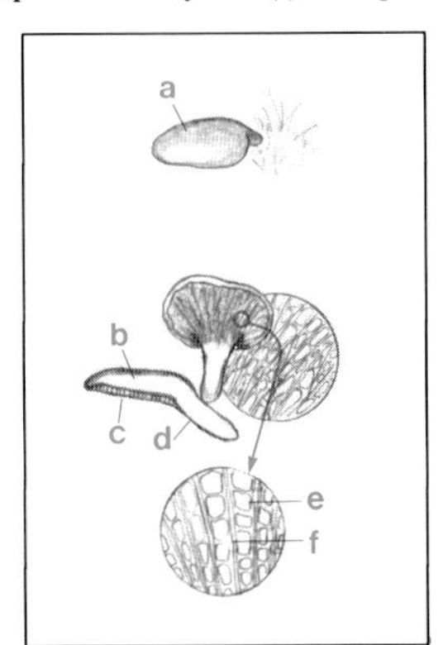

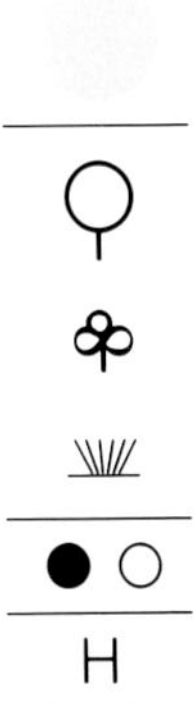

140 Gyroporus cyanescens (Fr.) Quél.

Bolet bleuissant

Espèce humicole croissant en été et à l'automne sous les feuillus, dans les forêts mélangées, en bordure des boisés et des sentiers forestiers. C'est un très bon comestible fort apprécié.

Le chapeau (a) (4-12 cm diam.) est jaunâtre à jaune grisâtre, parfois foncé, d'abord convexe, puis légèrement déprimé, le plus souvent ridé (g) ou lisse (h), fibrilleux, à marge enroulée. La chair (b) est d'abord blanche et se teinte rapidement de bleu foncé aussitôt qu'elle est exposée à l'air libre ; elle est épaisse, ferme, à saveur douce et agréable. Les tubes (c) sont blanchâtres à crème ou ivoire, déprimés, courts, à pores (e) petits et ronds. Le pied (d) (4-10 cm long.) est blanchâtre ou jaunâtre, gros, souvent ventru, moelleux et caverneux (f) au début, farci, puis creux avec l'âge, fragile et légèrement rugueux. Espèce à sporée jaune.

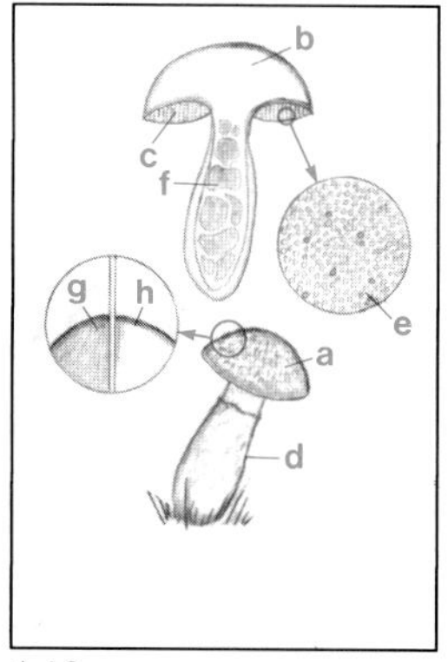

Boletinus cavipes (Opat.) Kalch.

141

Bolet à pied creux

Espèce humicole croissant en été et en automne sous les conifères, particulièrement sous les mélèzes et dans les forêts mélangées en terrain humide. Il est considéré comme étant un bon comestible.

Le chapeau (a) (3-12 cm diam.) est brun rougeâtre à brun rouille, convexe, étalé, quelquefois mamelonné, fibrilleux ou finement écailleux (f), à marge enroulée et bordée de débris blancs restant du voile. La chair (b) est blanche à jaunâtre, épaisse, molle, à saveur douce. Les tubes (c) sont jaunes ou ocrés en vieillissant, décurrents, à pores (g) gros, anguleux, irréguliers et rayonnants. Le pied (d) (3-10 cm long.) est jaune au sommet et rougeâtre vers la base, égal ou plus épais à la base, légèrement écailleux ou laineux, creux (e) et muni d'un anneau (h) vers le sommet. Espèce à sporée brune.

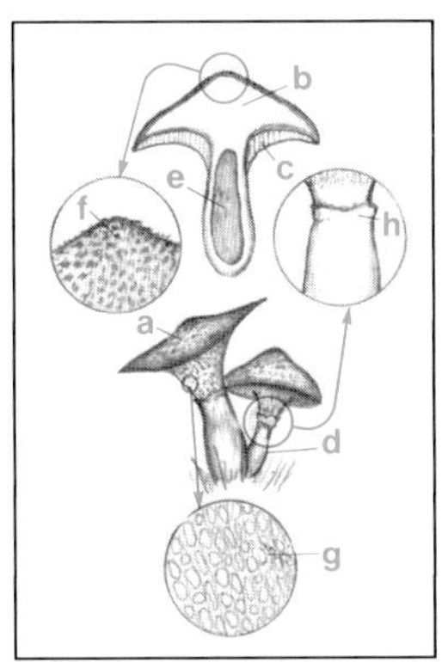

H

142 Boletinus pictus (Pk.) Pk.

Boletin peint

Espèce humicole croissant en été et à l'automne sous les conifères et dans les forêts mélangées, en général sous le pin blanc. Comestible, mais peu recherché.

Le chapeau (a) (2-10 cm diam.) est couvert d'écailles (h) roses ou rouge brique sur fond jaune ; d'abord conique, il s'étale, puis devient mamelonné et sec. La chair (b) est jaune, épaisse, fibreuse, se teintant de gris roussâtre à l'air libre ; elle est à odeur et à saveur nulles. Les tubes (c) sont jaunes, puis brunâtres avec l'âge ; adnés ou décurrents, courts, grands, anguleux (e), rayonnants (f), non séparables de la chair, ils brunissent à la moindre meurtrissure. Le pied (d) (3-10 cm long.) est rosâtre, jaune rosâtre à rougeâtre, égal ou aminci au sommet, plein, couvert de flocons ou laineux (g) jusqu'à la zone annulaire (i). Espèce à sporée brune.

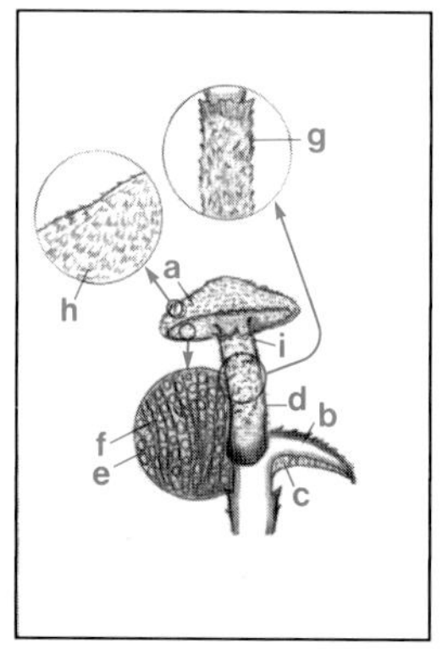

Boletinus grevillei (Klotz.) Sing.

Bolet élégant ou Cèpe des mélèzes

Espèce humicole croissant en été et à l'automne sur les parterres, les parcs, en forêt, là où il y a des mélèzes. C'est un bon comestible, mais il faut le consommer uniquement après avoir enlevé la cuticule du chapeau.

Le chapeau (a) (4-15 cm diam.) est jaune brunâtre à brun rouge, d'abord conique, convexe et enfin étalé, visqueux (g), à cuticule plus ou moins séparable (i) de la chair. La chair (b) est jaune se tachant de rose, de brun rosâtre ou rougeâtre à l'air libre, épaisse, assez ferme, molle, à odeur de géranium et à saveur douce. Les tubes (c) sont jaunâtres, puis jaune olivâtre et se tachent de brun vineux à la moindre meurtrissure ; ils sont courts, décurrents, à pores (h) très petits, arrondis ou anguleux. Le pied (d) (4-12 cm long.) est jaune, assez court, aminci au sommet, plein (e), légèrement ponctué de brun ou de roux, et muni d'un anneau (f) membraneux, fragile, qui disparaît souvent avec l'âge. Espèce à sporée brune ou jaune brun.

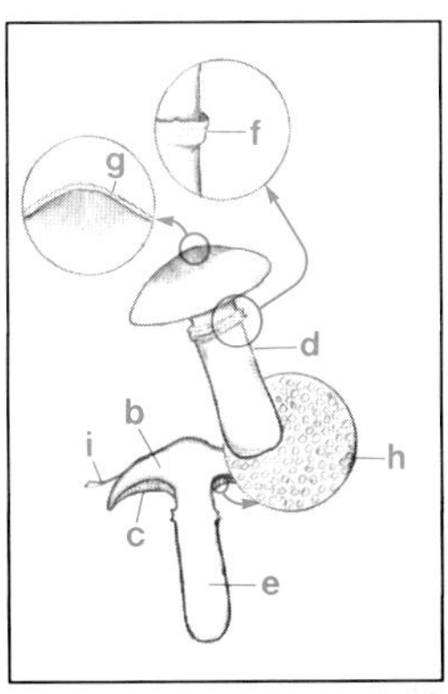

144 Fuscoboletinus paluster
(Pk.) Pomerleau.

Fuscoboletin des marais

Espèce humicole croissant à la fin de l'été et en automne sous les conifères, particulièrement les mélèzes, parmi les mousses ou dans les bois très humides. Comestible, mais sans intérêt pour le gastronome.

Le chapeau (a) (2-5 cm diam.) est rouge foncé ou rouge plus pâle, convexe, étalé, puis mamelonné, squamuleux et floconneux. La chair (b) est jaunâtre, mince, molle, à odeur de farine. Les tubes (c) sont d'abord jaune verdâtre, puis jaunes, jaune brunâtre ou jaune grisâtre, décurrents, à pores (e) gros et allongés, rayonnants et finement glanduleux. Le pied (d) (3-6 cm long.) est jaune ou teinté de verdâtre, surtout au sommet, et rougeâtre vers la base, assez égal, fibrilleux, réticulé, plein, et présentant une zone (f) annulaire délicate au sommet. Espèce à sporée brun pourpré.

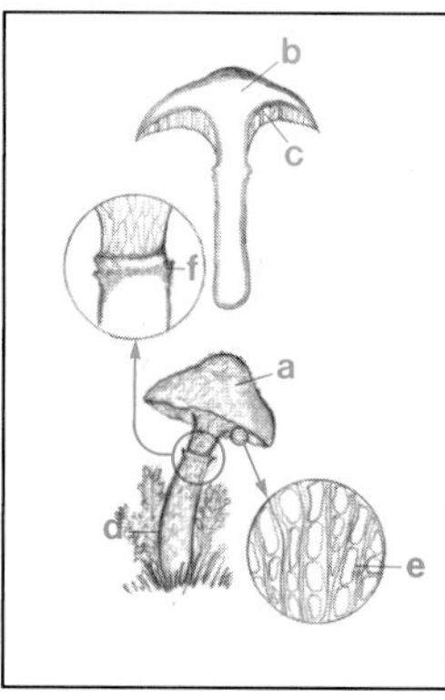

Fuscoboletinus aeruginascens
(Secr.) Pomerleau et Smith.

Boletin visqueux

Espèce humicole croissant en été et à l'automne sous les mélèzes. Comestible, mais sans grand intérêt pour le gastronome.

Le chapeau (a) (3-12 cm diam.) est grisâtre, gris verdâtre ou gris brunâtre, d'abord convexe, puis étalé en vieillissant, visqueux (e) et légèrement fibrilleux. La chair (b) est blanche, mais se colore de bleu verdâtre à l'air; plus ou moins ferme au début, elle devient molle avec l'âge; sa saveur et son odeur sont désagréables. Les tubes (c) sont blancs au début, puis grisâtres et teintés de brun avec l'âge, un peu décurrents, à pores (g) gros, rayonnants (f) et bleuissant à la moindre meurtrissure. Le pied (d) (4-6 cm long.) est grisâtre, gris brunâtre, assez égal, plein, visqueux (i) et muni d'un anneau (h) membraneux plus sombre. Espèce à sporée brune.

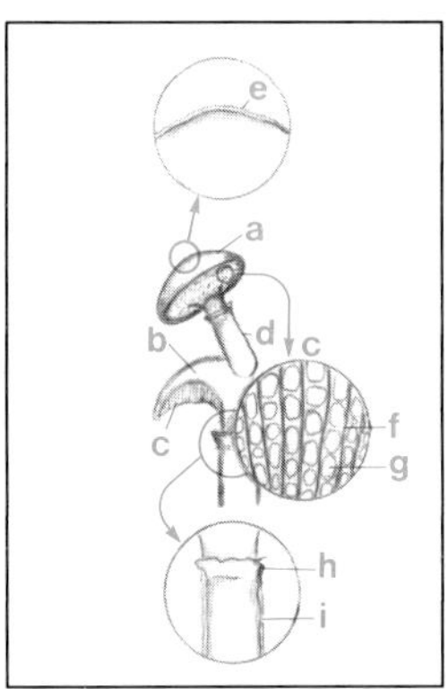

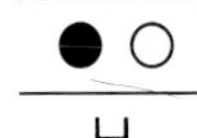

146 Suillus luteus (Fr.) S.F. Gray.

Bolet jaune ou Nonnette voilée

Espèce humicole croissant à l'automne sous les conifères, en particulier les pinèdes, et dans les jeunes plantations ou haies de pins. Il est considéré comme un bon comestible à saveur délicate.

Le chapeau (a) (4-10 cm diam.) est brun foncé, brun marron et parfois brun rouille très foncé, convexe, étalé, visqueux, fibrilleux, à marge enroulée au début et bordée des restes du voile blanchâtre. La chair (b) est de blanche à crème ou jaunâtre, épaisse, molle, à saveur douce et agréable. Les tubes (c) sont d'abord blanchâtres, puis jaunâtres avec l'âge, légèrement décurrents ou adnés, glanduleux, à pores (f) petits, ronds ou anguleux. Le pied (d) (4-10 cm long.) est blanc ou jaunâtre, assez égal, glanduleux (g), plein et pourvu d'un anneau (e) membraneux bien visible, blanc violacé et fragile. Espèce à sporée brun canelle.

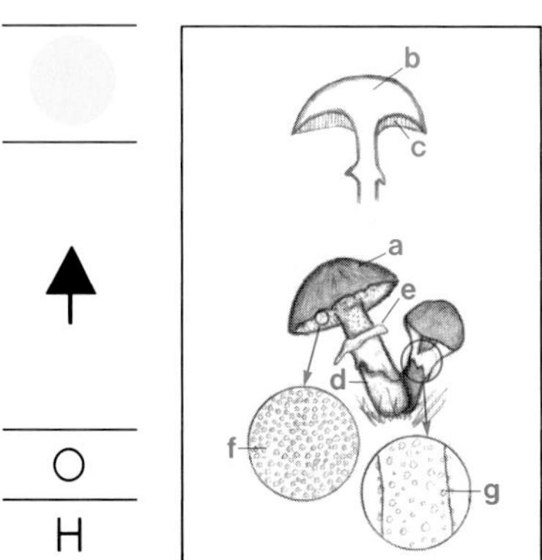

O

H

Suillus americanus (Pk.) Snell.

Bolet américain

Espèce humicole croissant en été et à l'automne sous les conifères, dans les forêts mélangées et en plantation de pins, en particulier de pins blancs. Comestible à saveur nulle.

Le chapeau (a) (3-10 cm diam.) est jaune à jaune rougeâtre, convexe, puis étalé en vieillissant, visqueux, un peu collant, parfois légèrement mamelonné, couvert de petites écailles (f) brun cannelle, surtout à la marge. La chair (b), jaune, rougit à l'air libre; mince, elle est sans odeur ni saveur particulières. Les tubes (c) sont jaunâtres à brun jaunâtre ou rougeâtre brun, plus ou moins décurrents, courts, à pores (g) assez gros et anguleux. Le pied (d) (3-9 cm long.) est jaune, parfois teinté de brunâtre ou de brun vineux, et devient brun vineux à la cassure, égal, creux (e) en vieillissant, et couvert de petites glandes brunâtres. Espèce à sporée brune.

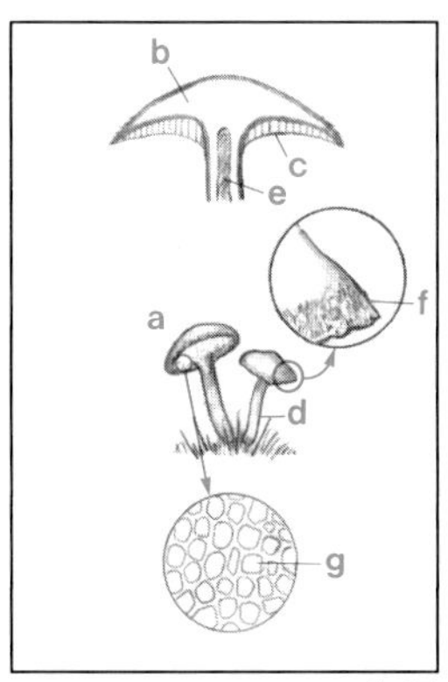

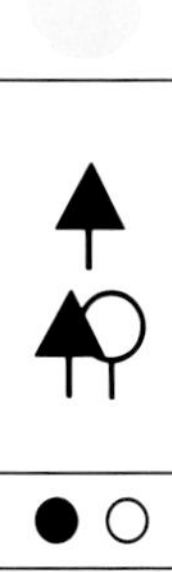

148 Suillus brevipes (Pk.) Kunt.

Bolet à pied court

Espèce humicole croissant en été et en automne sous les conifères, en particulier sous les pinèdes. Comestible apprécié par certains gastronomes.

Le chapeau (a) (4-10 cm diam.) est brun vineux à brun cannelle, d'abord convexe, puis étalé avec l'âge, visqueux ou glutineux. La chair (b) est blanche à jaunâtre avec l'âge, molle, un peu élastique, à saveur et à odeur presque nulles. Les tubes (c) sont jaunes, le plus souvent légèrement décurrents, à pores (e) petits, ronds et glanduleux. Le pied (d) (2-5 cm long.) est blanc ou jaune très pâle, le plus souvent égal, plein, lisse ou couvert de glandules (f) vers le sommet. Espèce à sporée cannelle.

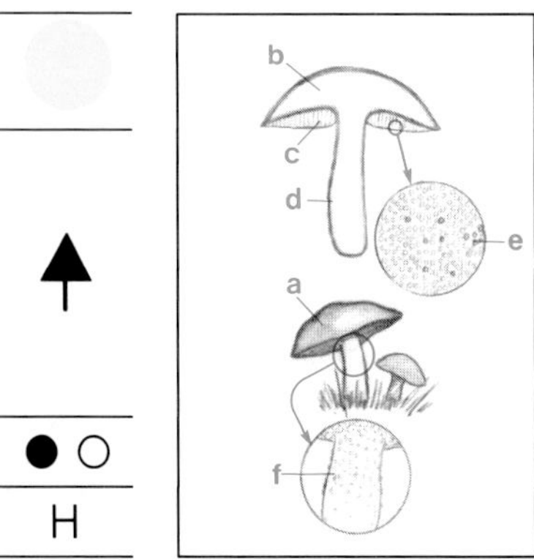

● ○

H

Suillus placidus (Bon.) Sing.

Bolet doux

Espèce humicole croissant en été sous les conifères, en particulier sous les pins blancs. Comestible, mais peu recherché des gastronomes.

Le chapeau (a) (3-10 cm diam.) est blanc, crème, jaunâtre ou olivâtre, convexe, puis étalé avec l'âge, visqueux et glabre. La chair (b) est blanche et se teinte en rouge vin ou vineux à l'air libre; elle est assez épaisse, molle en vieillissant, à odeur et à saveur nulles. Les tubes (c) sont jaunes, jaune ocracé ou ocracés, un peu adnés ou faiblement décurrents, à pores (e) petits, irréguliers et couverts de petites glandes rosâtres. Le pied (d) est de blanc à crème, et souvent taché d'ocracé ou de rouge vineux, glanduleux (f), égal et creux en vieillissant. Espèce à sporée brune.

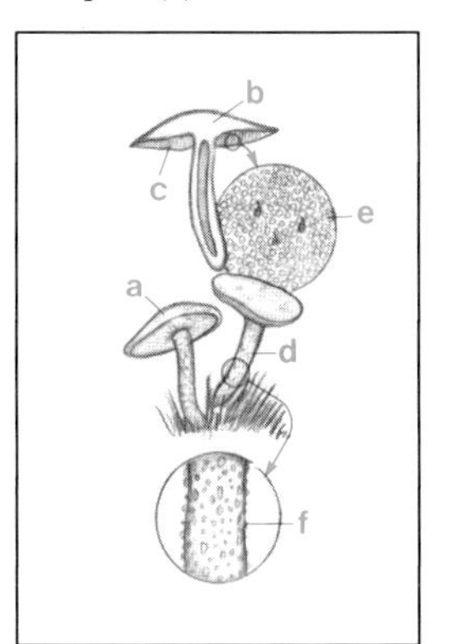

150 Leccinum subglabripes (Pk.) Sing.

Bolet à pied glabrescent

Espèce humicole croissant en été et à l'automne sous les feuillus ou dans les forêts mélangées. C'est un comestible acceptable et au goût agréable.

Le chapeau (a) (4-10 cm diam.) est jaune citron, jaune ocre, brun jaunâtre ou brun rougeâtre, convexe, puis étalé, lisse et sec. La chair (b) est jaunâtre, épaisse, tendre, à odeur et à saveur agréables. Les tubes (c) sont jaunâtres ou jaune citron, assez longs, à pores (e) arrondis et petits. Le pied (d) (5-10 cm long.) est jaunâtre et teinté de roux à la base, égal ou un peu renflé au centre, plein, sec et légèrement écailleux (f) ou rugueux sur toute sa longueur. Espèce à sporée brune.

H

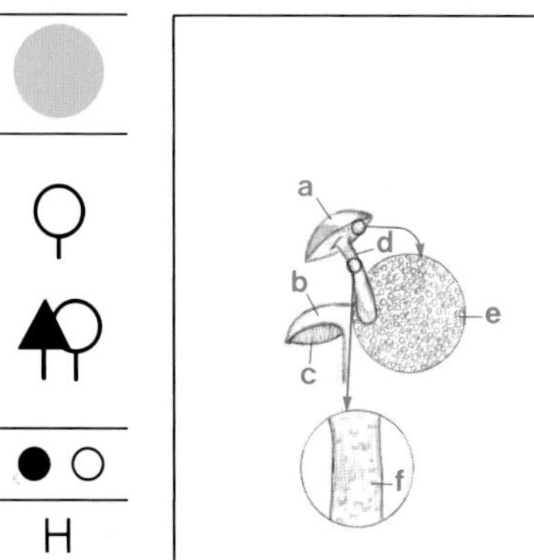

Leccinum aurantiacum
(St-Am.) S.F. Gray.

Bolet orangé

Espèce humicole croissant à l'été et à l'automne sous les feuillus, en particulier sous le tremble et le bouleau, et parfois sous les conifères. Très bon comestible à chair douce et agréable au goût.

Le chapeau (a) (5-20 cm diam.) est orangé roux, roux, brun roux ou brun rougeâtre, convexe et peu souvent étalé, sec, légèrement rugueux (g), la cuticule dépassant (e) souvent les tubes à la marge. La chair (b) est blanche, blanc rougeâtre ou rousse, épaisse, ferme, se teintant de bleuâtre ou noirâtre à l'air libre, à odeur nulle, mais à saveur très agréable. Les tubes (c) sont blancs ou grisâtres avec l'âge, libres, déprimés, longs et à pores petits et serrés (f). Le pied (d) est blanc ou grisâtre, couvert de flocons ou de rugosités (h) brunes en vieillissant, égal ou un peu plus épaissi au centre ou à la base, plein et taché de bleu au niveau du sol. Espèce à sporée brune.

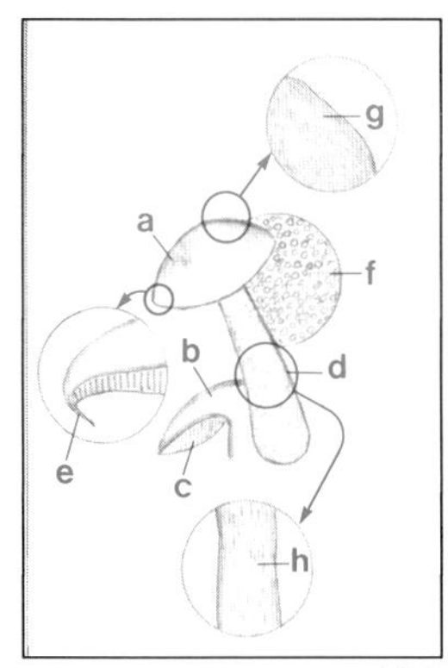

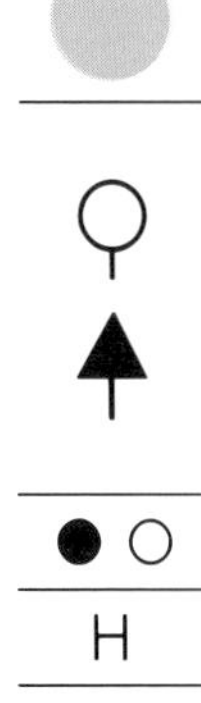

152 Leccinum insigne Smith.

Bolet insigne

Espèce humicole croissant en été et à l'automne sous les feuillus ou dans les forêts mélangées, particulièrement près des trembles, des bouleaux et quelques autres feuillus. Comestible très acceptable et agréable au goût.

Le chapeau (a) (3-15 cm diam.) est brun orangé ou brun rouille, convexe puis étalé, sec, légèrement fibrilleux à la marge. La chair (b) est blanche ou grisâtre et parfois teintée de roux, épaisse, ferme, parfumée et à saveur agréable. Les tubes (c) sont blanchâtres ou brunâtres, déprimés, assez longs et à pores (g) petits et arrondis. Le pied (d) est blanc, couvert de fibrilles (f) brunâtres ou noirâtres avec l'âge, massif ou trapu, plein (e) et réticulé. Espèce à sporée brune.

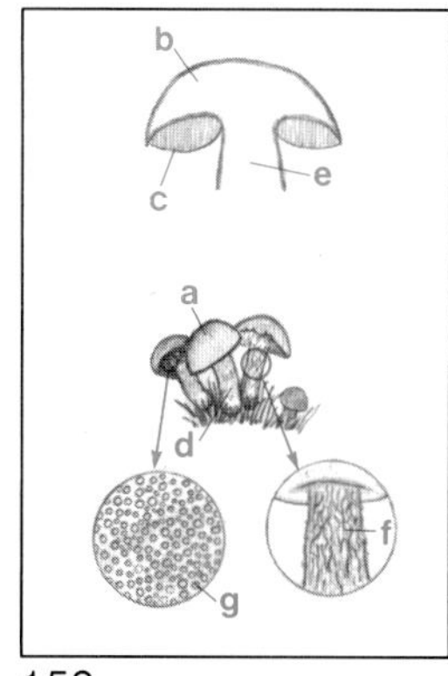

Boletus piperatus Fr.

Bolet poivré

Espèce humicole croissant à l'été et à l'automne sous les feuillus, sous les conifères ou dans les forêts mélangées. Comestible, il peut être utilisé comme succédané du poivre.

Le chapeau (a) (2-8 cm diam.) est jaune ocre, ocre rougeâtre ou brun cannelle, plus ou moins cuivré, d'abord convexe, puis étalé en vieillissant, légèrement feutré (h) ou visqueux par temps humide. La chair (b) est jaunâtre avec une zone rosâtre sous la cuticule, épaisse ou charnue, ferme, sans odeur particulière, mais à saveur piquante ou brûlante. Les tubes (c) sont brun orangé, brun rougeâtre, brun roux ou brun cannelle, adnés, décurrents ou déprimés, courts, à pores petits et anguleux (f). Le pied (d) (4-10 cm diam.) est jaune rougeâtre, rouge cannelle, rougeâtre ou rosâtre, égal, plein (e), souvent courbe, terminé à la base par un mycélium (g) jaune. Espèce à sporée brune.

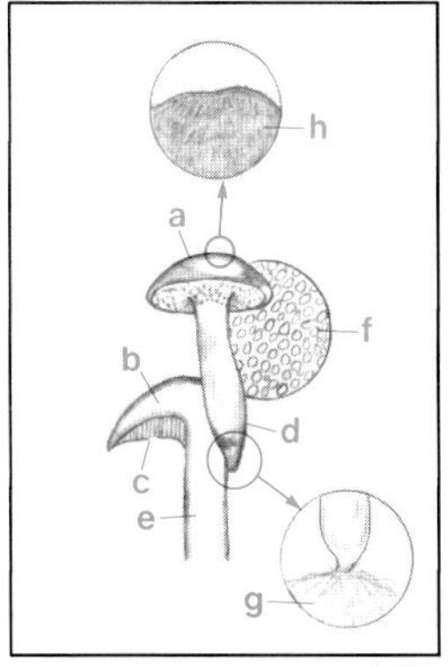

154 Boletus erythropus (Fr.) Krombh.

Bolet à pied rouge

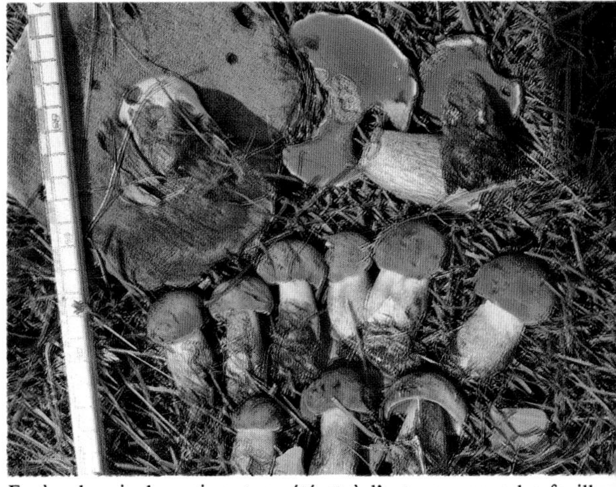

Espèce humicole croissant en été et à l'automne sous les feuillus C'est un comestible apprécié, mais il faut éviter de consommer l pied qui est souvent coriace et difficile à digérer.

Le chapeau (a) (5-15 cm diam.) est brun jaunâtre, brun cannelle brun rougeâtre ou brun noirâtre, convexe, étalé en vieillissant, se et parfois légèrement velouté (i). La chair (b) est jaune, mais s colore en bleu à la moindre meurtrissure; elle est épaisse, ferme, odeur et à saveur agréables. Les tubes (c) sont d'abord jaunes, pui rouge orangé et se colorent en bleu au toucher; ils sont libres o arrondis près du pied, à pores petits et arrondis (e), fins. Le pie (d) (3-15 cm long.) es jaune ou jaune orang ou taché de rouge, co riace, épaissi à la base plein, légèrement si lonné ou lisse, pelu cheux (f) au sommet avec pubescence roug (g) à la base; un zone rouge (h) est vi sible si on coupe l base. L'intérieur se co lore en bleu aussitô exposé à l'air. Espèc à sporée brune.

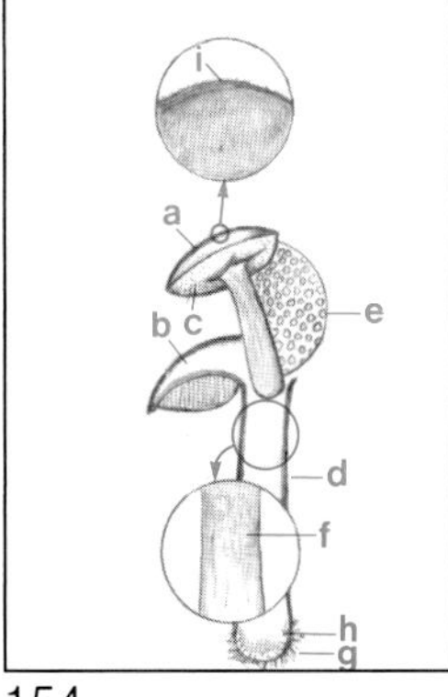

Boletus edulis Fr.

Bolet comestible ou Cèpe d'automne

Espèce humicole croissant à l'été et en automne sous les conifères, dans les forêts mélangées, en bordure des boisés ou dans les vieux pâturages en voie de reboisement. Il est comestible et excellent.

Le chapeau (a) (5-25 cm diam.) est brun ocré, brun roussâtre ou brun plus foncé, hémisphérique, convexe et plus ou moins étalé avec l'âge ; sa bordure est souvent plus pâle que l'ensemble du chapeau ; il est légèrement visqueux, luisant, lisse et inégal. La chair (b) est blanche, ferme, épaisse, et se ramollit avec l'âge, à odeur et saveur douces. Les tubes (c) sont jaunes, adnés ou libres, à pores (e) petits et ronds, et verdissant avec l'âge. Le pied (d) est blanchâtre à blanc roussâtre ou brunâtre, épais, massif, bulbeux ou cylindrique, plein, ferme et réticulé (f). Espèce à sporée brun olive.

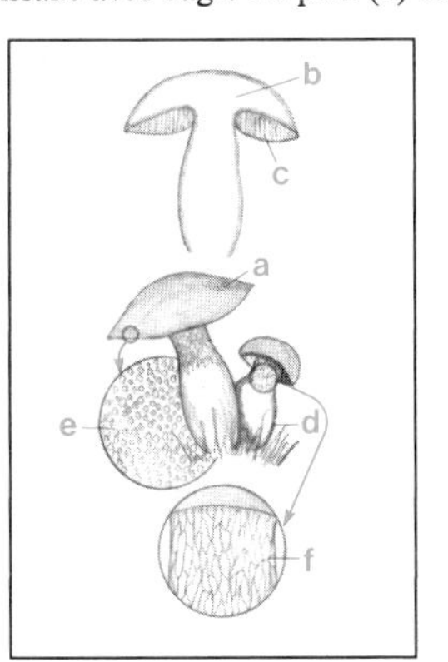

156 Boletus reticulatus Boud.

Bolet réticulé ou Cèpe d'été

Boletus edulis var. reticulatus (Schaeff. ex Boud.)

Espèce humicole croissant en été et au début de l'automne sous les feuillus, dans les plantations ou les haies d'arbres. C'est un très bon comestible, voire excellent.

Le chapeau (a) (5-20 cm diam.) est d'abord brun pâle, brun ocre, brun gris ou brun bistre, plus foncé avec l'âge, convexe, gros, à surface veloutée et sèche. La chair (b) est blanche et ne se tache pas à la cassure ; ferme, épaisse dans le jeune âge, s'amollissant en vieillissant, elle est à odeur agréable et à saveur sucrée. Les tubes (c) sont d'abord blancs, puis jaunes, à pores petits et ronds. Le pied (d) (5-15 cm long.) est brunâtre au début, puis blanchâtre, réticulé (e) ou orné d'un fin réseau foncé avec l'âge, massif, parfois bulbeux, ventru ou cylindrique, et ferme. Espèce à sporée brun olive.

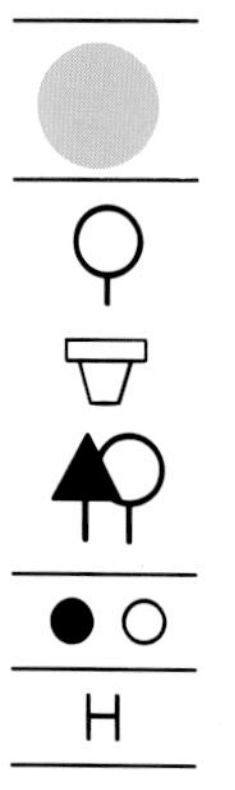

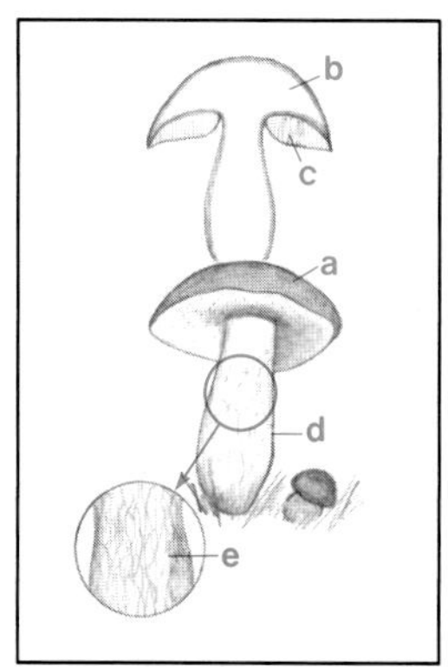

Melanopus squamosus (Fr.) Pat.

Polypore écailleux

Espèce lignicole croissant au printemps et au début de l'été, sur les arbres feuillus morts ou vivants, et sur les souches d'arbres feuillus, en particulier les ormes. Il cause une pourriture ou carie blanche madrée très active. Il est trop coriace pour être consommé.

Le chapeau (a) (4-35 cm diam.) est jaune brunâtre, brunâtre ou chamois, couvert de grosses écailles (f) brun foncé ; en forme d'éventail ou réniforme, convexe, puis déprimé, charnu et sec. La chair b) est blanche ou crème, parfois plus foncée, épaisse, charnue, coriace et fibreuse, à odeur de miel et à saveur assez douce. Les tubes c) sont blanchâtres, crème, jaunâtres ou jaune brunâtre, assez courts, décurrents, à pores anguleux (e), dentés (j) et assez gros. Le pied (d) est blanc à crème ou plus foncé, et brun noirâtre i) à la base, excentrique ou latéral (g) et souvent presque pas visible dans sa forme sessile, court, massif, réticulé (h) sous les tubes, lisse vers la base, plein. Espèce à sporée blanche.

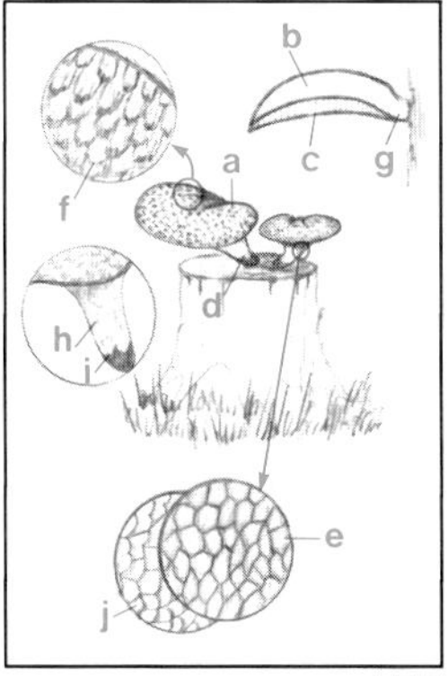

158 Melanopus picipes (Fr.) Pat.

Polypore à pied couleur de poix

Espèce lignicole croissant en été et à l'automne sur les débris ligneux, le bois mort, comme les souches, les troncs renversés et les vieilles racines des arbres feuillus. Trop coriace pour être consommé.

Le chapeau (a) (4-20 cm diam.) est brun jaunâtre, brun cannelle, brun rougeâtre ou brun noirâtre; convexe, puis déprimé, il prend une forme d'entonnoir en vieillissant; sa surface est satinée ou vergetée, coriace, glabre, à marge mince et incurvée. La chair (b) est blanche, mince, coriace et élastique. Les tubes (c) sont blancs, crème ou brunâtres, décurrents, courts, à pores (f) petits, arrondis ou anguleux. Le pied (d) est brun foncé ou brun noirâtre (e), central, excentrique ou latéral, légèrement velouté ou glabre. Espèce à sporée blanche.

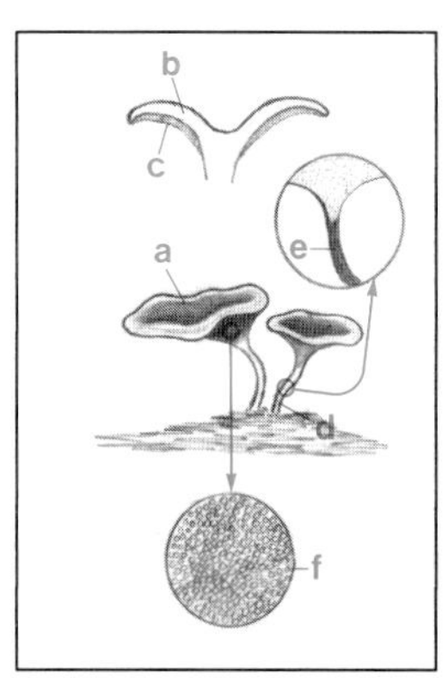

Leucoporus brumalis (Fr.) Quél.

Polypore d'hiver

Espèce lignicole croissant en été et à l'automne sur le bois mort des arbres feuillus. Trop coriace pour être consommé.

Le chapeau (a) (1-10 cm diam.) est jaunâtre, brun jaunâtre, brun ocre, brun grisâtre ou brun noirâtre et parfois gris noirâtre, généralement convexe, plus rarement déprimé, souvent pubescent, mince, à marge enroulée et ciliée (g). La chair (b) est blanche, mince, élastique, coriace et ligneuse. Les tubes (c) sont blancs, crème ou brunâtres, courts, à pores (e) petits et arrondis, et distants les uns des autres. Le pied (d) est grisâtre, gris brunâtre, brunâtre ou gris noirâtre, central ou un peu excentrique, finement pubescent (f) ou granuleux, glabre avec l'âge. Espèce à sporée blanche.

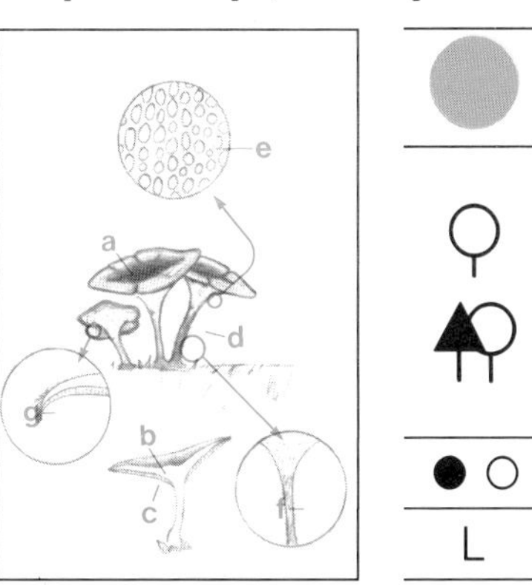

L

160 Piptoporus betulinus (Fr.) Karst.

Polypore du bouleau

Espèce lignicole croissant en été et à l'automne sous tous les types de couverts forestiers, car il parasite uniquement le bouleau, quelle qu'en soit l'espèce. Il cause une pourriture brune cubique très active. Peu comestible en raison de sa chair coriace et de son goût désagréable.

Le chapeau (a) (3-25 cm diam.) est blanc crème, blanc brunâtre parfois nuancé de gris, épais, souvent craquelé et à marge enroulée. La chair (b) est blanche à crème, épaisse, charnue, coriace, élastique, à odeur et à saveur fortes ou acidulées. Les tubes (c) sont blancs, puis jaune brunâtre ou brunâtres, à surface lisse ou hérissée (e), fins et arrondis. Le pied (d) est inexistant pour certaines formes, ou supère (f) au chapeau; dans ce cas, il est trapu et court. Espèce à sporée blanche.

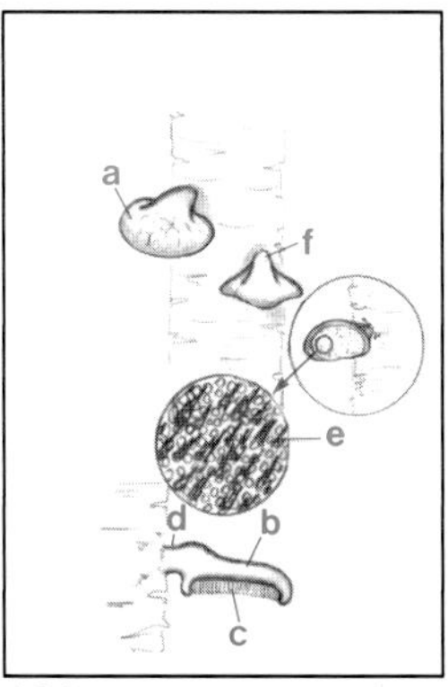

Phaeolus schweinitzii (Fr.) Pat.

Polypore de Schweinitz

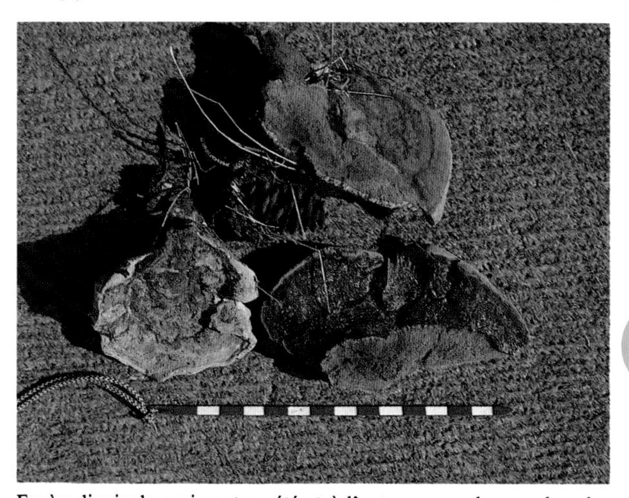

Espèce lignicole croissant en été et à l'automne sur les souches, les racines et les troncs des conifères morts ou vivants. Il cause une pourriture brune cubique très active. À rejeter en raison de sa chair spongieuse et fibreuse.

Le chapeau (a) (5-25 cm diam.) est jaune roux, orangé brunâtre ou brun rouille, aplani et creux au centre, en forme d'éventail, de rosette ou à demi-circulaire sur le support, à surface irrégulière ou bosselée, hérissé (g) de poils, sillonné et marqué de zones (h) concentriques, à marge souvent plus pâle. La chair (b) est verdâtre au début, puis brunâtre en vieillissant, molle, spongieuse, subéreuse surtout chez les sujets âgés, et épaisse. Les tubes (c) sont d'abord vert brunâtre, puis brunâtres en vieillissant, décurrents et recouvrant souvent le pied presque en entier, aux pores (e) anguleux et dentés. Le pied (d) est de même couleur que le chapeau ou inexistant dans la forme sessile (f). Espèce à sporée blanche.

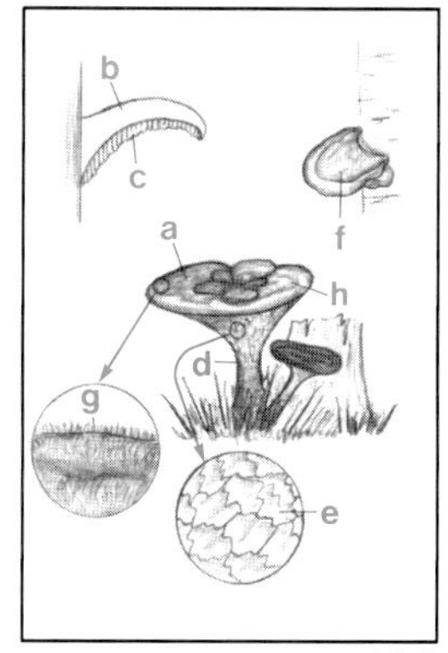

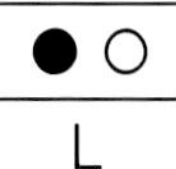

L

162 Coriolus versicolor (Fr.) Quél.

Polypore versicolore

Espèce lignicole croissant en été et à l'automne sur les arbres feuillus morts ou vivants, sur les troncs et les souches. Il cause une pourriture blanche spongieuse assez active. Il n'est pas comestible en raison de sa chair coriace, mais il peut servir pour l'ornementation.

Le chapeau (a) (3-8 cm diam.) est coloré par de multiples zones (g) concentriques allant du gris, bleu, jaune, jaune orangé au rouge brique, au brun, brun orangé, ou brun rouille, qui se superposent et lui donnent une teinte tout à fait particulière; il est mince, satiné ou légèrement velouté (f), s'imbriquant (i) parfois ou formant des rosettes (h) multicolores; il est à marge ondulée et souvent lobée. La chair (b) est blanche, mince, coriace, fibreuse et feutrée. Les tubes (c) sont blancs, parfois jaunâtres ou jaune brunâtre, courts, à pores petits et arrondis (e), ou déchirés et rapprochés. Sans pied (d), le chapeau est sessile. Espèce à sporée blanche.

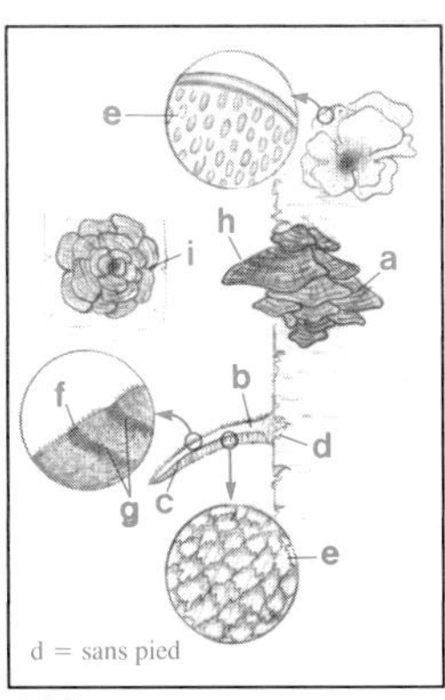

Pycnoporus cinnabarinus (Fr.) Karst.

Polypore rouge cinabre

Espèce lignicole croissant en été et en automne sur le bois mort et vivant des arbres feuillus. Sa chair étant coriace, il est sans intérêt.

Le chapeau (a) (3-10 cm diam.) est jaune orangé, rouge orangé, orangé ou rouge cinabre, convexe, aplani, d'abord velouté (f) puis lisse ou rugueux, parfois zoné (g) et très souvent lobé (h). La chair (b) est de couleur semblable au chapeau, spongieuse, molle et fibreuse. Les tubes (c) sont d'un beau rouge orangé tout comme le chapeau, courts, à pores arrondis ou anguleux (e) ou plus souvent irréguliers. Sans pied (d), sessile. Espèce à sporée blanche.

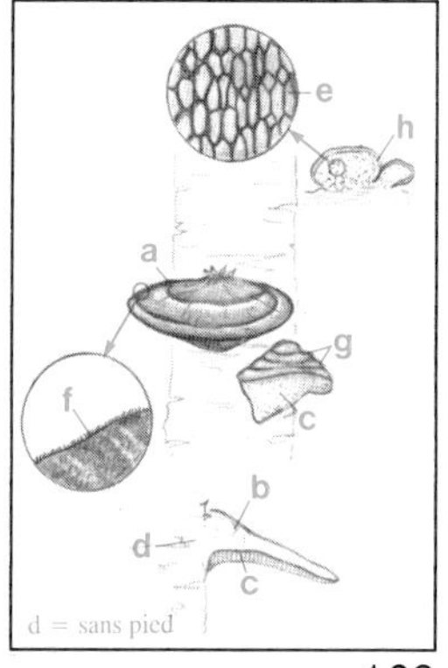

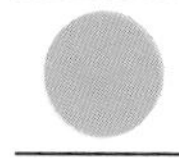

L

164 Fomes fomentarius (Fr.) Kickx.

Onguline, Amadouvier ou Fomes allume-feu

Espèce lignicole croissant en été et à l'automne sur le tronc des arbres feuillus vivants ou morts, en particulier sur le bouleau et parfois, sur le tremble, le cerisier et l'érable. Il cause une pourriture blanche madrée très active. Non comestible en raison de sa chair trop coriace et fibreuse.

Le chapeau (a) (5-30 cm diam., et parfois plus) est brun cannelle, brunâtre, gris brunâtre ou gris noirâtre, en forme de sabot (f), épais, à cuticule très dure et marqué de zones (g) de couleurs variables. La chair (b) est brune, dure et ligneuse, fibreuse et zonée (h). Les tubes (c) sont de brunâtres, brun cannelle à grisâtres ; ils sont très longs, à couches tubulaires stratifiées (i) par les années, à pores fins (e) et assez distants. Sans pied (d), le chapeau est sessile. Espèce à sporée blanche.

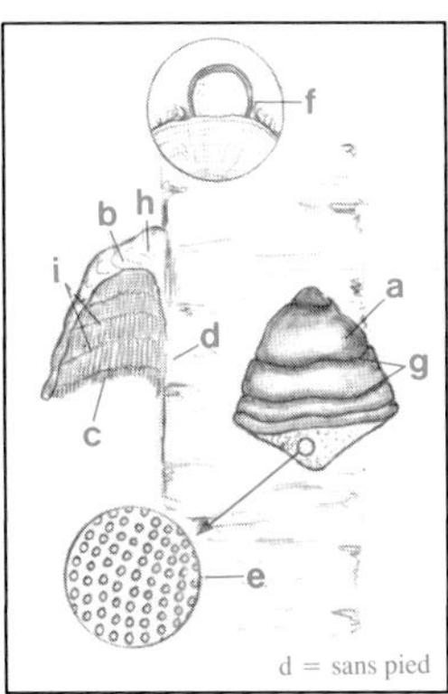

Fomes pinicola (Fr.) Cke.

Onguline marginée

Espèce lignicole croissant en été et à l'automne sur le tronc ou les souches des conifères et des feuillus. Il cause une pourriture brune cubique très active. Non comestible en raison de sa chair trop dure et fibreuse.

Le chapeau (a) (5-25 cm diam., et parfois plus) est d'abord blanc jaunâtre ou jaune orangé, puis devient rouge brunâtre, gris brunâtre ou gris noirâtre et marginé d'une zone (h) brunâtre ou rouge en bordure; il est couvert de bourrelets (f) concentriques, en forme de fer à cheval (i); sa cuticule est dure et ridée. La chair (b) est blanc jaunâtre, crème ou fauvâtre, dure, résineuse, fibreuse ou ligneuse, à odeur acide et désagréable. Les tubes (c) sont d'abord blanc jaunâtre ou jaunes, disposés en couches (j) annuelles, à pores petits (e), ronds et espacés, rougissant au toucher, exsudant des gouttelettes (g) incolores et gluantes, surtout chez les jeunes sujets. Sans pied (d), le chapeau est sessile. Espèce à sporée blanche.

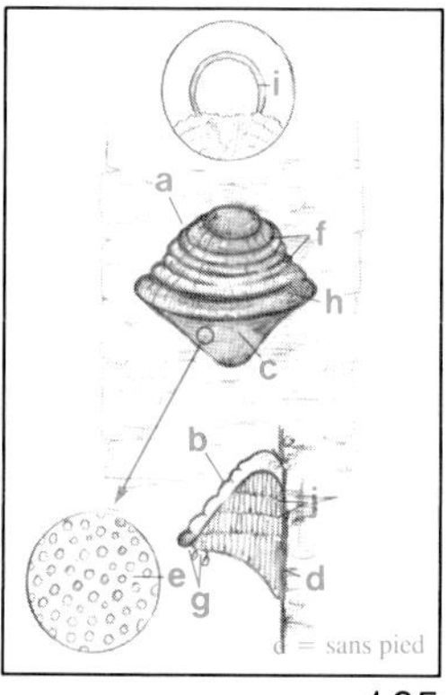

166 Fomes igniarius (Fr.) Kickx.

Faux amadouvier

Espèce lignicole croissant en été et à l'automne sur les arbres feuillus. Il cause une pourriture blanche du tronc très active. Non comestible en raison de sa chair dure et fibreuse.

Le chapeau (a) (7-25 cm diam.) est brun grisâtre, brun noirâtre ou gris brunâtre, en forme de sabot (i), sillonné de zones (f) concentriques plus ou moins larges, crevassé, à cuticule dure, ligneuse et d'apparence carbonisée. La chair (b) est brune ou brun fauve, zonée, dure, ligneuse et fibreuse. Les tubes (c) sont d'abord blanc brunâtre ou jaunâtres, puis bruns, cannelle ou gris, assez longs, disposés en couches (g) annuelles, à pores petits (e), espacés et souvent operculés. Sans pied (d), le chapeau est sessile. Espèce à sporée blanche.

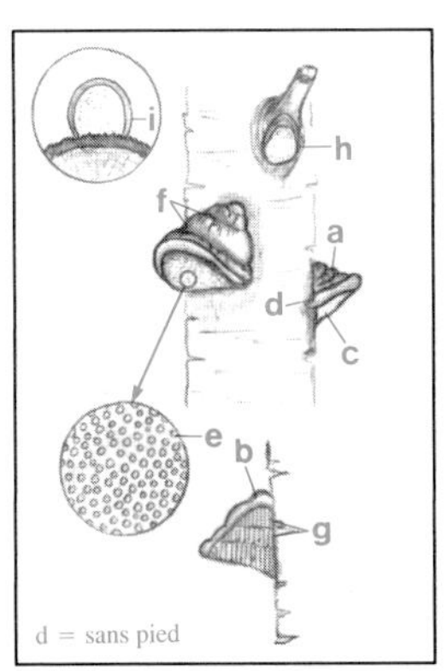

Ganoderma applanatum
(Fr. ex Pers.) Pat.

Ganoderme aplani

Espèce lignicole croissant de l'été à l'automne sur les arbres feuillus. Il cause une pourriture blanche madrée très active. Non comestible en raison de sa chair dure et ligneuse.

Le chapeau (a) (10-50 cm diam.) est blanc grisâtre, brunâtre, brun fauve ou gris brun, en demi-cercle, aplani, à surface bosselée, zonée (f) ou sillonnée, à cuticule dure et craquelée. La chair (b) est brun cannelle, brun ocré à brune, ligneuse, dure, lourde, zonée et parfois tachée de points blancs en vieillissant. Les tubes (c) sont bruns, stratifiés (g), à pores (e) petits, blancs ou brunissant avec l'âge ou au toucher. Sans pied (d), le chapeau est sessile. Espèce à sporée brune.

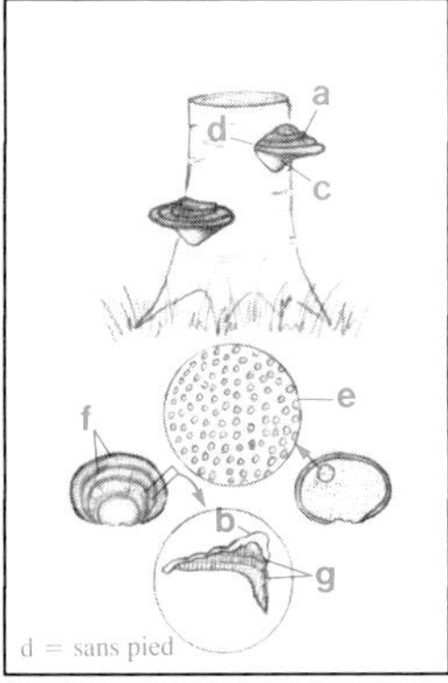

168 Ganoderma lucidum (Fr.) Karst.
Ganoderme luisant

Espèce lignicole croissant de l'été à l'automne sur les souches ou les troncs morts des arbres feuillus. Non comestible, sa chair étant trop dure à consommer.

Le chapeau (a) (6-20 cm diam.) est brun acajou, brun rougeâtre, brun rouge sombre ou rouge pourpré, à bordure (g) jaunâtre, couvert d'une cuticule brillante ou luisante et dure ; sa surface bosselée est marquée de sillons (f) concentriques ; il est réniforme ou arrondi. La chair (b) est crème, brun cannelle ou brunâtre, spongieuse et zonée. Les tubes (c) sont d'abord blanchâtres à jaunâtres, puis gris brunâtre ou bruns, plus ou moins longs, à pores (e) petits et arrondis, brunissant au toucher. Le pied (d) (5-15 cm long.) est de couleur semblable au chapeau, luisant, latéral, tortueux, bosselé et assez long. Espèce à sporée brune.

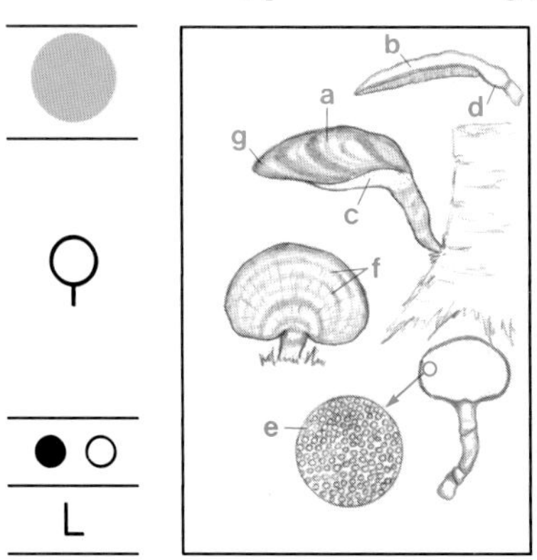

L

Trametes suaveolens (L. ex Fr.) Fr.

Tramète à odeur agréable

Espèce lignicole croissant de l'été à l'automne sur les arbres feuillus, en particulier sur le saule et le peuplier. Non comestible en raison de sa chair liégeuse et fibreuse.

Le chapeau (a) (5-25 cm diam.) est blanc, crème jaunâtre ou jaune brunâtre, à demi-circulaire, parfois aplati, pubescent ou velouté (f), à surface irrégulière, parfois bosselée ou uniforme, à marge cernée. La chair (b) est blanche, crème ou jaunâtre, spongieuse ou liégeuse, zonée et à forte odeur de coumarine. Les tubes (c) sont blancs, jaunâtres ou brun jaunâtre, plus ou moins longs, à pores (e) de différentes grosseurs, arrondis ou anguleux et parfois lamelloïdes. Sans pied (d), le chapeau est sessile. Espèce à sporée blanche.

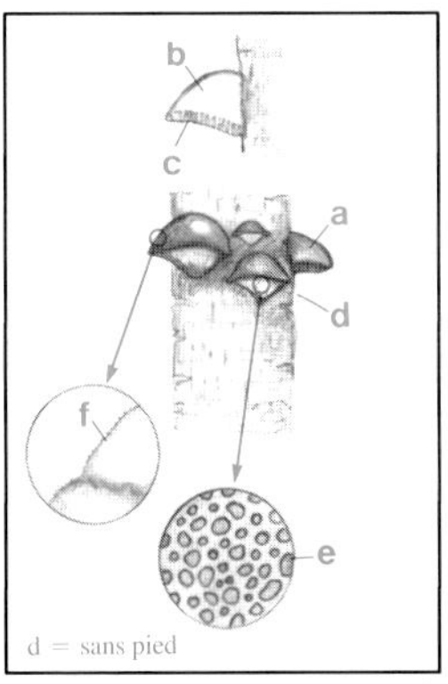

170 Trametes quercina (L. ex Fr.) Pilat.

Tramète du chêne

Espèce lignicole croissant en fin d'été et à l'automne sur les feuillus, particulièrement le chêne, le châtaignier et quelques autres essences. Non comestible en raison de sa chair trop dure et ligneuse.

Le chapeau (a) (4-20 cm diam.) est brun ocre ou ocre bistre, à demi-circulaire, le plus souvent aplati, glabre ou finement velouté, rugueux, parfois zoné et à marge épaisse. La chair (b) est brunâtre à ocre pâle, liégeuse, coriace et zonée. Les tubes (c) sont de couleur semblable à la chair, labyrinthoïdes (e) ou lamelloïdes, espacés, larges, allongés et épais. Sans pied (d), le chapeau est sessile. Espèce à sporée blanche.

L

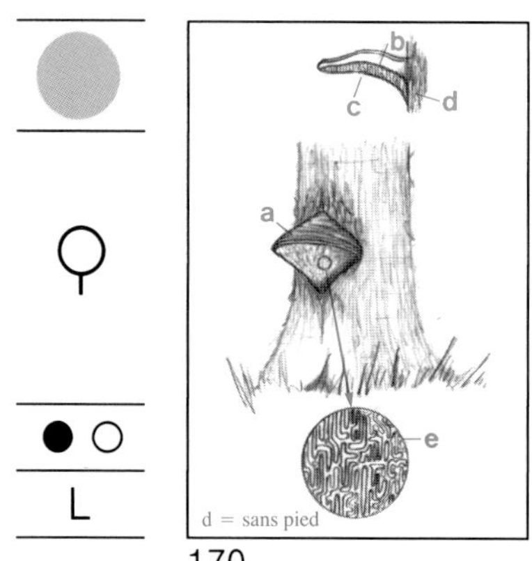

Lenzites saepiaria (Wulf. ex Fr.) Fr.

Lenzite des haies

171

Espèce lignicole croissant en été et à l'automne sur les arbres vivants ou morts, conifères ou feuillus. On le retrouve encore plus souvent sur le bois ouvré, les escaliers, les terrassements, etc. Il cause une pourriture rouge. Non comestible.

Le chapeau (a) (1-9 cm diam.) est jaune orangé, brun orangé, et marqué de zones concentriques brunes ou noirâtres; dessiné en demi-cercle, convexe ou aplati, pubescent (f) ou hérissé, il forme des groupes imbriqués (h) ou en rosettes (g) sur le support. La chair (b) est brun rouille ou jaune brunâtre, mince, coriace, liégeuse et fibreuse. Les tubes (c) sont ocre fauvâtre, jaune brunâtre ou brun rouille, à pores (e) lamelloïdes, allongés, minces et parfois dentés ou rameux. Sans pied (d), le chapeau est sessile. Espèce à sporée blanche.

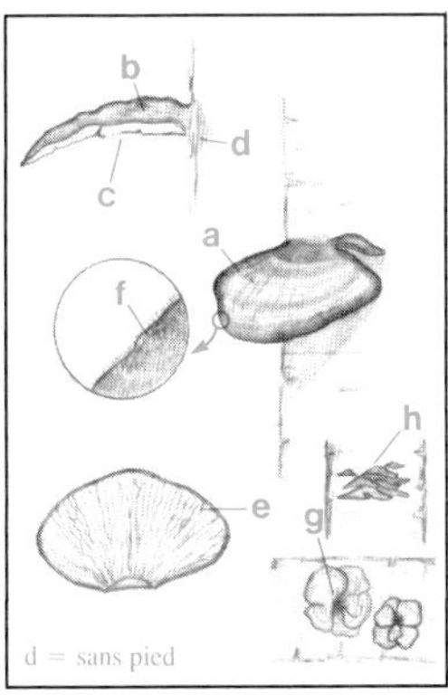

L

172 Daedalea confragosa Bolt. ex Fr.

Dédale rugueux

Espèce lignicole croissant de l'été à l'automne sur les souches et les troncs d'arbres feuillus morts. Non comestible, sa chair étant trop coriace.

Le chapeau (a) (2-15 cm diam.) est gris brun, brun chamois, brun sable, brun crème ou beige, et parfois teinté de violet; il est convexe, aplani, rugueux ou parsemé de gros granules (f) abondants au point d'attache sur le support, marqué de zones concentriques plus foncées, sec; sa cuticule est dure et épaisse; il est solitaire (g), imbriqué (h) ou en rosette (i). La chair (b) est crème à brunâtre, zonée, spongieuse, fibreuse et assez épaisse. Les tubes (c) sont crème à brunâtres, de grosseurs variables, labyrinthoïdes (e) ou parfois lamelliformes, anguleux ou arrondis. Sans pied (d), le chapeau est sessile. Espèce à sporée blanche.

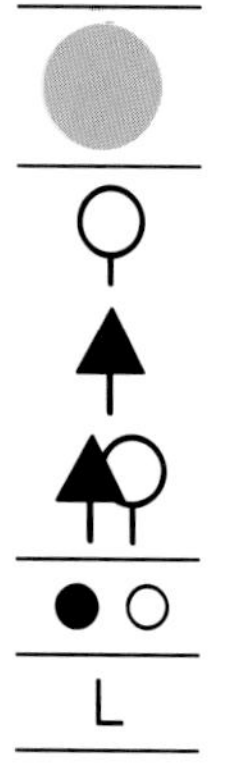

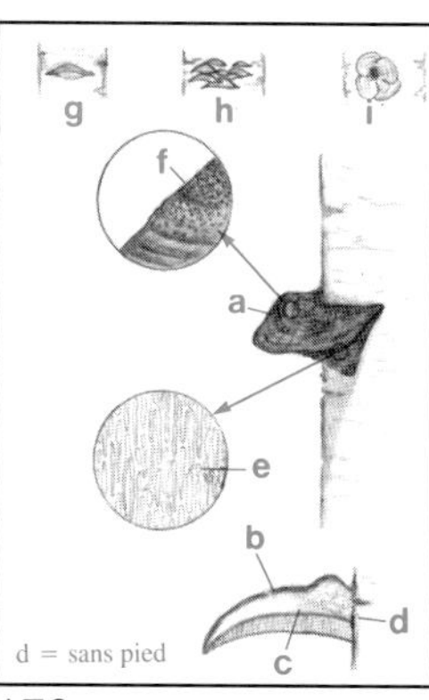

Pseudohydnum gelatinosum
(Fr.) Karst.

173

Pseudohydne gélatineux

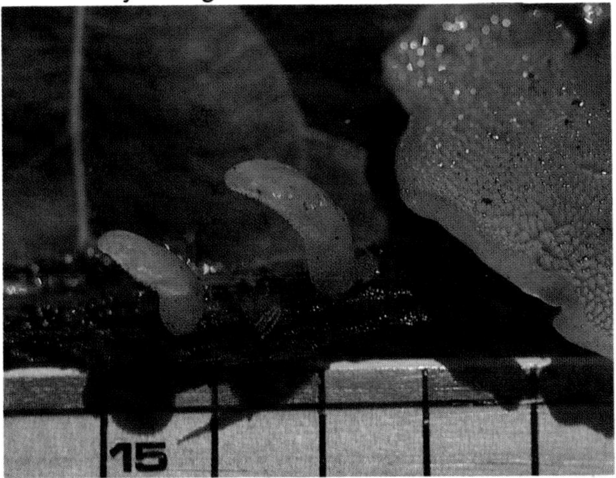

Espèce lignicole croissant à l'automne sur les souches ou les troncs pourris des conifères. Comestible, sa saveur est acceptable et il peut être consommé cru.

Le chapeau (a) (3-6 cm diam.) est blanchâtre, teinté de gris, de bleuâtre ou de brunâtre, en forme de langue, gélatineux, presque translucide, assez épais, souvent couvert de fins poils ou de petites papilles. La chair (b) est de même couleur que le chapeau, gélatineuse, translucide, épaisse et tenace. Les aiguillons (c) sont de couleur semblable au chapeau, translucides (e), en forme de petits cônes mous. Le pied (d) (1-2 cm long.) est de couleur semblable à l'ensemble, latéral, très court, gélatineux et tenace. Espèce à sporée blanche.

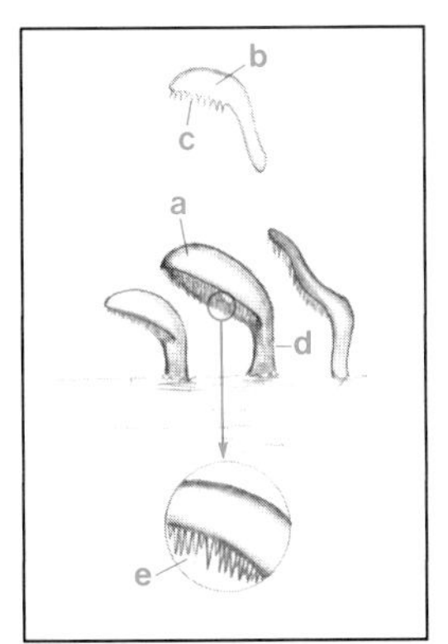

174 Dentinum repandum (Fr.) S.F. Gray.

Hydne sinué

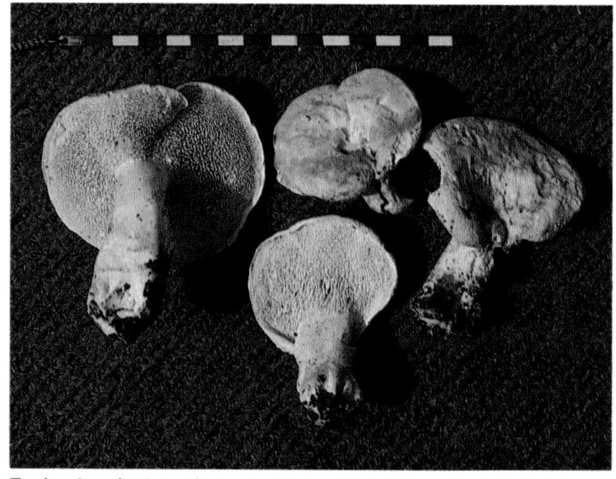

Espèce humicole croissant en été et à l'automne sous les feuillus et dans les forêts mélangées, plus rarement sous les conifères. Très bon comestible qu'il faut consommer jeune.

Le chapeau (a) (2-15 cm diam.) est d'abord crème ou blanc brunâtre, puis orangé, convexe au début, déprimé en vieillissant, sec, lisse ou velouté, bosselé et le plus souvent craquelé (e). La chair (b) est blanche à crème, épaisse, friable, légèrement fibreuse, à saveur un peu amère en vieillissant. Les aiguillons, (c) sont de même couleur que le chapeau ou plus pâles, très fins, serrés, en forme de cône (f), légèrement décurrents sur le pied et très fragiles. Le pied (d) (2-8 cm long.) est crème ou légèrement crème brunâtre, ferme, plein, assez court, central ou un peu excentrique, plus ou moins égal et lisse. Espèce à sporée allant du blanc au crème.

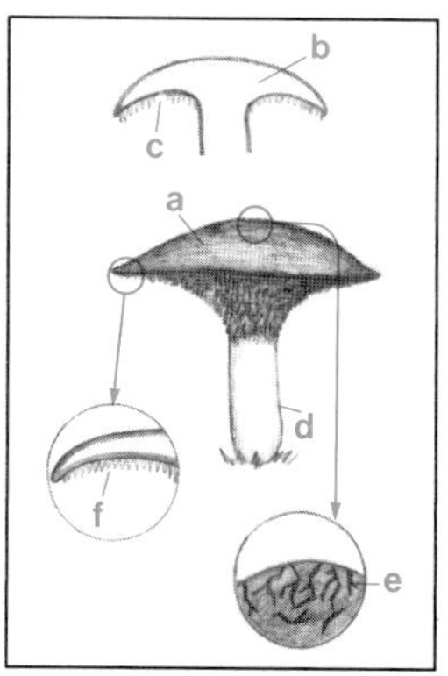

Dentinum umbilicatum (Pk.) Pouzar.

Hydne ombiliqué

Espèce humicole croissant en fin d'été et à l'automne sous les conifères, le sapin par exemple, parmi les mousses et possiblement sous d'autres conifères. Tout comme l'Hydne sinué, il est considéré comme un très bon comestible quoiqu'un peu moins savoureux que le précédent.

Le chapeau (a) (3-8 cm diam.) est de rosâtre à orangé, rose orangé ou brun orangé, avec une légère dépression (e) en son centre, un peu visqueux par temps humide. La chair (b) est blanche à crème pâle, assez épaisse, tendre, cassante, à odeur et à saveur douces. Les aiguillons (c) sont blancs, crème, blanc jaunâtre ou blanc grisâtre, adnés, courts et fragiles. Le pied (d) (3-7 cm long.) est blanc à crème ou chamois, creux, égal ou légèrement élargi à sa base. Il a souvent été confondu avec l'Hydne sinué, cependant sa taille plus petite, ses spores plus grosses et son pied creux en font une espèce bien différente. Espèce à sporée blanche ou crème pâle.

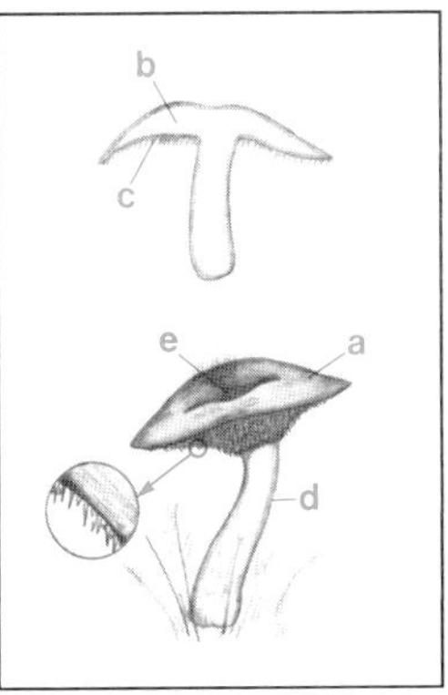

H

176 Hydnum imbricatum Fr.
Hydne imbriqué

Espèce humicole croissant en fin d'été et à l'automne sous les conifères et dans les forêts mélangées. Comestible lorsqu'il est jeune, en vieillissant il devient coriace.

Le chapeau (a) (6-30 cm diam.) est de gris brun à brun, couvert de grosses écailles (f) brunes disposées en cercle sur fond plus pâle, aplani, déprimé ou creusé au centre. La chair (b) est blanchâtre, mais brunit avec l'âge, parfois bien zonée, ferme, tenace, à odeur nulle et à saveur légèrement amère. Les aiguillons (c) sont de gris brun à bruns, décurrents (e) sur le pied, serrés et résistants. Le pied (d) (3-9 cm long.) est de gris brunâtre à brun, central ou quelquefois excentrique, assez égal ou un peu dilaté à la base, plein, lisse et glabre. Espèce à sporée brune.

H

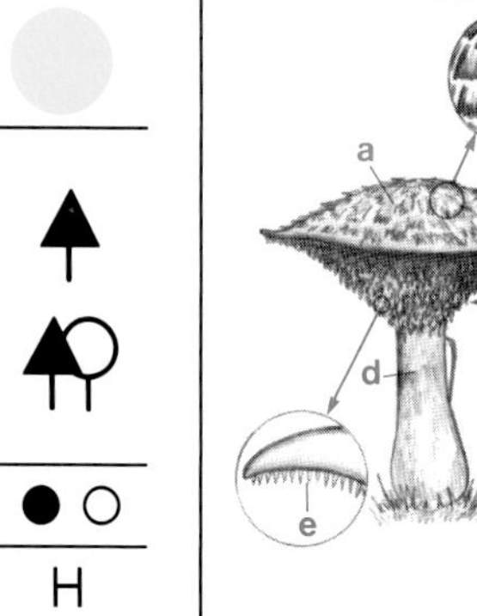

176

Phellodon niger (Fr.) Karst.

Hydne noir

Espèce humicole croissant à la fin de l'été et à l'automne sous les conifères et dans les forêts mélangées. À rejeter en raison de sa chair coriace.

Le chapeau (a) (3-10 cm diam.) est de bleu noirâtre, violacé noirâtre ou brun violacé à brun grisâtre avec l'âge, d'abord convexe, puis étalé ou déprimé en vieillissant, tomenteux ou velouté, à marge plus pâle et épaisse. La chair (b) est double, brune sous la cuticule et brun noirâtre plus bas, coriace, ferme et liégeuse. Les aiguillons (c) sont d'abord blancs puis grisâtres avec l'âge et courts. Le pied (d) (2-6 cm long.) est gris ou gris noirâtre, robuste, irrégulier et entouré d'une gaine, ou manchon, (e) très épaisse. Espèce à sporée blanche.

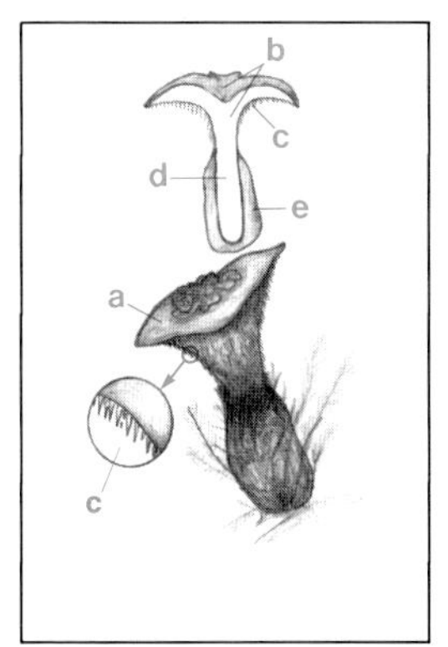

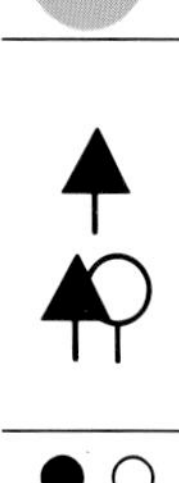

H

178 Hydnellum aurantiacum (Fr.) Karst.

Hydne orangé

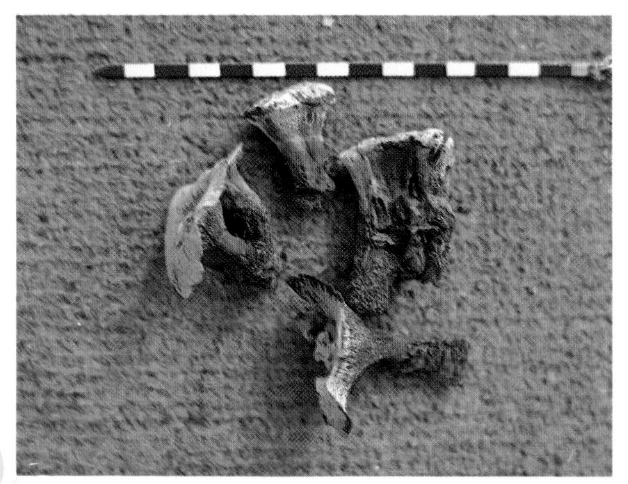

Espèce humicole croissant à la fin de l'été et à l'automne sous les conifères. Il est trop coriace pour être consommé.

Le chapeau (a) (4-12 cm diam.) est rouille à orangé rouille, à marge blanchâtre ou crème, étalé ou déprimé, onduleux et tomenteux. La chair (b) est rouille, jaune rouille ou jaune orangé, zonée, fibreuse et coriace. Les aiguillons (c) sont d'abord blanchâtres, puis orangé brunâtre, décurrents (e), assez longs et fragiles, à pointes souvent blanches. Le pied (d) (2-7 cm long.) est orangé ou orangé brun, court, bulbeux et velouté. Espèce à sporée jaune.

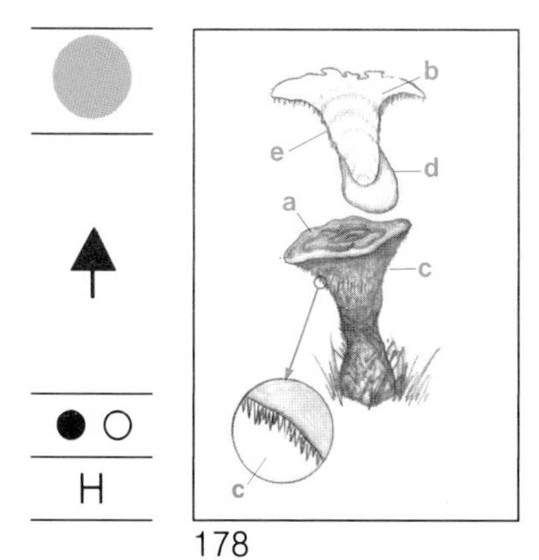

Hydnellum caeruleum
(Hornem. ex Pers.) Karst.

Hydne bleu

Espèce humicole croissant à la fin de l'été et à l'automne sous les conifères. Il est trop coriace pour être consommé.

Le chapeau (a) (4-12 cm diam.) est brun lilas, lilas, brun roussâtre ou gris brunâtre, coriace, onduleux et tomenteux. La chair (b) est bleuâtre, coriace, zonée et à odeur nulle. Les aiguillons (c) sont brunâtres et bleutés vers la pointe, décurrents (e) sur le pied et assez résistants. Le pied (d) est jaune orangé, orangé roux, court ou trapu, épais et bulbeux. Espèce à sporée jaune.

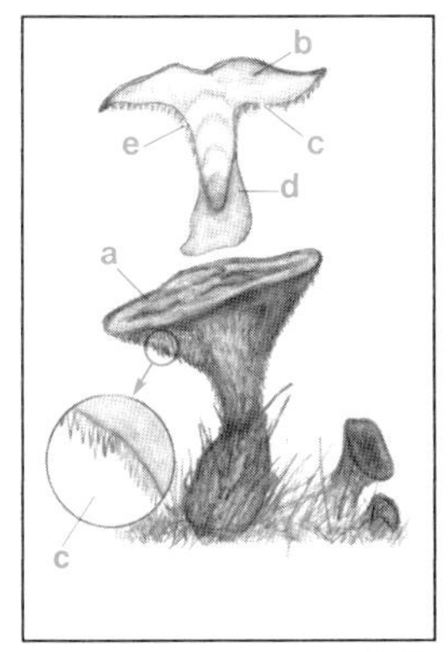

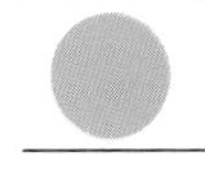

H

180 Hericium americanum Ginns.

Hydne américain ou Hydne corail

Espèce lignicole croissant en été et en automne sur les arbres feuillus, morts et quelquefois vivants, en particulier le hêtre, l'érable, le chêne et le bouleau. C'est un comestible intéressant s'il est consommé jeune.

Le carpophore (a) (8-25 cm diam.) est blanc, crème ou jaunâtre, très ramifié et branchu. La chair (b) est blanche à crème, tendre ou plus dure avec l'âge, cassante, à odeur et à saveur un peu acide. Les aiguillons (c) sont blancs, crème ou jaunâtres, plus ou moins longs, serrés et souvent entremêlés (e). Sans pied (d) véritable, sessile, les ramifications se réunissent aussi parfois pour former un gros bulbe (f) qui s'insère dans le support. Espèce à sporée blanche.

L

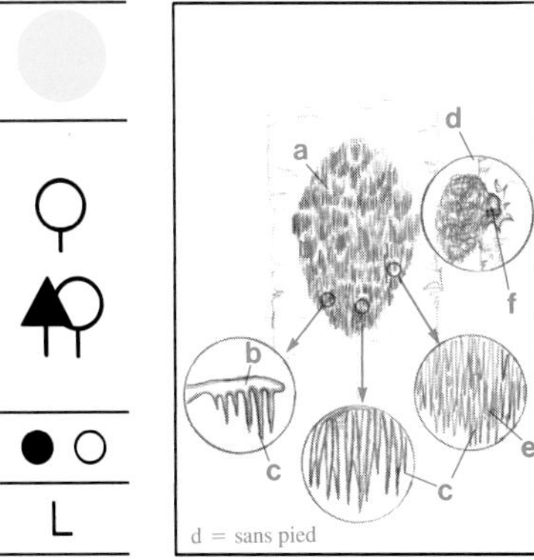

Hericium ramosum (Mérat.) Letellier.

Hydne rameux ou Hydne tête d'ours

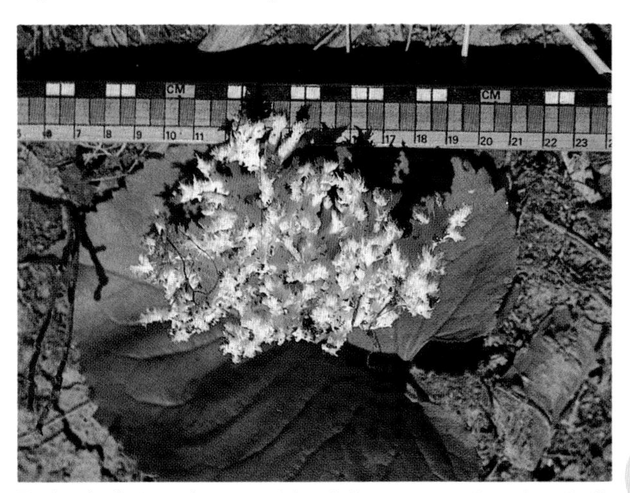

Espèce lignicole croissant en été et à l'automne sur les arbres feuillus, morts ou vivants, comme le hêtre, l'érable, l'orme et plusieurs autres. Il est peu intéressant à consommer en raison de sa saveur et de sa consistance.

Le carpophore (a) (8-25 cm diam.) est de blanc à crème, ramifié (e) ou branchu. La chair (b) est blanche à crème, tendre, cassante, à odeur nulle et à saveur amère. Les aiguillons (c) sont de blancs à crème, fins, assez courts, serrés et peu entremêlés. Sans pied (d) véritable, sessile, les ramifications se réunissent aussi parfois pour former un gros bulbe (f) qui s'insère dans le support. Espèce à sporée blanche.

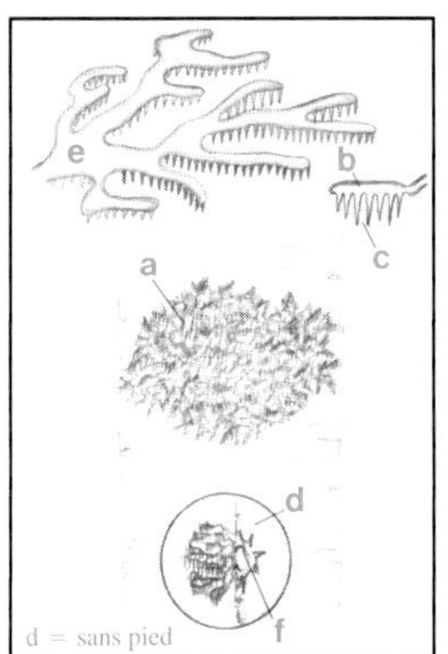

L

182 Steccherinum septentrionale (Fr.) Bank.

Hydne septentrional

Espèce lignicole croissant en été et à l'automne sur les arbres feuillus comme l'orme et l'érable. Comestible, mais sans grand intérêt, son odeur étant désagréable et sa chair parfois trop coriace.

Émergeant d'une masse volumineuse (10-35 cm diam.), les carpophores (a) parfois nombreux s'imbriquent les uns sur les autres pour former des consoles (e) blanches, crème ou jaunâtres, légèrement pubescentes (f) ou tomenteuses et visqueuses. La chair (b) est blanche à crème, épaisse, fibreuse, élastique, zonée (g), à odeur et à saveur désagréables. Les aiguillons (c) sont de blancs à crème, longs, serrés, coniques ou anguleux. Sans pied (d), sessile sur le support. Espèce à sporée blanche.

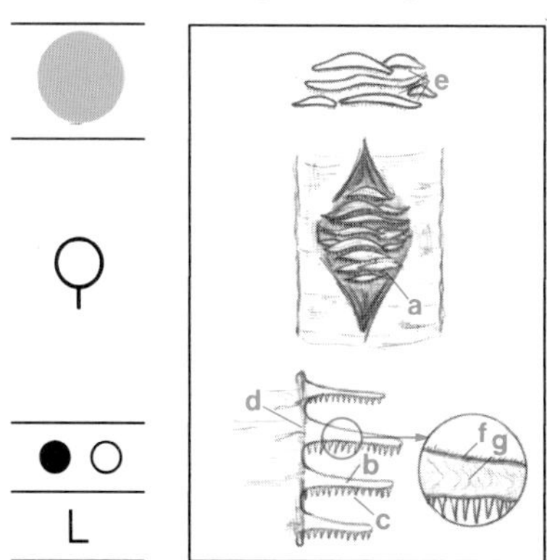

L

Morchella conica Fr.

Morille conique

Espèce humicole croissant au printemps sous les feuillus, en particulier là où il y a des peupliers baumiers et dans les forêts mélangées. C'est un excellent comestible, très recherché pour sa saveur particulière. Cependant, il ne faut pas le consommer cru.

Le carpophore (a) (2-4 cm diam.) est brunâtre, brun jaunâtre ou brun foncé, composé d'alvéoles plus ou moins profondes et disposées en rangées verticales (c), de forme conique, séparé du pied par une dépression (e) bien visible, creux (g). La chair (b) est crème à brunâtre pâle, mince, fragile ou cassante, à odeur et à saveur très agréables. Le pied (d) est blanc crème ou crème, creux, assez fragile, parfois ridé et souvent pruineux (f), surtout sous le chapeau. Espèce à sporée ocre.

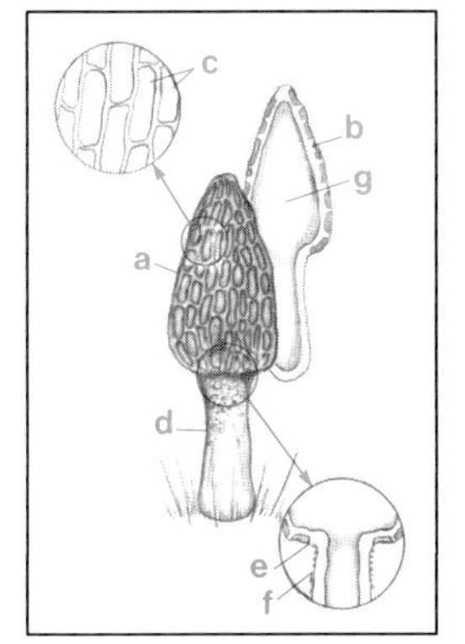

◐

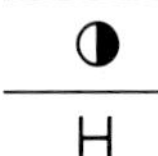

184 Morchella esculenta St-Am.

Morille comestible ou blonde

Espèce humicole croissant au printemps sous les arbres feuillus, en bordure des boisés, sous les arbres et dans les endroits dégagés. C'est un excellent comestible en raison de son goût très agréable, mais il ne doit pas être consommé cru.

Le carpophore (a) (3-8 cm diam.) est ocré, fauvâtre ou brun jaunâtre, à alvéoles (c) profondes, arrondies ou anguleuses, sans disposition bien définie, creux (e). La chair (b) est de crème à jaunâtre, fragile, à odeur et à saveur douces. Le pied (d) est blanchâtre à jaunâtre, un peu renflé et ridé à sa base, lisse. Espèce à sporée jaunâtre.

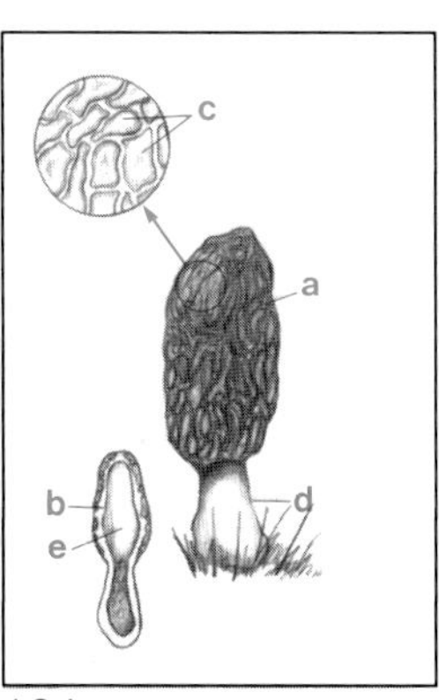

Morchella crassipes Fr.

Morille à pied épais

Espèce humicole croissant au printemps sous les feuillus et dans les endroits dégagés. C'est un excellent comestible, mais il ne doit pas être consommé cru.

Le chapeau (a) (4-6 cm diam.) est blanc jaunâtre à crème jaunâtre ou jaune brunâtre, arrondi ou parfois conique, couvert d'alvéoles angulaires (c) de grandeurs variées. La chair (b) est crème, fragile et cassante, à odeur et à saveur douces. Le pied (d) est blanchâtre à jaunâtre, épais, gros, renflé ou bulbeux à sa base, creux, sillonné, légèrement duveteux (e) et floconneux au sommet. Espèce à sporée jaunâtre.

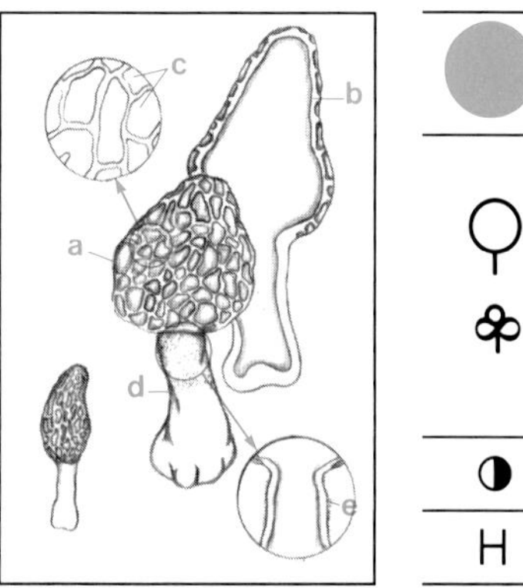

H

186 Verpa bohemica (Krombh.) Schroet.

Verpe de Bohême

Espèce humicole croissant au printemps sous les feuillus et dans les forêts mélangées. C'est un excellent comestible en raison de sa chair et de son goût particulier.

Le carpophore (a) (2-4 cm diam.) est brun jaunâtre, brun ocre et parfois brun plus foncé, en forme de cloche, plissé (e), sillonné sans alvéoles véritables, attaché au sommet (f) et libre. La chair (b) est blanche à crème, mince, fragile ou cassante, à saveur douce. Le pied (d) (6-20 cm long.) est blanchâtre et parfois taché de brun, fragile ou cassant, farci (c). Espèce à sporée jaunâtre.

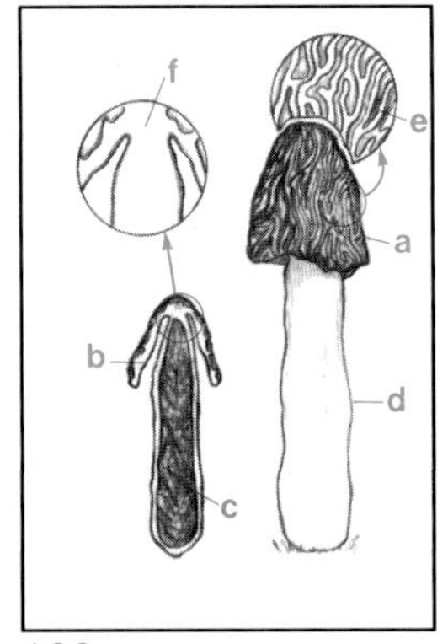

186

Gyromitra esculenta Fr.

Gyromitre comestible

Espèce humicole croissant au printemps sous les conifères ou dans es forêts mélangées, généralement sur des sols sableux. C'est un on comestible qu'il faut bien faire cuire avant de le consommer. l aurait, paraît-il, causé des intoxications chez certaines personnes ragiles de l'estomac.

Le chapeau (a) (2-10 cm diam.) est jaune brunâtre, brun, brun narron et brun noir à la fin, de forme très irrégulière et sillonné e), cérébriforme, d'apparence cireuse, fragile, creux ou lacuneux f), à hyménium supère (g). La chair (b) est blanchâtre ou crème, nince, fragile et cassante, à odeur faible et à saveur douce. Le pied d) est blanchâtre à rème, assez court ou rapu, irrégulier, sillonné, glabre, plein au ébut, puis lacuneux c) en vieillissant. Espèce à sporée blanche.

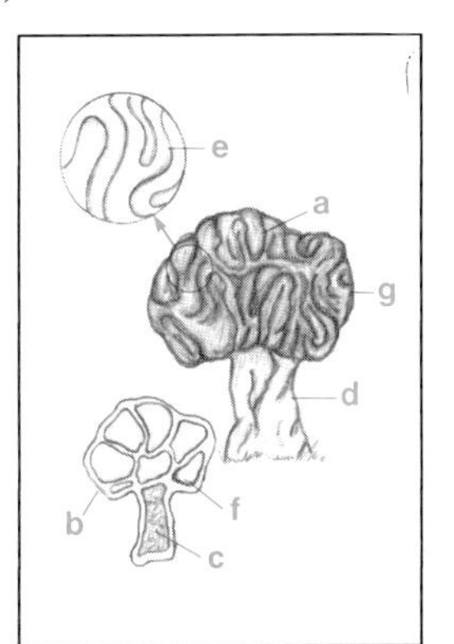

188 Gyromitra infula (Fr.) Quél.

Gyromitre mitré

Espèce humicole croissant en fin d'été et à l'automne sous les feuillus et les conifères. Il est considéré comme étant toxique et pourrait causer des troubles gastriques graves.

Le chapeau (a) (4-12 cm diam.) est brunâtre, brun jaunâtre, brun cannelle et parfois brun noirâtre, en forme de selle de cheval (e), caverneux (g) ou creux; l'hyménium (c) ou la partie fertile se trouve en surface. La chair (b) est blanchâtre ou grisâtre, mince, cassante ou fragile. Le pied (d) est blanchâtre à brunâtre, brun rosâtre ou rosâtre, assez égal, légèrement sillonné, lisse et creux (f). Espèce à sporée blanche.

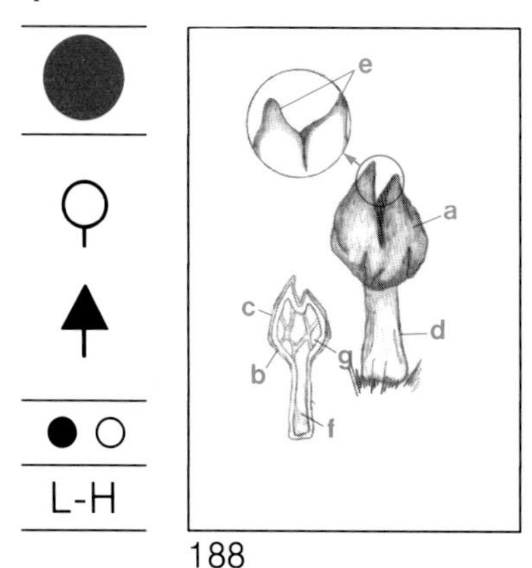

Helvella crispa Fr.

Helvelle crépue

Espèce humicole ou lignicole croissant en été et à l'automne sur le sol ou sur le bois pourri, sous les feuillus et les conifères. Comestible trop coriace pour être apprécié.

Le chapeau (a) (2-8 cm diam.) est blanchâtre, crème pâle, jaunâtre ou jaune ocré avec l'âge; en forme de selle de cheval, composé de deux à quatre lobes, il est libre du pied, creux (c), à hyménium supère (h), pruineux. La chair (b) est jaunâtre pâle ou crème, mince, élastique, coriace, peu agréable au goût. Le pied (d) est blanc jaunâtre, profondément sillonné (f), côtelé, souvent renflé (g) à sa base et lacuneux (e). Espèce à sporée blanche.

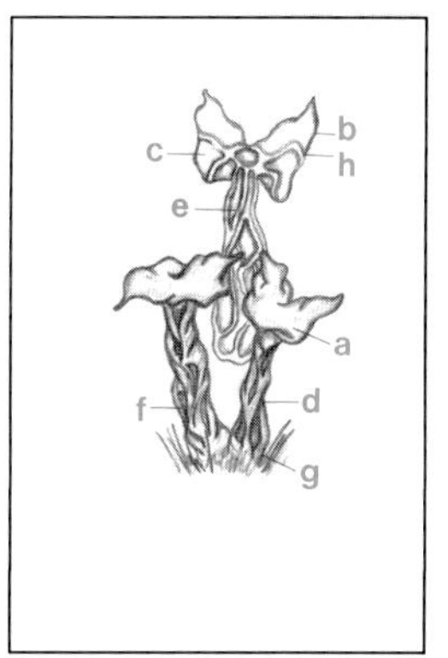

190 Helvella lacunosa Fr.

Helvelle lacuneuse

Espèce humicole croissant en fin d'été et à l'automne sous les conifères ou dans les forêts mélangées. Comestible, mais sans intérêt en raison de sa chair coriace.

Le carpophore (a) (2-5 cm diam.) est gris foncé, gris noirâtre et parfois blanc grisâtre, bosselé, en forme de selle de cheval (h), parfois irrégulier ; il est creux (c) et son hyménium est en surface (g). La chair (b) est grisâtre, mince, fragile, cassante, un peu coriace et à saveur douce. Le pied (d) est blanc grisâtre, grisâtre, brun grisâtre ou gris noirâtre, assez égal, sillonné (f) ou côtelé, creux (e) et plein vers la base. Espèce à sporée blanche.

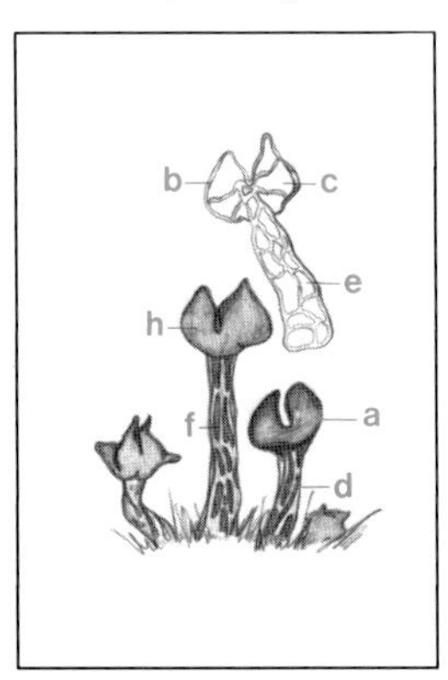

Calvatia gigantea (Pers.) Lloyd.

Vesse-de-loup géante

Espèce humicole croissant en été et en automne dans les prés, les endroits herbeux comme les pelouses, près des jardins et sur les terres incultes. Très bon comestible qu'il faut cueillir jeune lorsque l'intérieur est encore blanc.

Le carpophore (a) (20-60 cm diam.) est blanchâtre, jaunâtre ou jaune brunâtre, en forme de ballon, à surface lisse, bosselée ou craquelée et parfois feutrée. La chair (b), ou glèbe, est d'abord blanche, puis jaunâtre et olivâtre en vieillissant et laisse échapper à maturité une poussière constituée par les spores. L'enveloppe externe s'appelle l'exopéridium (e) et l'enveloppe interne, entourant la chair, l'endopéridium (c). L'hyménium est situé dans la glèbe ou chair. Le pied (d) très réduit se termine par de fins filaments. Espèce à spores jaune brunâtre ou olivâtres.

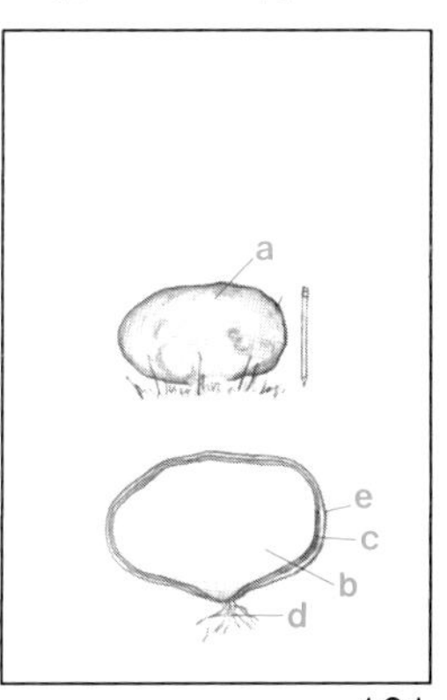

192 Calvatia cyathiformis (Bosc.) Morg.

Vesse-de-loup cyathiforme

Espèce humicole croissant à la fin de l'été et à l'automne sur les pelouses, les pâturages, les prés et autres endroits herbeux. Il est considéré comme un très bon comestible.

Le carpophore (a) (6-18 cm diam.) est blanc à brunâtre avec l'âge, globuleux ou en forme de poire, à enveloppe extérieure ou exopéridium (f), lisse au début, puis écailleux et plus craquelé (e) au sommet. L'enveloppe interne ou endopéridium (g) est mince et recouvre la chair ou glèbe (b), blanche au début puis jaunâtre à brun pourpre avec l'âge. Le pied (d) consiste en un rétrécissement qui se termine par des filaments (c) fixateurs. Espèce à spores pourpres.

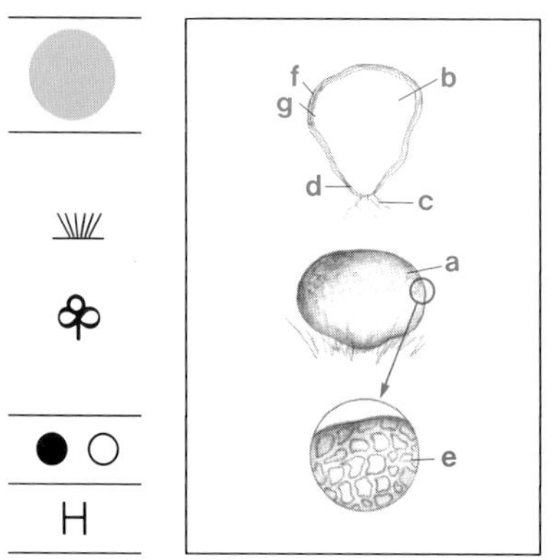

Calvatia elata (Mass.) Morg. 193

Vesse-de-loup élevée

Espèce humicole croissant en été et en automne sous tous les types de couverts forestiers, particulièrement dans les stations humides à travers les mousses et les plantes herbacées, et dans les endroits dégagés comme les prés et les champs ouverts.

Le carpophore (a) (4-8 cm diam.) est blanchâtre à brunâtre, arrondi, parfois mamelonné, à surface ou exopéridium (e) mince, fragile, granuleuse, se fendillant pour former des plaques (g) qui disparaissent avec l'âge. La chair (b) ou glèbe est d'abord blanche puis brun olivâtre en vieillissant ; elle est recouverte d'une pellicule ou endopéridium (f) mince, ferme, puis spongieuse avec l'âge. Le pied (d) est de couleur semblable au carpophore ou plus pâle et marqué de dépressions plus ou moins profondes. À maturité, les spores s'échappent par une rupture (c) à la surface du carpophore. Espèce à sporée brun olivâtre.

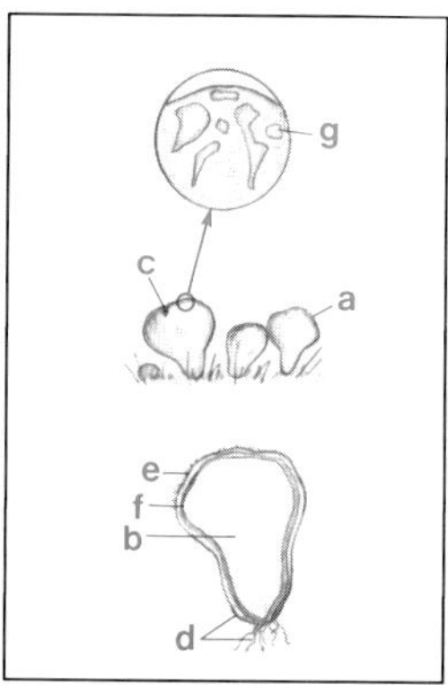

194 Bovista pila B. et C.

Boviste en boule

Espèce humicole croissant en été et à l'automne dans les pâturages et les autres endroits herbeux riches, ou dans les boisés ouverts. C'est un bon comestible, si on le consomme jeune.

Le carpophore (a) (3-9 cm diam.) est blanc et se teinte de rosâtre ou de jaunâtre aussitôt qu'on le manipule ; il est globuleux, à exopéridium (e) blanc, d'abord lisse, puis craquelé ou fendillé avec l'âge. L'endopéridium (f) est brun foncé, et taché de plages grisâtres et brillantes. À maturité, le carpophore se fissure (d) pour exposer une glèbe (b), blanche au début, puis brun pourpre en vieillissant, les spores (g) s'échappant alors sous la forme d'une poudre brune. La base du carpophore se termine par un cordonnet (c) qui se brise avec le temps. Espèce à spores brunes.

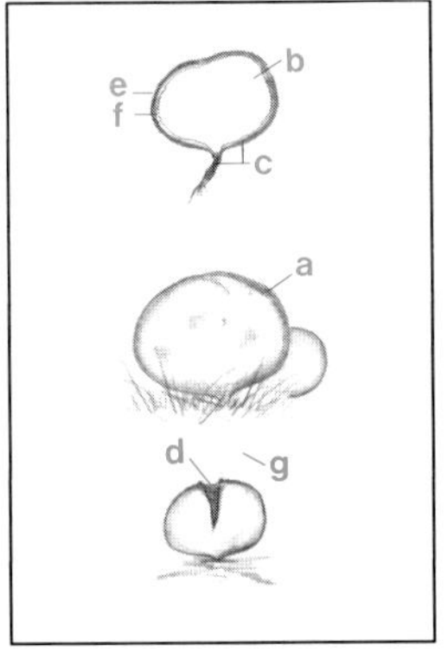

Lycoperdon perlatum Pers.

Vesse-de-loup perlée ou gemmée

Espèce humicole croissant en été et à l'automne sur les pelouses ou autres endroits herbeux où il y a des arbres, sous les feuillus et sous les conifères. Comestible, mais sans grand intérêt d'après certains gastronomes.

Le carpophore (a) (2-5 cm diam.) est blanchâtre, jaunâtre ou jaune brunâtre, en forme de massue ou de poire, souvent mamelonné, couvert d'aiguillons (f) de différentes grosseurs ressemblant à de minuscules perles. La chair (b), ou glèbe, est d'abord blanche, puis jaunâtre à olivâtre à maturité. L'enveloppe la plus externe, ou exopéridium (e), et l'enveloppe interne, ou endopéridium (c), recouvrent la chair. Les spores émergent en poudre par un gros pore arrondi situé au sommet du carpophore. Le pied (d), très réduit, se termine par de fins filaments qui s'insèrent. Espèce à spores jaune brunâtre ou olivâtres.

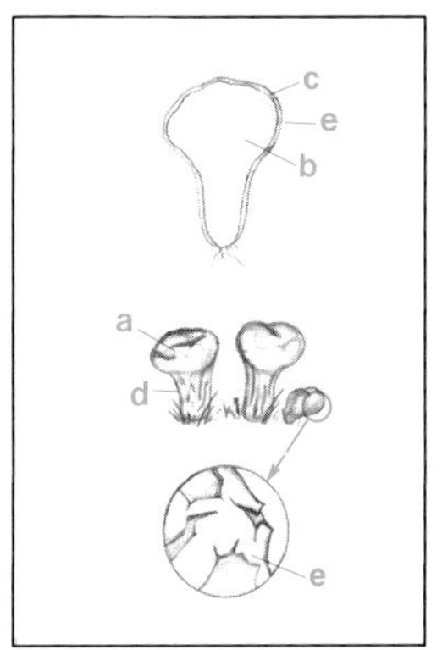

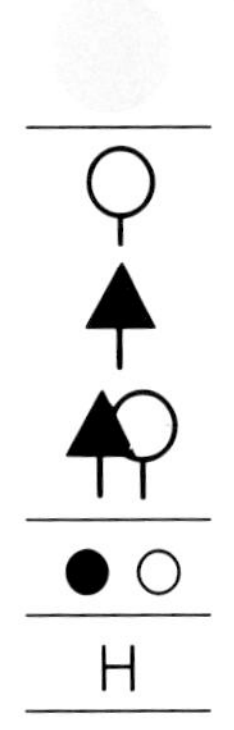

196 Lycoperdon pyriforme Pers.

Vesse-de-loup piriforme

Espèce lignicole croissant en été et en automne en colonies parfois très denses sur le bois pourri ou autres débris ligneux sous tous les types de couverts forestiers. Comestible qu'il faut consommer jeune lorsque la chair est encore blanche.

Le carpophore (a) (1-4 cm diam.) est blanchâtre, jaunâtre ou jaune brunâtre, couvert de petites verrues (f) qui disparaissent à maturité. La chair (b), ou glèbe, est d'abord blanche, puis jaune brunâtre et olivâtre en vieillissant, légèrement farineuse au début, puis spongieuse; l'enveloppe extérieure s'appelle l'exopéridium (e), et l'enveloppe entourant la chair, l'endopéridium (c). Les spores (h) s'échappent en une poudre par un gros pore (g) situé au sommet du carpophore. Le pied (d) est réduit et se termine par de fins filaments (i) s'insérant dans le support. Espèce à spores jaune brunâtre ou olivâtres.

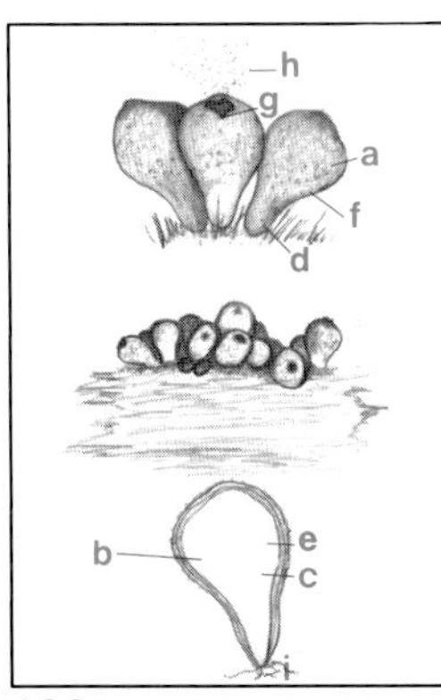

Lycoperdon candidum Pers.

Vesse-de-loup candide ou marginée

Espèce humicole croissant en été et en automne dans les prés, les pelouses riches, les pâturages et parfois sous les boisés ouverts. Il est toxique.

Le carpophore (a) (1-5 cm diam.) est blanchâtre, jaune brunâtre, brunâtre ou olivâtre, en forme de boule, couvert de grosses verrues (f) pointues et facilement détachables, surtout à maturité. La chair (b) est d'abord blanche, puis jaunit et brunit avec l'âge; elle est consistante, farineuse, puis spongieuse. L'enveloppe la plus externe s'appelle l'exopéridium (e) et l'enveloppe recouvrant la chair, l'endopéridium (c). Les spores (h) s'échappent sous forme de poussière par un gros pore (g) situé au sommet du carpophore. Le pied (d) se réduit en une pointe courte qui s'insère dans le support. Espèce à spores brun olivâtre.

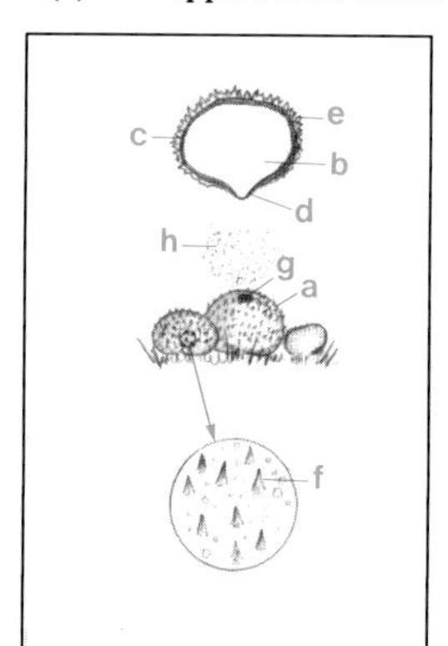

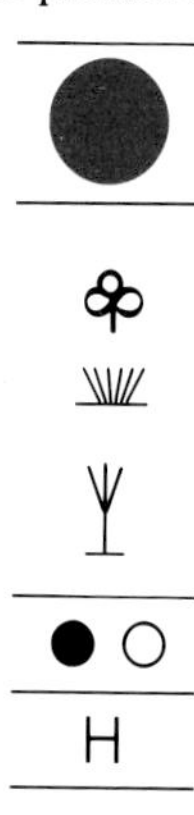

198 Scleroderma aurantium Pers.

Scléroderme vulgaire

Espèce lignicole croissant en fin d'été et à l'automne près des vieilles souches, ou en dessous, sur le bois pourri sous les feuillus, ou encore dans les forêts mélangées. Il est considéré comme étant très toxique surtout s'il est consommé en grande quantité.

Le carpophore (a) (2-10 cm diam.) est jaunâtre, jaunâtre orangé, brunâtre orangé ou ocre roussâtre, en forme de boule et couvert de verrues (f) aplaties. La chair (b), ou glèbe, est d'abord blanche, puis rosâtre et noir violacé ; à maturité elle est dure et pruineuse. Les spores (h) s'échappent comme de la poudre par une déchirure (g) irrégulière du péridium (c). Le pied (d) est souvent inexistant, ou très réduit, et terminé par des filaments (e) qui s'insèrent dans le support. Espèce à spores d'un pourpre noirâtre.

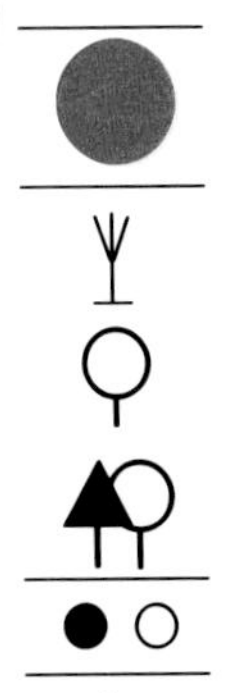

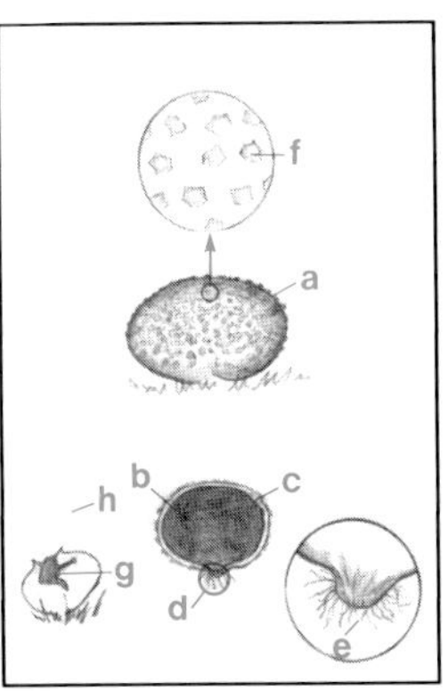

Daldinia concentrica (Fr.) Ces. et DeNot.

Daldinie concentrique

Espèce lignicole croissant en été et en automne sur le bois mort des feuillus, particulièrement sur les aulnes et les bouleaux. Non comestible.

Masse globuleuse (a) brun noirâtre à noire, pouvant atteindre 4 cm de diamètre. À maturité, l'enveloppe noire et luisante laisse échapper les spores contenues dans de petites urnes appelées périthèces (d). Une coupe pratiquée à travers cette masse nous montre une série de couches (b) ou zones concentriques brillantes et s'effritant facilement au toucher. Le pied (c) est réduit à un point d'attache. Espèce à spores brunes.

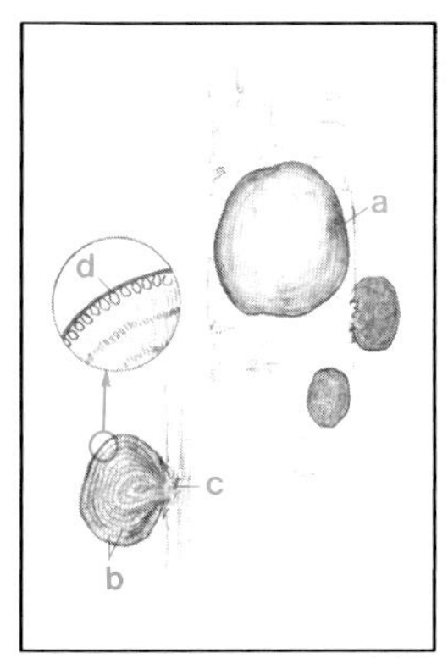

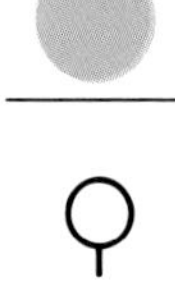

L

200 Clavariadelphus pistillaris (Fr.) Donk.

Clavaire pilon

Espèce humicole croissant en été et en automne sous les feuillus et parfois dans les forêts mélangées. À rejeter en raison de sa chair peu agréable.

Il se présente sous la forme d'une massue ou d'un pilon jaune, jaune orangé, jaune roussâtre ou brun orangé. Il peut atteindre une hauteur de 25 cm pour se terminer en une tête ou carpophore, renflée ou globuleuse (a), plus ou moins ridée ou boursouflée (b), et s'atténuant graduellement vers la base pour former un pied (c) plus ou moins sillonné ou ridé. La chair (d) est blanche, assez ferme au début, puis molle et spongieuse avec l'âge, à saveur amère ou un peu sucrée. L'hyménium (e) se situe sur la surface supérieure ridée. Espèce à spores blanches ou jaunâtres.

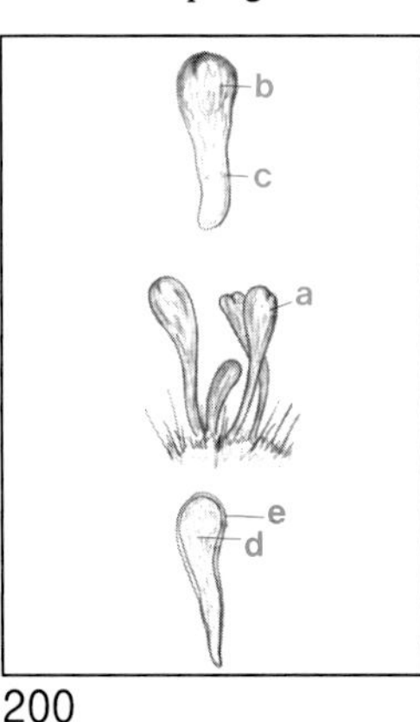

Clavariadelphus truncatus
(Quél.) Donk.

Clavaire tronquée

Espèce humicole croissant en été et à l'automne sous les conifères et parfois dans les forêts mélangées. Comestible, mais sans intérêt, son goût sucré devenant désagréable à la consommation.

Semblable à une massue coupée (f), ce champignon, d'abord jaune, roussit, puis devient ocre roussâtre à maturité. Il peut atteindre une hauteur de 20 cm, et le carpophore (a), boursouflé (b) irrégulièrement, s'atténue graduellement en un pied (c) lisse ou légèrement ridé verticalement. La chair (d) est blanche, d'abord ferme, puis molle et spongieuse en vieillissant. Exposée à l'air libre, la chair se teinte de violet. L'hyménium (e) se trouve à la surface du carpophore. L'odeur est nulle et la saveur est sucrée et amère. Espèce à spores ocres.

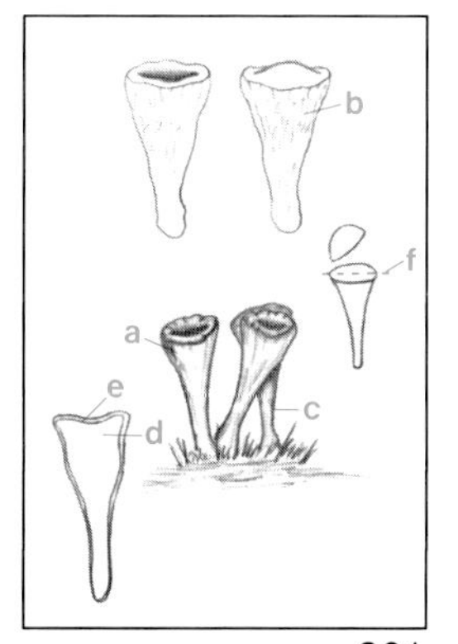

202 Mitrula elegans (Berk.) Fr.

Mitrule élégante

Espèce humicole croissant en été sur la litière ou les débris végétaux des feuillus, ou des conifères, dans les endroits très humides ou couverts d'eau. Non comestible en raison de sa petite taille.

L'ascocarpe (a) pouvant atteindre 2 cm de diamètre est jaune orangé, orangé ou rosâtre en vieillissant, en forme de poire ou globuleux. Il se différencie du pied (d) blanchâtre, rosâtre ou brun orangé, élargi (c) au sommet, globuleux et poilu (d) à sa base. Espèce à spores incolores.

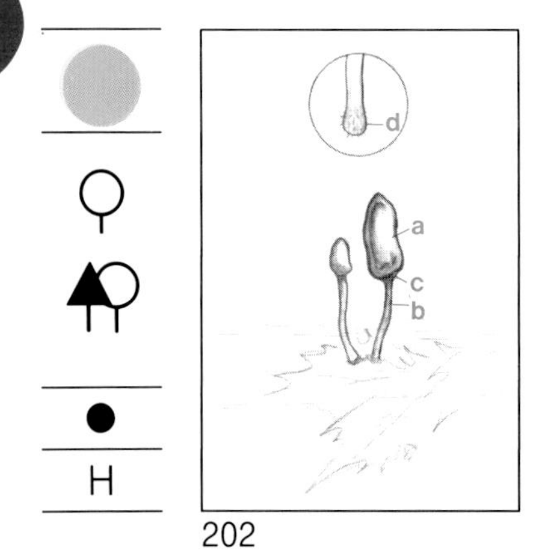

Leotia lubrica Fr.

Léotie lubrique

Espèce humicole ou lignicole croissant en été et en automne sur le sol ou sur le bois pourri, et sous tous les types de couverts forestiers. Comestible, mais sans aucun intérêt gastronomique.

L'ensemble du champignon mesure environ de 2 à 6 cm de hauteur et forme une massue à tête renflée. Le réceptacle (a) (1-2 cm diam.) est ocre jaunâtre, jaune verdâtre ou verdâtre, de forme irrégulière, convexe et parfois déprimé et visqueux. La chair (b) est de même couleur que l'ensemble, gélatineuse, sans odeur ni saveur particulières. Le pied (c) (1-5 cm long.) est jaune ocre, ocre jaunâtre ou jaune, cylindrique, le plus souvent creux (d), visqueux, gélatineux et légèrement squamuleux (e). Espèce à spores incolores.

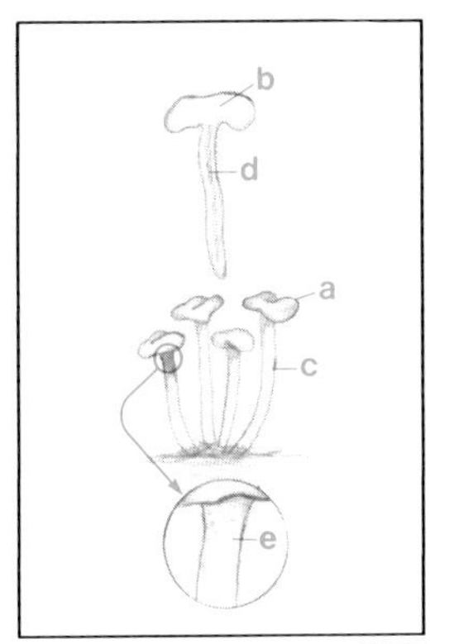

204 Xylaria polymorpha (Fr.) Grev.

Doigt noir

Espèce lignicole croissant en été et à l'automne sur le bois mort, les racines, les souches ou les vieilles branches des arbres feuillus. Non comestible.

Ce champignon en forme de doigt (a) ou de massue parfois divisée peut atteindre une longueur de 8 cm. La surface brun noir ou noire est bosselée et rugueuse. Les spores sont contenues dans des périthèces (b) situés dans l'épaisseur du carpophore. La chair (c) est blanche, liégeuse et fibreuse. Le pied (d) est noir, plus aminci et robuste. Espèce à spores brun foncé.

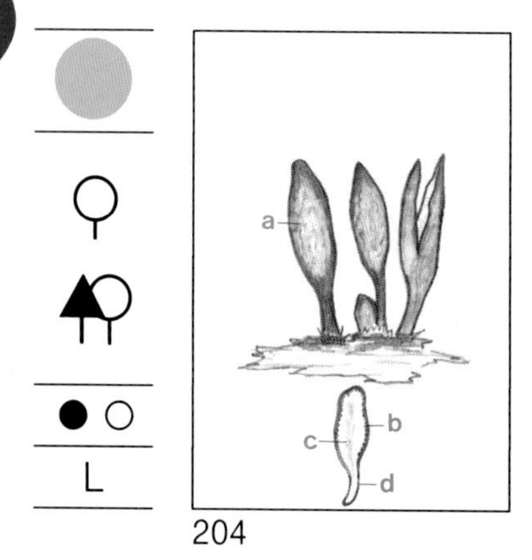

204

Ramaria formosa (Fr.) Quél.

205

Clavaire élégante

Espèce humicole croissant en été et à l'automne sous les feuillus. Elle ne peut être consommée en raison de sa toxicité.

C'est une de nos plus belles Clavaires. Blanche, jaune, jaune orangé ou rose orangé, elle peut atteindre 30 cm de hauteur et elle se ramifie (a) fortement pour devenir arbustive. Elle porte de nombreux rameaux qui se subdivisent en ramuscules (b) dentées et fragiles. La chair (c) est blanche ou rosée, surtout si on l'expose à l'air, fragile et à saveur acide. Le tronc (d) est court, charnu et épais. Espèce à spores ocres.

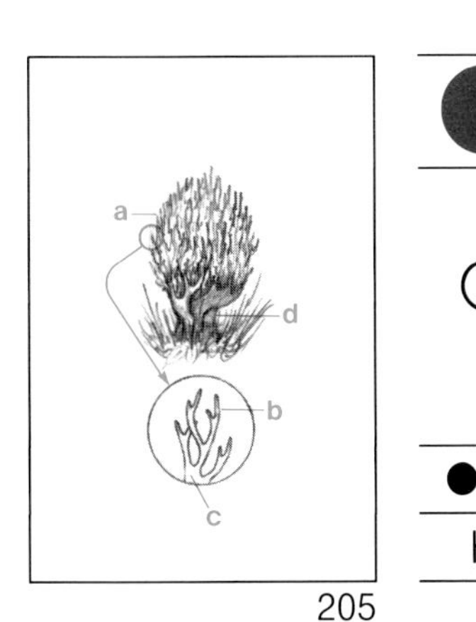

H

206 Ramaria botrytoïdes (Pk.) Cor.

Clavaire faux choux-fleur

Espèce humicole croissant en été et en automne sous les feuillus, les conifères et dans les forêts mélangées. Non comestible, douteux.

Elle compte parmi les plus massives de nos Clavaires. Elle est d'abord blanchâtre, crème ou rosâtre et devient brunâtre, roussâtre ou rouge brique à l'extrémité des ramifications. Elle peut atteindre jusqu'à 20 cm de hauteur et se ramifie (a) abondamment à partir de la base pour se terminer par des ramuscules (b) fragiles. La chair (c) est blanchâtre ou assez semblable à l'ensemble, ferme, fragile et cassante, à saveur assez douce. Le tronc (d) est blanchâtre, très court et massif. Espèce à spores brun rouille.

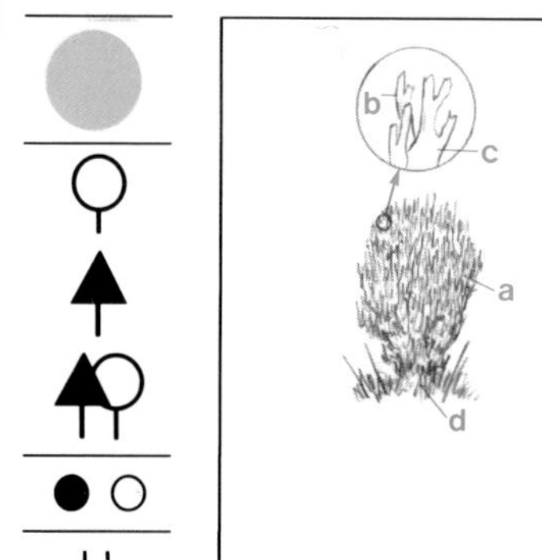

Clavulina cinerea (Fr.) Schroet. 207

Clavaire cendrée

Espèce humicole croissant à l'été et à l'automne sous les feuillus et dans les forêts mélangées. Comestible, mais sans goût particulier.

Elle est d'abord blanchâtre, puis gris cendré en vieillissant. Une pruine cendrée recouvre les ramifications et certaines formes de cette espèce noircissent quand on les manipule. Les rameaux (a) sont dressés et rugueux avec des ramuscules (b) émoussées. La chair (c) est blanche à grisâtre, fragile, cassante, sans odeur ni saveur particulières. Le tronc (d) est grisâtre, court, épais et robuste. Espèce à sporée blanche.

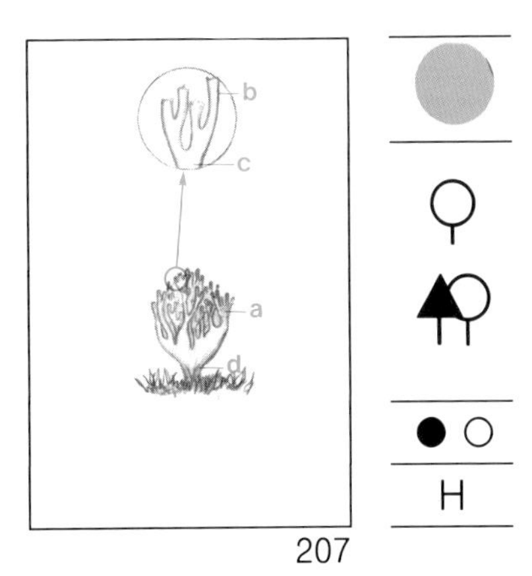

208 Clavulinopsis fusiformis (Fr.) Cor.

Clavaire fusiforme

Espèce humicole croissant en été et à l'automne dans les clairières et les boisés, parfois sur les pelouses et sous les feuillus. Elle peut être consommée, mais il en faut une quantité suffisante pour que cela vaille la peine; et il faut la récolter jeune.

Cette belle petite Clavaire jaune aux extrémités brunissantes (c) se présente sous la forme de rameaux fusiformes simples. Chaque petite clavule (a) est souvent sillonnée longitudinalement et se termine à la base par un petit pied (d). La chair (b) est jaunâtre, d'abord tendre, puis élastique ou résistante en vieillissant. Espèce à spores blanches ou jaunes.

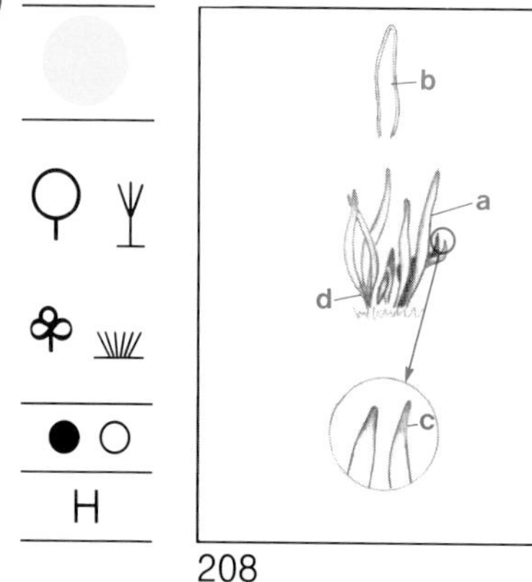

Calocera viscosa (Fr.) Fr.

Calocère visqueuse

Espèce lignicole croissant en été et à l'automne sur les souches ou sur le bois pourri des conifères, sous les conifères ou dans les forêts mélangées. Comestible, mais au goût et à la consistance sans attraits.

Cette petite espèce glutineuse se présente sous la forme d'un petit arbuste dressé, d'un beau jaune tirant le plus souvent sur l'orangé. Les ramuscules (a) se divisent pour se terminer par de petites dents (c) délicates. L'ensemble émerge d'un tronc (d) radicant et enfoncé dans le bois pourri. La chair (b) est de même couleur que les ramifications, tenace et élastique. Espèce à spores jaunes.

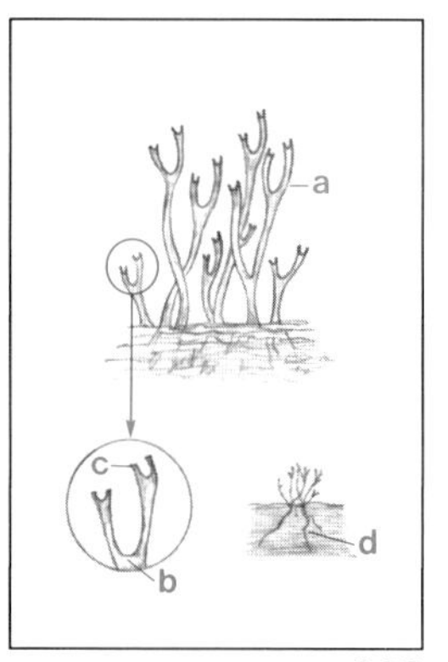

L

210 Helvella macropus (Fr.) Karst.

Helvelle ou Pézize au long pied

Espèce humicole et lignicole croissant à l'été et à l'automne sous les feuillus ou dans les forêts mélangées. Comestible peu intéressant en raison de sa taille réduite.

Petite espèce au pied grêle; ascocarpe (a) (1-5 cm diam.) en forme de coupe gris cendré, couvert de poils sur la surface extérieure et lisse sur la surface intérieure ou hyménium (c), mince, farci ou creux. La chair (b) est blanche à grisâtre, assez tendre, sans odeur ni saveur particulières. Le pied (d), qui peut mesurer jusqu'à 6 cm de longueur, est grisâtre, grêle et cylindrique (e). Espèce à spores incolores.

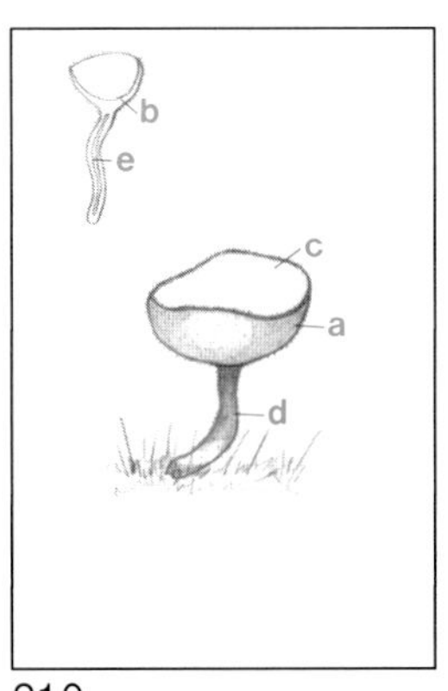

Helvella acetabulum (Fr.) Quél.

Helvelle gobelet

Espèce humicole croissant au printemps et au début de l'été, en bordure des sentiers ou des chemins forestiers, sur les terrains sablonneux, dans les clairières et sous les feuillus. Comestible, mais peu savoureux.

Espèce en forme de coupe (a) et parfois muni d'un long pied. Cette Helvelle s'apparente aux Pézizes et peut atteindre une hauteur de 9 cm. La surface inférieure (f) est grisâtre à brun ocré, floconneuse et duveteuse. La surface supérieure (c) fertile, ou hyménium, est brunâtre à brun foncé et lisse. La chair (b) est blanchâtre à grisâtre, assez épaisse, à odeur et à saveur nulles. Le pied (d) est blanchâtre à grisâtre, parfois long, duveteux, côtelé et ramifié (e). Espèce à sporée incolore.

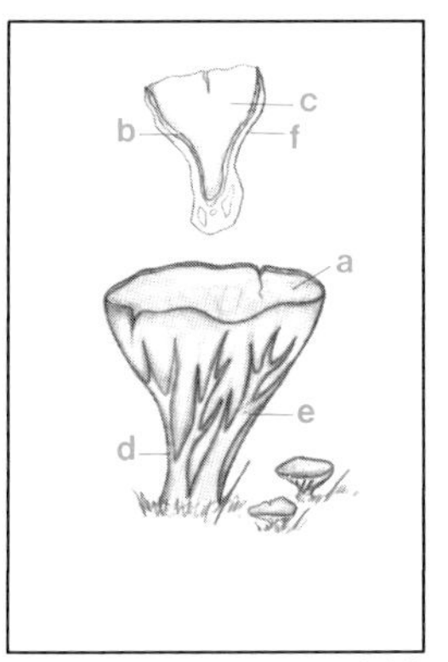

H

212 Discina perlata (Fr.) Fr.

Pézize perlée

Espèce humicole croissant au printemps sous les conifères ou dans les forêts mélangées. Comestible sans saveur particulière.

Espèce en forme de disque qui peut atteindre un assez grand diamètre, jusqu'à 8 cm. La surface extérieure (b) stérile est blanchâtre ou rosâtre, finement pubescente ou tomenteuse. La surface intérieure (a) fertile, ou hyménium, est brune ou brun rosâtre et bosselée. La chair (c) est brunâtre et épaisse, à odeur et à saveur nulles. Le pied (d) est brun à brun rosâtre ou plus pâle que la surface stérile, trapu, côtelé et veiné. Espèce à spores incolores.

H

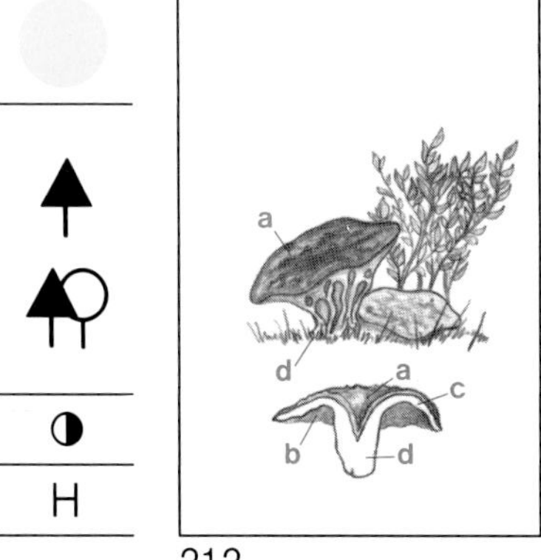

212

Scutellinia scutellata (Fr.) Lamb.

Pézize en bouclier

Espèce lignicole croissant du printemps à l'automne sur le bois pourri, et sous tous les types de couverts forestiers. Sans intérêt pour le gastronome.

Cette belle petite espèce en forme de disque ou de bouclier dépasse rarement 1 cm de diamètre. Sa surface extérieure (b) stérile est rose rougeâtre, pubescente et bordée de poils (c) foncés bien visibles à l'œil. La surface intérieure (a) fertile, ou hyménium, est d'un beau rouge vif qui devient plus foncé avec l'âge. Le disque est sessile (d) au support. Espèce à spores incolores.

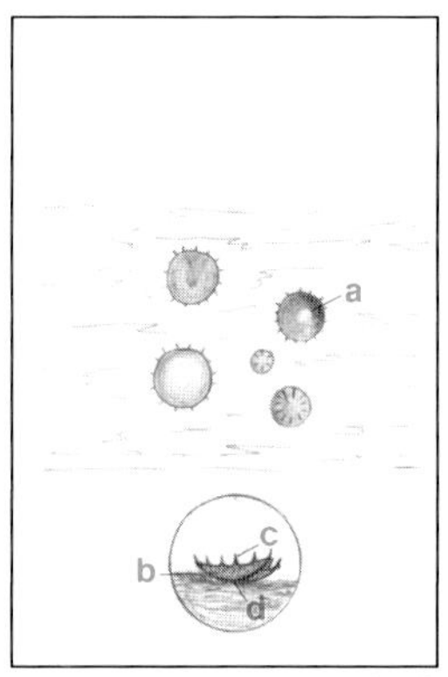

214 Aleuria aurantia (Fr.) Fuck.

Pézize orangée

Espèce humicole croissant en été et à l'automne en bordure des chemins forestiers, dans les pâturages, les pelouses, dans les endroits ouverts et autres endroits dénudés. Comestible utilisé pour décorer les salades ou autres plats aux légumes ; on la sert aussi en dessert.

Cette magnifique Pézize en forme de coupe dépasse rarement les 6 cm de diamètre et ne s'étale pas complètement sur le sol. La surface extérieure (b) stérile est jaune orangé à orangée, floconneuse ou pruineuse. La surface intérieure (a) fertile, ou hyménium, est d'un beau rouge orangé ou orangé vif, et elle est lisse. La chair (c) est de même couleur que la surface extérieure, assez épaisse, fragile, à odeur et à saveur presque nulles. Le pied est inexistant ; la Pézize est sessile (d) au sol. Espèce à spores blanches.

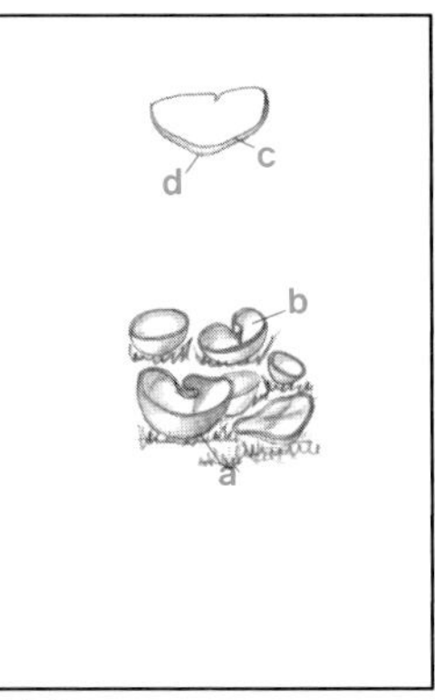

Caloscypha fulgens (Fr.) Boud.

Pézize écorce d'orange

Espèce lignicole et humicole croissant au printemps sur le bois pourri ou autres résidus ligneux, sous les conifères, et dans les forêts mélangées. Comestible, mais peu intéressante pour le gastronome.

Belle Pézize d'abord globuleuse, puis en forme de coupe, elle peut atteindre 4 cm de diamètre. La surface extérieure (b) stérile est jaunâtre, et teintée de bleu verdâtre ou de gris verdâtre; elle est légèrement pubescente, et la marge est souvent fendillée (f). La surface intérieure (a) fertile, ou hyménium, est jaune orangé et teintée de bleu verdâtre (e), le plus souvent lisse. La chair (c) est blanchâtre à jaunâtre, mince, à odeur et à saveur nulles. Le pied est inexistant; la Pézize est sessile (d) au support. Espèce à sporée blanche.

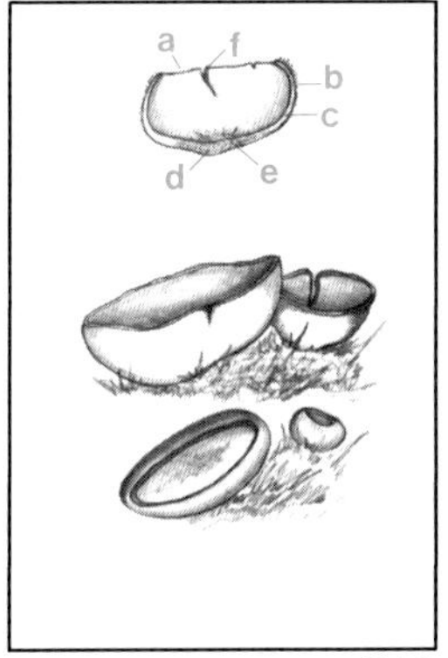

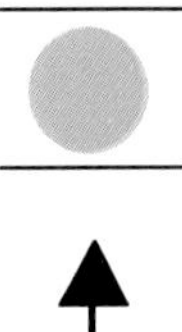

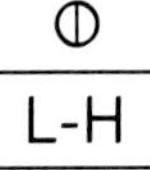

L-H

216 Peziza repanda Pers.

Pézize recourbée

Espèce lignicole croissant du printemps à l'automne sur le bois pourri ou autres résidus ligneux, comme la sciure et les copeaux de bois. Comestible peu intéressant en raison de son goût fade.

C'est une des plus grandes et une des plus communes parmi les Pézizes que l'on rencontre dans la nature; elle peut atteindre jusqu'à 12 cm de diamètre. D'abord en forme de coupe irrégulière et ondulée, elle s'étale en vieillissant. La surface extérieure (b) stérile est d'abord brunâtre, puis jaune ocre avec l'âge. La surface intérieure (a), ou hyménium, est brune, plus ou moins nuancée de marron, et lisse. La chair (c) est blanchâtre, assez épaisse et fragile. Le pied est inexistant; la Pézize est directement soudée (d) au support. Espèce à spores incolores.

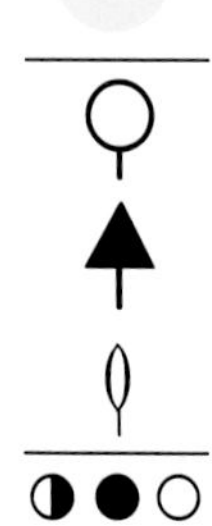

L

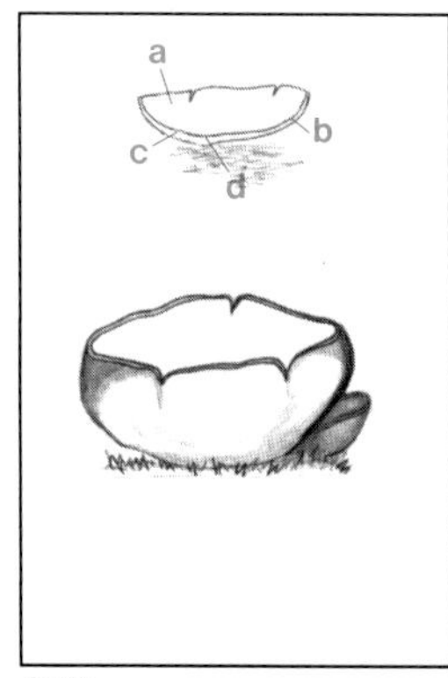

Auricularia auricula (Hook.) Under.

Oreille de Judas

Espèce lignicole croissant en fin d'été et à l'automne sur le bois mort des conifères et des feuillus. Comestible, elle peut être utilisée pour confectionner des salades ou autres plats aux légumes.

C'est un champignon qui ressemble à une oreille et peut atteindre 12 cm de diamètre. La surface inférieure (a), ou hyménium, est de brunâtre à brun jaunâtre, irrégulièrement lobée et veinée ou sinuée. La surface supérieure (b) est jaune brunâtre, brun cannelle ou brun grisâtre, et elle est veloutée. La chair (c) est de même teinte que l'ensemble, gélatineuse, élastique et presque translucide. Elle est directement soudée au support. Espèce à spores blanches.

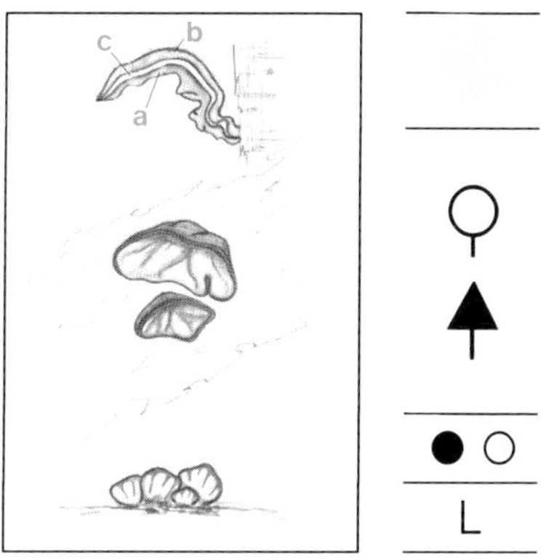

L

218 Sarcosoma globosum (Fr.) Casp.

Sarcosome globuleux

Espèce lignicole croissant au printemps et au début de l'été sur le bois pourri ou autres débris ligneux des conifères. Comestible à la consistance peu engageante.

Ce champignon peut atteindre 6 cm de diamètre. La surface extérieure (b) stérile est brune, finement duveteuse et fortement ridée en vieillissant. La surface intérieure (a) fertile, ou hyménium, est brun noirâtre ou noirâtre, et elle est luisante surtout par temps humide. La chair (c) est gélatineuse, molle et tremblotante au toucher. Sans pied apparent, le Sarcosome est sessile (d) sur le support. Espèce à spores incolores.

L

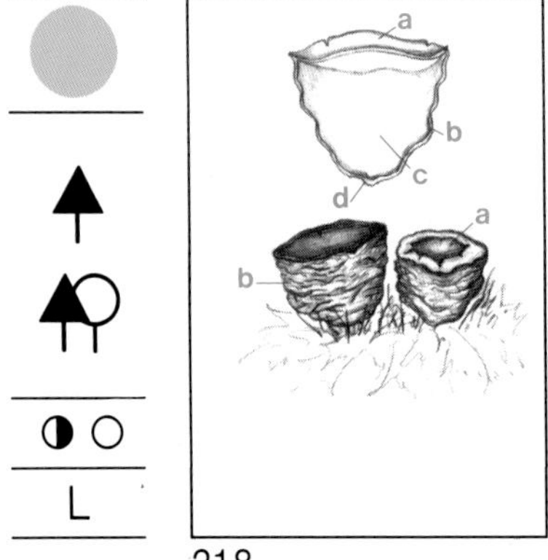

Neobulgaria pura (Fr.) Petrak.

Néobulgarie pure

Espèce lignicole croissant en été et en automne sur le bois pourri. Ce petit champignon gélatineux ne présente aucun intérêt pour la gastronomie.

Les petits gobelets (a) gélatineux peuvent mesurer de 1 à 2 cm de diamètre et forment des colonies isolées sur le bois pourri. Ils sont d'un grisâtre violacé, translucides, à consistance molle et gélatineuse (b). Le pied (c) est formé par un rétrécissement de la base du carpophore.

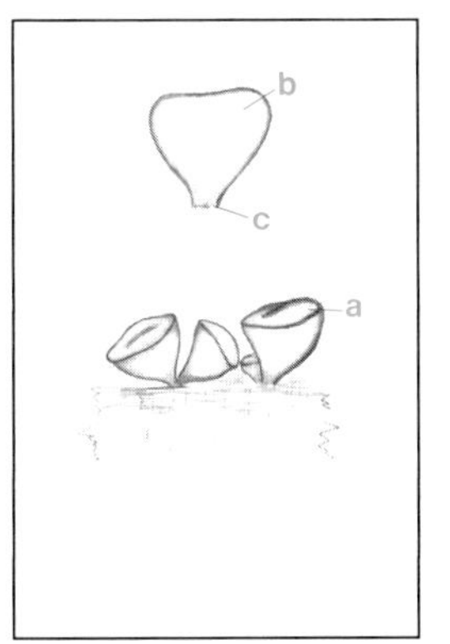

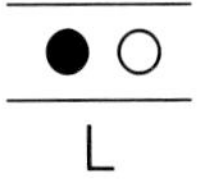

220 Calycella citrina (Fr.) Boud.

Calycelle citrine

Espèce lignicole croissant en été et à l'automne en colonies denses sur le bois pourri ou sur les résidus ligneux de la forêt. Sans intérêt pour le gastronome.

Les petites cupules (a) n'excédant pas 0,5 cm de diamètre sont d'un beau jaune vif et s'étalent pour devenir plus bombées en vieillissant. Elles sont supportées par un petit pied (b) court et grêle. Espèce à spores incolores.

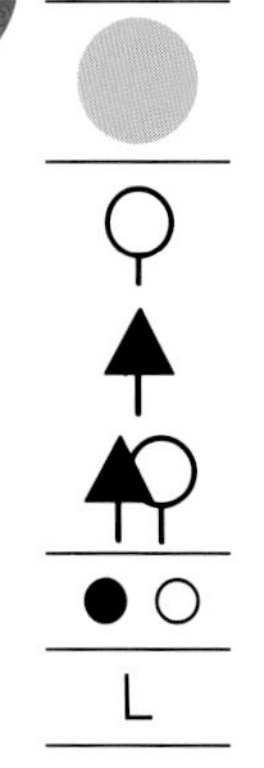

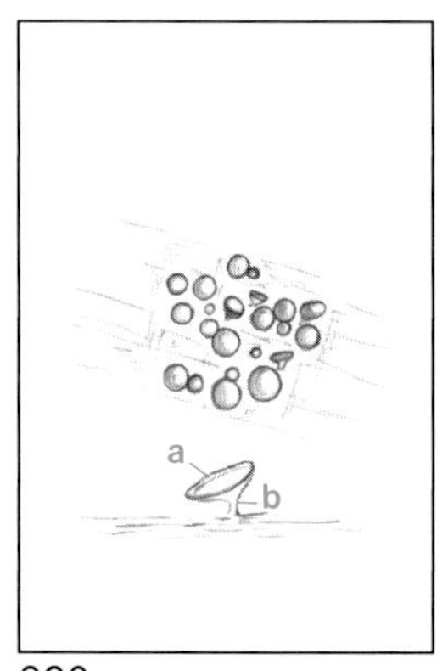

220

Phlogiotis helvelloïdes (Fr.) Mart.

Guépinie rousse ou en helvelle

Espèce lignicole croissant à l'automne sur le bois pourri ou autres résidus ligneux, et sous les conifères. C'est un comestible qui peut agrémenter les salades ou autres plats de légumes frais, et que l'on peut consommer cru.

Ce champignon en forme de demi-entonnoir ou de spatule a un carpophore (a) élargi et une marge arrondie. Il peut atteindre une hauteur de 15 cm dans des conditions idéales de croissance. Sa couleur varie du rose orangé au roux, et avec l'âge il se teinte de gris sur fond rosâtre. La surface fertile (b), ou hyménium, est lisse, plus ou moins ridée et pruineuse. La surface stérile (c) est lisse et plus foncée. La chair est ferme, un peu gélatineuse ou élastique à maturité. Le pied (d) est de même couleur et de même consistance. Espèce à spores blanches.

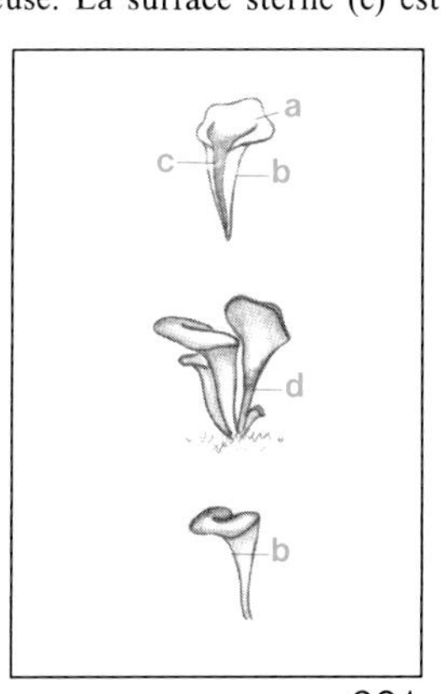

O

L

222 Spathularia flavida Fr.

Spatulaire jaune

Espèce humicole croissant en été et à l'automne sous les conifères, particulièrement sous les pins. Comestible à rejeter en raison de sa chair coriace.

L'ensemble forme une spatule en éventail de 1 à 6 cm de hauteur, avec un réceptable (a) jaunâtre ou brunâtre, décurrent sur un pied (d) blanc ou jaunâtre, tors, creux (c), aminci au sommet et terminé à sa base par un petit bulbe irrégulier. La chair (b) est blanche à jaunâtre, coriace, sans odeur ni saveur particulières. Les spores sont incolores.

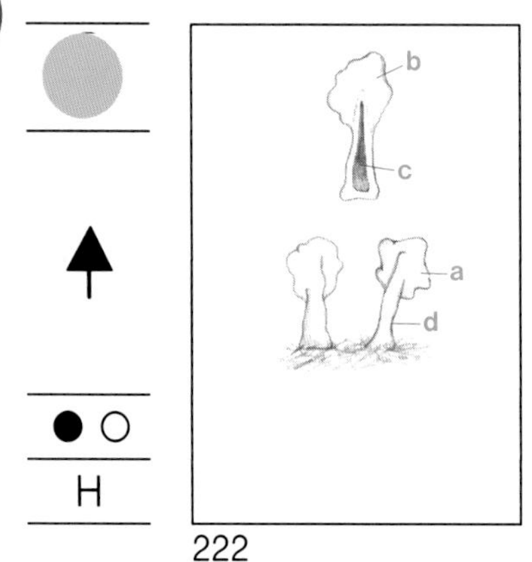

H

Tremella foliacea Fr.

Trémelle foliacée

Espèce lignicole croissant en été et à l'automne sur les bois feuillus. C'est un champignon sans intérêt pour la table.

Ce champignon est composé de nombreux replis jaune brunâtre, brun cannelle ou brun foncé, et l'ensemble forme une masse gélatineuse compacte pouvant atteindre 12 cm de diamètre sur le support. Espèce à spores blanches ou jaunâtres.

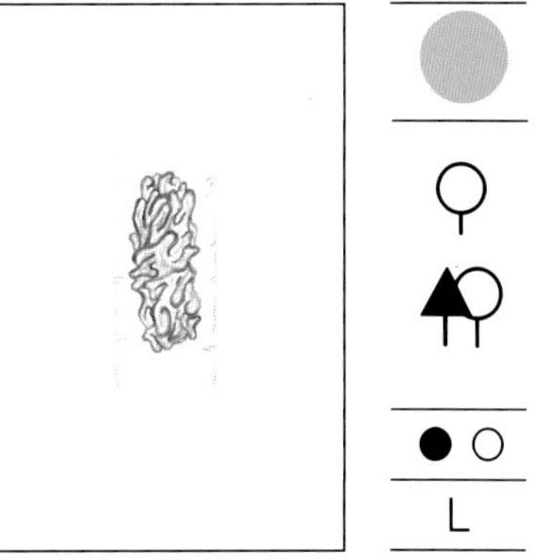

224 Tremella mesenterica Fr.

Trémelle mésentérique

Espèce lignicole croissant en été et à l'automne sur le bois mort des feuillus. Comestible, mais sans intérêt pour la cuisine.

Ce champignon est composé de nombreux replis jaunes ou orangé vif, et l'ensemble forme une masse gélatineuse, assez élastique et pouvant atteindre 10 cm de diamètre. Espèce à spores blanches à jaunâtres.

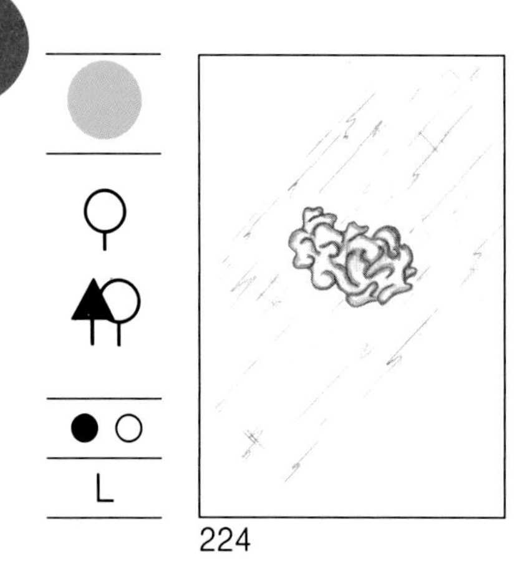

Exidia glandulosa Fr.

Exidie glanduleuse

Espèce lignicole croissant en été et à l'automne sur les bois morts des feuillus. Sans intérêt pour la cuisine en raison de sa consistance, ce champignon est composé de nombreuses masses brunes à noirâtres, gélatineuses, formant un ensemble cérébriforme et étalé pouvant atteindre un diamètre de 20 cm sur le bois. Chaque petite masse peut mesurer jusqu'à 3 cm de diamètre, et le dessous est finement pubescent. La chair est grisâtre à brunâtre et translucide. Espèce à spores incolores ou jaunâtres.

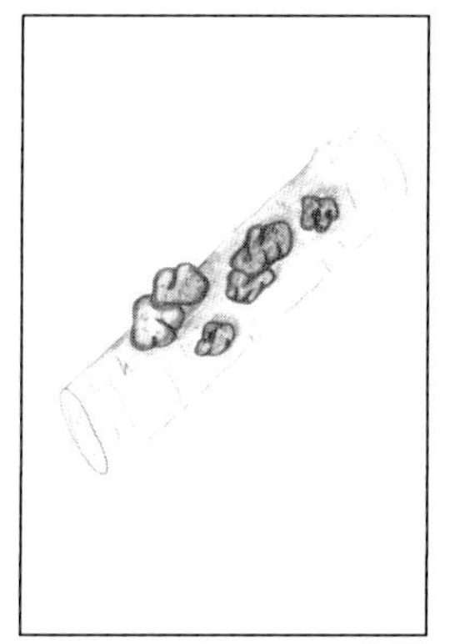

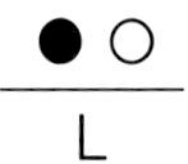

226 Dacrymyces palmatus (Schw.) Bres.
Dacrymyces palmé

Espèce lignicole croissant en été et à l'automne sur le bois mort des conifères. Comestible, ce champignon peut être utilisé pour décorer les salades ou autres plats de légumes.

Le Dacrymyces est composé de nombreuses petites masses lobées et semblables à des pétales. Elles sont d'un bel orange brillant. L'ensemble des masses peut atteindre 6 cm. La chair est orangée, gélatineuse, tenace et devient molle en vieillissant. Une base radicante fixe l'ensemble au support. Espèce à spores orangées.

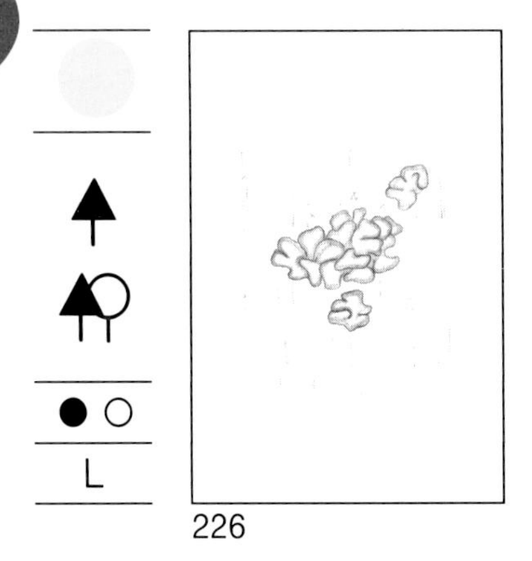

Fuligo septica (L.) Weber.

Fleur de tan

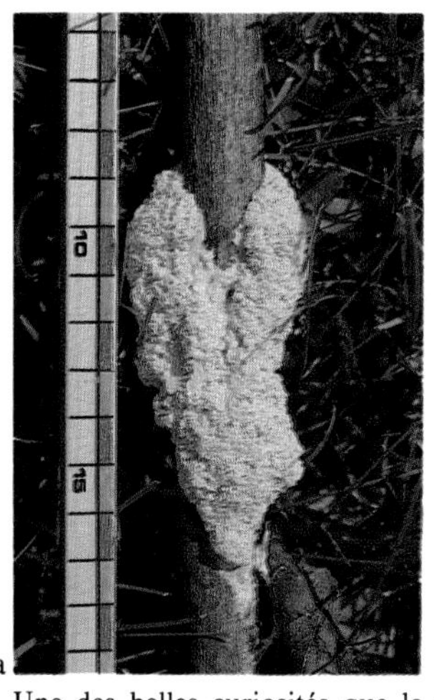

a

b

Une des belles curiosités que la nature nous offre. Se présentant sous la forme d'une masse glutineuse, la Fleur de tan est un organisme qui croît du printemps à l'automne sur les débris ligneux de nos forêts. Elle forme d'abord une masse molle et jaune, ou plasmode, qui contient plusieurs noyaux et elle est alors mobile sur le support, c'est la phase végétative (a). Lors de la fructification, ce plasmode se transforme pour donner des sporanges qui contiendront ensuite les spores nécessaires à la reproduction. C'est au cours de la phase reproductive que la masse (b) devient ocre brunâtre ou brun violacé, et qu'elle est entourée d'une mince pellicule sous laquelle on retrouve les spores sous forme de poudre brune ou noirâtre. Espèce à spores brun pourpre ou noires.

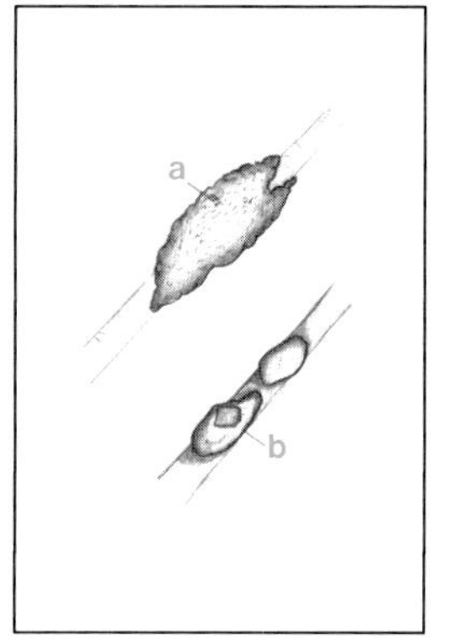

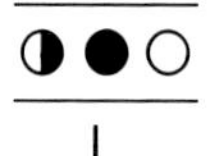

L

228 Hypoxylon fragiforme
(Pers. ex Fr.) Kickx.

Hypoxylon du bois

Espèce lignicole croissant en été et à l'automne sur le bois des feuillus, en particulier sur les hêtres. Immangeable.

Le stroma (a), c'est-à-dire la petite sphère qui émerge du bois, est de couleur rouille ou saumon. On verra souvent, lors d'une balade en forêt, ces petites masses sphériques croissant en colonies denses sur le bois vivant ou mort ; certaines de ces petites sphères peuvent mesurer un centimètre de diamètre. Si on en coupe une, on apercevra de petites logettes (b) qui sont en fait les périthèces renfermant les asques et les spores du champignon. Espèce à spores brun foncé.

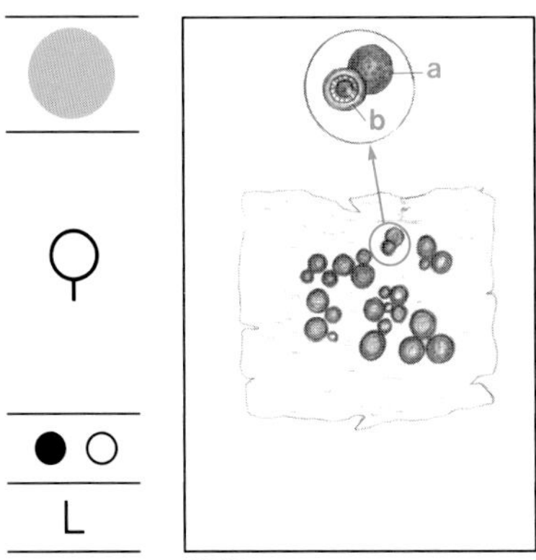

228

Lycogala epidendrum (L.) Fr.

Lycogale du bois

Espèce lignicole croissant du printemps à l'automne sur le bois mort des feuillus. Non comestible.

Au début de sa vie, ce champignon se comporte de façon presque animale. À partir d'une gelée (b) presque transparente et mobile, il se déplace sur un support à la recherche d'un milieu propice à sa croissance et à sa nutrition. Aussitôt le milieu trouvé, la gelée transparente se fixe pour ensuite se morceler et former les organes reproducteurs (a) qui épousent des formes (c) très irrégulières, sphériques, ovales, réniformes, etc. Elles sont rosâtres ou saumon au début, puis en vieillissant elles deviennent mauves ou violacées et brunes. Espèce à spores cendrées.

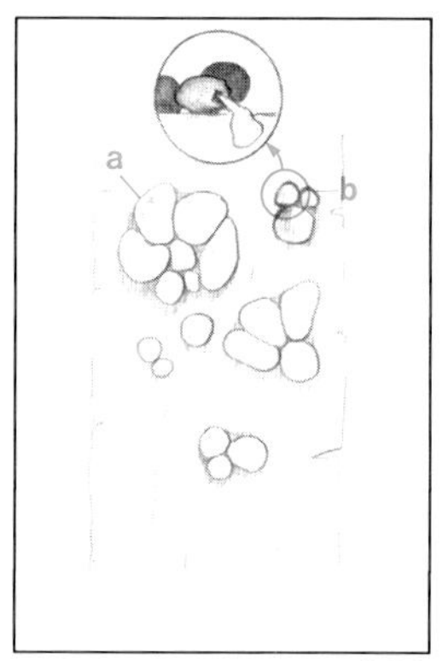

230 Cryptochaete rufa (Fr.) Karst.

Stereum rufum (Fr.) Fr. Stéré rouge

Espèce lignicole croissant du printemps à l'automne sur le peuplier faux-tremble et quelques autres peupliers. Immangeable.

Les petites pustules (a) rouges croissent souvent en colonies nombreuses sur les troncs et les branches, et peuvent atteindre jusqu'à 0,5 cm de diamètre. Elles sont bosselées à la surface et fortement agglomérées sur le support. Une mince pellicule rouge recouvre la chair (b) blanche et granuleuse, et chaque pustule est fixée au bois par de petits filaments (c) blanchâtres et courts.

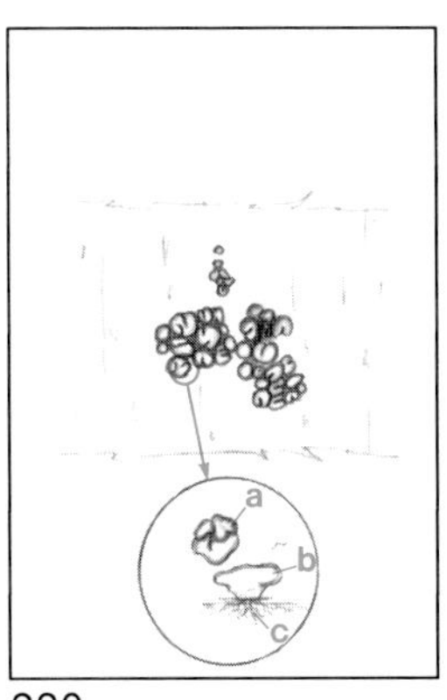

Encœlia furfuracea (Pers.) Karst.

Encélie furfuracée

Espèce lignicole croissant à l'automne sur les branches ou sur le tronc des aulnes. Non comestible.

Semblable à une petite Pézize, l'Encélie a la forme d'une coupe dont la surface extérieure (c) est brun rouille ou cannelle, et pruineuse. Elle peut mesurer jusqu'à 1,5 cm de diamètre. La surface intérieure (e), ou hyménium, est pourpre, brun foncé et parfois presque noire. La chair (b), très mince, est blanche et dure. La coupe, ou ascocarpe (a), est sessile (d) sur le support.

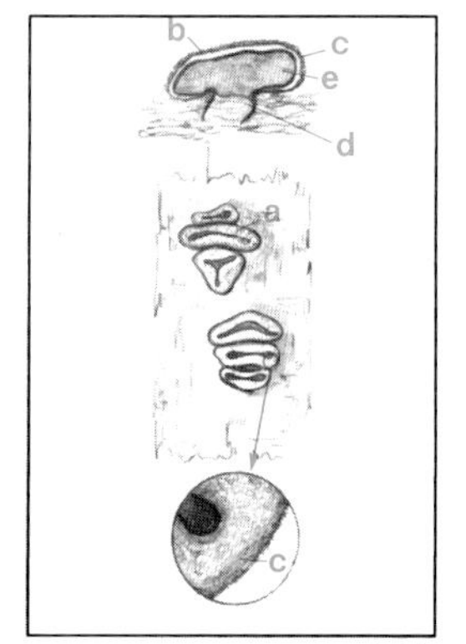

232 Geastrum coronatum Pers.
Géastre couronné

Espèce humicole croissant en été et à l'automne sous les feuillus et les conifères. Non comestible en raison de sa chair trop coriace.

Le carpophore (a) (0,5-2 cm diam.) est d'abord globuleux, composé de deux pellicules : la plus externe (e) est brun pâle ou plus foncée, et elle s'ouvre comme une étoile formée de 4 à 6 pointes. La pellicule interne (f), plus arrondie, forme le sac sporifère qui est supporté par un petit pied (g). Au sommet du sac sporifère, un orifice (h) en forme de bec laisse échapper à maturité une poudre (i) constituée par les spores. La chair, ou glèbe, est d'abord blanchâtre, puis brunâtre en vieillissant et renferme l'hyménium (b) servant à la production de ces spores (c).

H

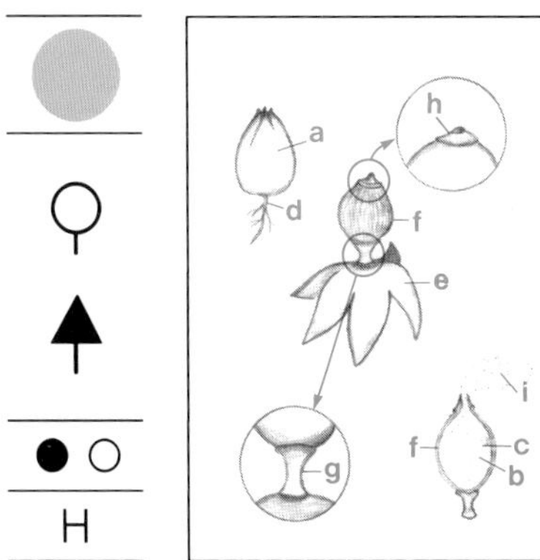

Astraeus hygrometricus (Pers.) Morg.

Géastre en étoile

Espèce humicole croissant en été et en automne à proximité des conifères, sur le sable des dunes ou autres sols sableux. Sans intérêt pour la table.

Le carpophore (a) (1-3 cm diam.) est de jaune brunâtre à brun foncé, globuleux, composé de deux pellicules: la pellicule externe (e) se déchire pour former une étoile de 6 à 12 pointes craquelées. Lors des périodes sèches, l'étoile se referme sur le sac sporifère. La pellicule interne (f) enveloppe le sac sporifère (i) qui contient les spores (g). Ces dernières s'échappent comme de la poudre par une petite ouverture (h) située au sommet du sac sporifère. Contrairement à celui des autres Géastres, le sac sporifère ne possède pas de petit pied; il est relié directement à la pellicule en étoile. La chair (c), ou glèbe, blanchâtre, devient brune en vieillissant et forme l'hyménium (b) responsable de la production de ces spores. Le pied (d) n'est constitué que de simples filaments. Espèce à spores brunes.

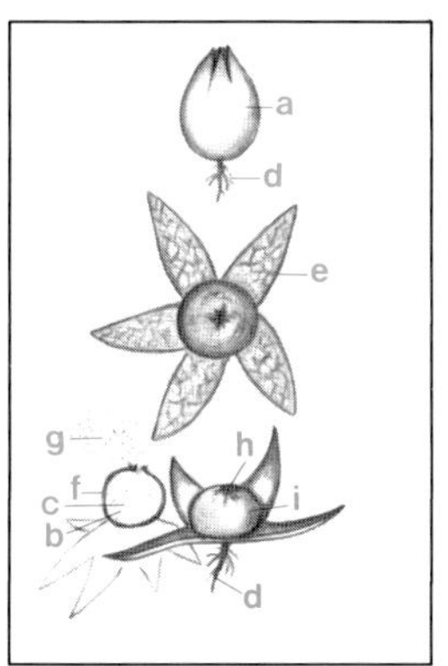

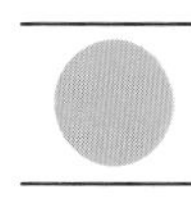

H

234 Mutinus caninus (Pers.) Fr.

Satyre des chiens

Espèce humicole croissant en été et en automne sous les feuillus, les jardins, les pelouses ou à proximité des débris ligneux. À rejeter en raison de son odeur repoussante.

Le carpophore (a) (2-3 cm diam.) est d'abord globuleux ; il a la forme d'un petit oeuf blanc (b) et contient la future forme allongée du champignon qui baigne dans une matière glutineuse comme du blanc d'œuf. À un moment donné, l'œuf se déchire et laisse sortir un pied creux (c) qui peut atteindre 17 cm de longueur, avec une tête (d) effilée et perforée, d'abord rouge, puis brun olivâtre ou vert olivâtre à maturité. Cette tête constitue alors l'hyménium (e), visqueux, déliquescent, à odeur très désagréable. De simples filaments, ou rhizomorphes (f), fixent l'ensemble au sol. Espèce à spores brun olivâtre.

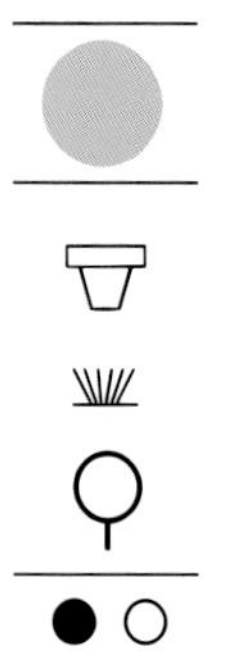

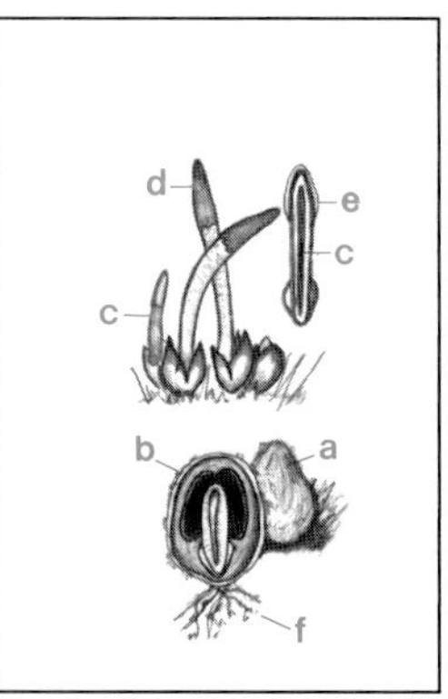

Phallus impudicus Pers.

Satyre puant impudique

Espèce humicole et lignicole rare croissant à l'été et à l'automne sous les feuillus, sur le sol ou près des bois pourri. Son odeur désagréable ne le prête pas à la consommation.

Le carpophore (a) (3-5 cm diam.) est d'abord globuleux ou en forme d'œuf (b) blanc, et contient la future forme allongée du champignon, qui baigne dans une matière glutineuse et épaisse. Plus tard dans la saison, un long pied creux (c) pouvant atteindre 15 cm de longueur émerge de l'œuf par une déchirure au sommet, et un réceptacle (d) alvéolé (e) couvert d'une glèbe visqueuse apparaît. Ce réceptacle devient gris olivâtre à vert olivâtre à maturité. Un petit voile blanc presque imperceptible apparaît près de la marge du carpophore. De simples filaments ou rhyzomorphes (f) fixent l'ensemble au sol. Espèce à spores gris olivâtre ou brun olivâtre.

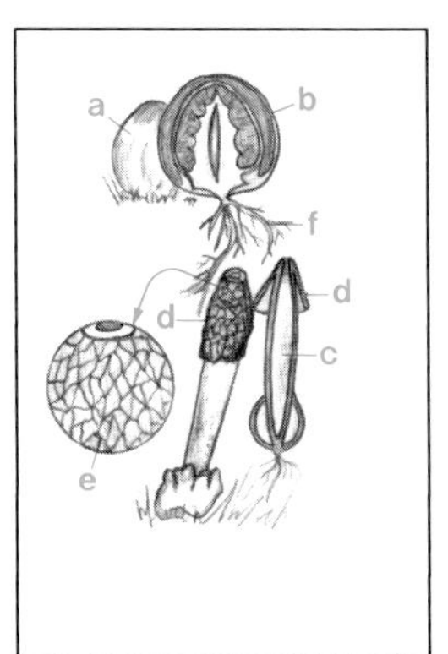

236 Dictyophora duplicata (Bosc.) E. Fischer.

Dictyophore double

Espèce humicole croissant en fin d'été et à l'automne sous les feuillus. À rejeter en raison de son odeur désagréable.

Le carpophore (a) (4-7 cm diam.) est globuleux ou en forme d'œuf (b) blanc. Le champignon, c'est-à-dire la forme allongée qui émerge de l'œuf par une déchirure au sommet, est contenu dans une matière visqueuse; un long pied creux (c) pouvant atteindre jusqu'à 20 cm de longueur apparaîtra. Le réceptacle (d) couvert d'une glèbe, ou hyménium, visqueux, est brun verdâtre, réticulé et muni d'un gros pore (e). Sous le réceptacle, un voile (f) en filet blanc tombe sur une partie du pied. De simples filaments, ou rhizomorphes (g), fixent l'ensemble au sol. Espèce à spores brun olivâtre.

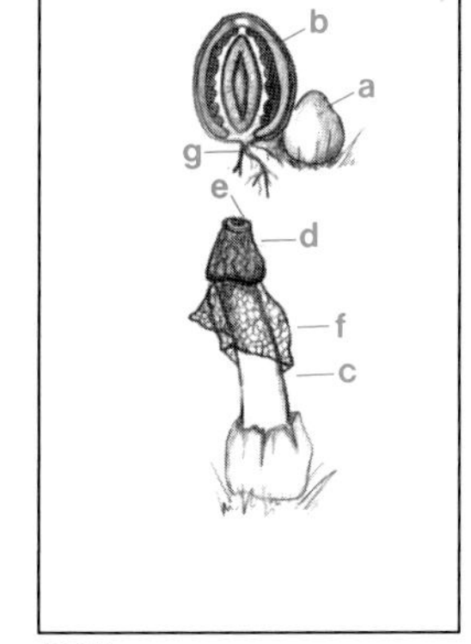

H

Neolecta irregularis (Pk.) Korf. et Rogers. 237

Mitrule irrégulière

Espèce humicole croissant en été et en automne sous les conifères ou les forêts mélangées. Comestible sans grand intérêt culinaire.

Espèce haute de 1 à 7 cm, semblable à une Clavaire et à forme irrégulière. Elle est d'abord d'un beau jaune vif, puis elle brunit avec l'âge. La surface, ou hyménium (a), est lisse et plus ou moins ridée. La chair (b) est blanchâtre ou jaunâtre, sans odeur ni saveur particulières. Le pied (c) est très court, légèrement velouté ou poudreux, et aminci à la base. Espèce à spores incolores.

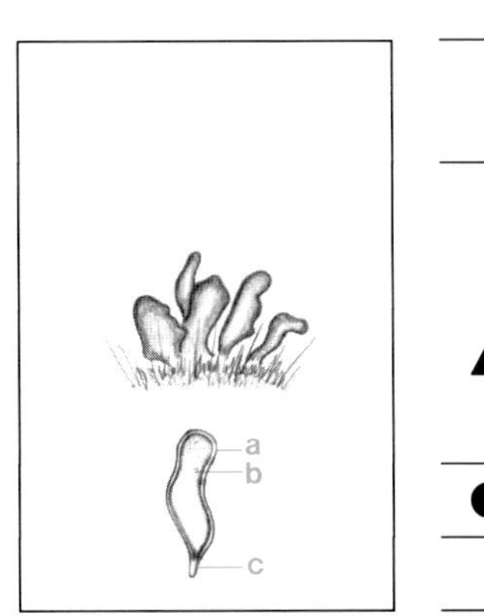

● ○

H

238 Crucibulum laeve (D.C.) Kambly.

Crucibule lisse ou vulgaire

Espèce lignicole croissant en été et à l'automne sur le bois mort. Sans intérêt pour la cuisine.

Au début de sa vie, la Crucibule est globuleuse, puis elle prend graduellement la forme d'une petite coupe (a) ou d'une tasse fermée par une fine pellicule, et elle peut atteindre un diamètre de 1 cm. La surface extérieure (b) est jaunâtre, brun jaunâtre, brun cannelle, gris brun ou ocracée, et elle est finement veloutée. La surface intérieure (c) est blanchâtre ou jaunâtre, lisse, et elle contient de petites masses blanches, rondes et aplaties appelées péridioles (d). Chacune est reliée à la surface par un filament (e) grêle. L'ensemble baigne dans une substance gélatineuse (f), ou glèbe, qui sèche avec l'âge. Espèce à spores incolores.

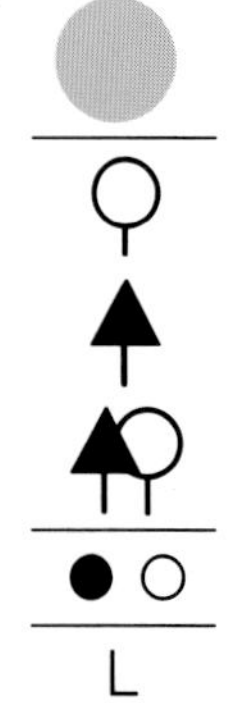

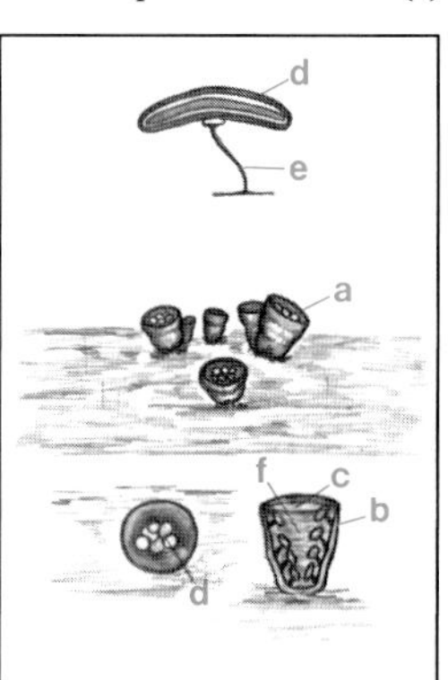

Apiosporina morbosa (Fr.) Arx.

Nodule noir du cerisier

Qui n'a pas aperçu au moins une fois dans sa vie ces grosses masses noires, ou nodules, sur les branches d'un cerisier ? Ces nodules peuvent affecter les cerisiers, les pruniers, les pêchers et les abricotiers.

Ils sont d'abord vert olivâtre et causent des lésions, ou chancres (a), sur les branches, puis deviennent noirs et noduleux (b). Ces nodules peuvent demeurer plusieurs années sur les branches et affectent les autres arbres fruitiers s'ils ne sont pas enlevés. Cette espèce croît du printemps à l'automne, les nodules étant réduits la première année à de simples renflements vert olivâtre. C'est l'année suivante qu'on verra apparaître les gros nodules noirs sur les branches affectées. Certains signes comme des gommoses (c) et des lésions indiquent souvent la présence éventuelle des nodules.

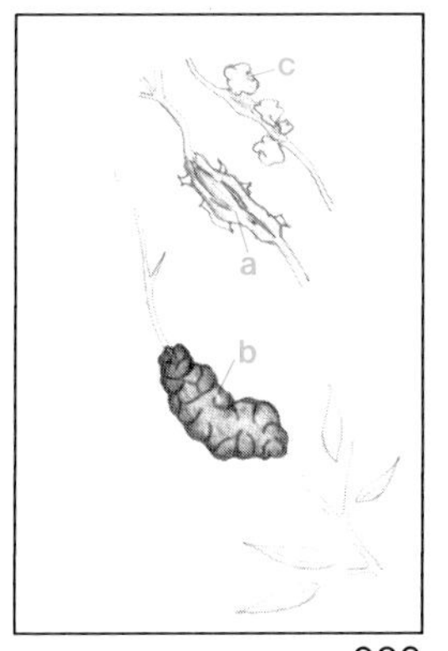

240 Hypomyces spp.
Dermatose

Ces champignons microscopiques parasitent de nombreuses Russules, les Lactaires, les Amanites, les Bolets et quelques Polypores. Ils causent des altérations en formant des croûtes de différentes couleurs à la surface des champignons ou sur toutes leurs parties. D'un strome (a) émergent les périthèces (d) qui contiennent les asques (e) et les spores. Chaque périthèce (b) s'ouvre au sommet par un orifice, ou ostiole, (c) permettant ainsi aux spores de s'échapper à l'air.
1 — Hypomyces lactifluorum (Fr.) Tul. « Dermatose des Russules ».
2 — Hypomyces hyalinus (Fr.) Tul. « Dermatose des Amanites ».
3 — Hypomyces chrysospermus Tul. « Dermatose des Bolets ».

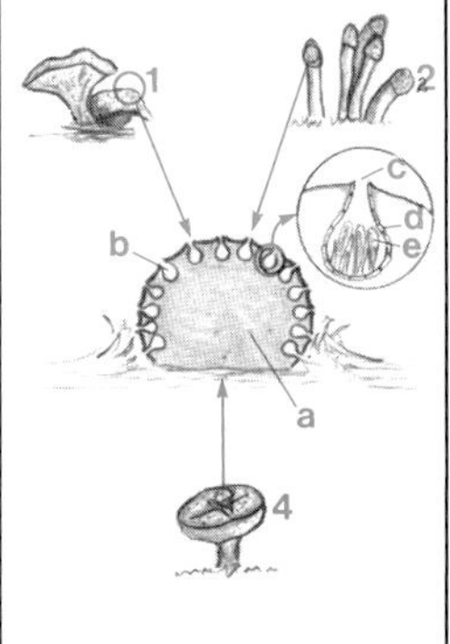

Ces trois espèces apparaissent en même temps que les champignons. Les Russules parasitées par l'Hypomyces lactifluorum sont de très bons comestibles.

Serpula lacrymans (Fr.) Schrœt.

Mérule pleureuse

Espèce lignicole croissant en toute saison dans les maisons mal aérées et humides, comme les caves, les greniers, sous les planchers ou les charpentes de bois. Non comestible.

La Mérule pleureuse compte parmi les champignons les plus destructeurs que nous connaissions actuellement. L'humidité et le mauvais entretien des habitations favorisent sa croissance. Elle s'attaque à presque tous les types de bois, en particulier les conifères. Elle forme sur le bois affecté des coussinets (A) épais et légers, et provoque une pourriture sèche (B) de type cubique qui rend nulle la résistance du bois. C'est à la lumière que le champignon fructifie le plus rapidement, et la partie centrale (a) est formée d'un coussin compact et couvert d'alvéoles. En bordure des coussinets, la marge (b) laisse suinter des gouttelettes (c). Cette eau, le champignon peut aller la chercher loin de sa fructification par un réseau de filaments étalés. Espèce à spores ocres ou jaune orangé.

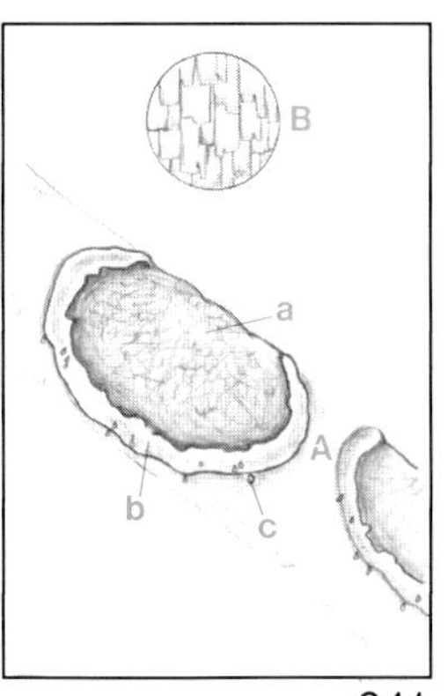

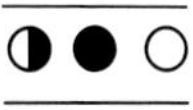

L

242 Claviceps purpurea (Fr.) Tul.

Ergot du seigle ou des graminées

Ce champignon (A) parasite les jeunes fleurs de plusieurs graminées. Il se développe en été et à l'automne. Il s'attaque aux tissus de l'ovaire et le déforme pour produire une petite masse allongée noire, ou sclérote (a), mesurant de 1 à 2 cm de longueur. Les sclérotes émergent des épis (b) et ressemblent à des ergots de coqs. Ils tombent à l'automne sur le sol et passent l'hiver sous forme de vie latente, en dormance. Le printemps venu, les sclérotes germent et produisent les spores nécessaires à la reproduction. Ils sont surtout visibles à la fin de l'été ou au début de l'automne. Une plus petite espèce, « Claviceps microcephala (Wallr.) Tul. » (B), affecte d'autres graminées sauvages et se retrouve occasionnellement dans les prairies herbeuses. Ces champignons considérés comme très toxiques causent des empoisonnements parfois très graves aux animaux ou aux hommes qui consomment les graminées. Espèce à spores noires.

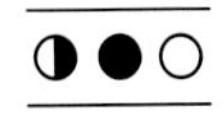

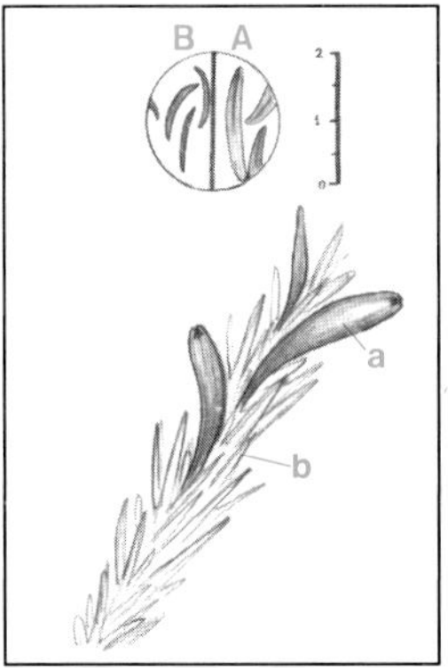

Ustilago zeae (Beckmann) Unger.

Charbon du maïs

Il arrive souvent qu'on voit, dans un champs de maïs, des épis difformes montrant des formations (a) globuleuses et noires.

Ces épis (b) sont affectés par un champignon parasite qui cause une maladie du nom de « Charbon du maïs ». Le champignon affecte surtout les jeunes fleurs et parfois d'autres organes de l'épi en voie de croissance. Ces formations peuvent atteindre des dimensions assez remarquables allant jusqu'à 20 cm de longueur et 15 cm de diamètre. Au début de leur croissance, les masses sont d'abord blanches, puis elles se tachent de noir et forme un amas entièrement noir en vieillissant. Ce sont surtout les épis femelles qui sont affectés, mais il arrive que les épis mâles et les feuilles le soient aussi. À maturité, ces masses se déchirent et libèrent une poussière noire formée par les spores. Leur croissance se fait de l'été à l'automne. On considère ce champignon comme aussi toxique que l'Ergot du seigle. Espèce à spores noires.

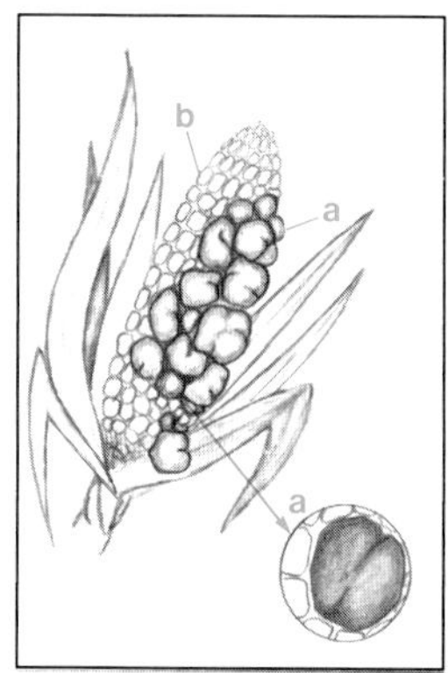

244 Pucciniastrum agrimoniae
(Diet.) Tranz.

Rouille de l'aigremoine

Les Rouilles se caractérisent par la présence de taches orangées, rouille ou roses sur les feuilles ou les aiguilles de nombreuses plantes vasculaires. L'aigremoine est possiblement l'hôte intermédiaire de la Rouille de la pruche. Il existe plus de 5 000 espèces différentes de Rouilles dans le monde, et chacune affecte des plantes différentes, causant des maladies plus ou moins graves. Certaines affectent des plantes herbacées, d'autres des feuillus ou des conifères. La plupart des plantes herbacées ou arbustives servent d'hôtes intermédiaires permettant le développement et la fructification du champignon. Elles sont visibles surtout au printemps et à l'été.

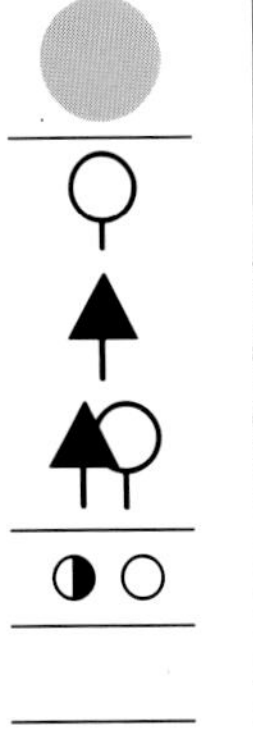

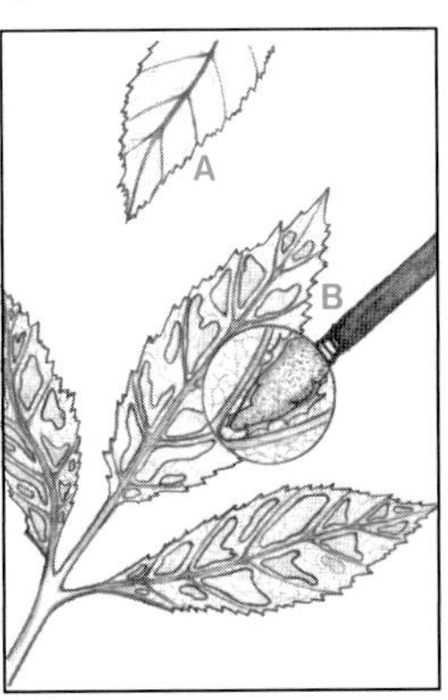

(A — Feuille saine — B — Feuille affectée). Non comestible. Espèce à spores rouille ou roses.

Poria obliqua (Pers. ex Fr.) Karst.

Poria a tubes obliques

Qui n'a pas remarqué en forêt ces grosses masses (a) friables et noires émergeant des blessures des bouleaux ou poussant à travers leur écorce? Ce champignon lignicole provoque des chancres sur le tronc (b) et cause une pourriture blanche du bois. La partie visible et noire du champignon est stérile et se détache en cubes irréguliers (c). La partie interne jaune brunâtre est plus tendre et spongieuse. La production des spores se ferait uniquement à la mort de l'hôte. Cette espèce peut croître sous tous les types de couverts forestiers à condition qu'il y ait des bouleaux. Non comestible.

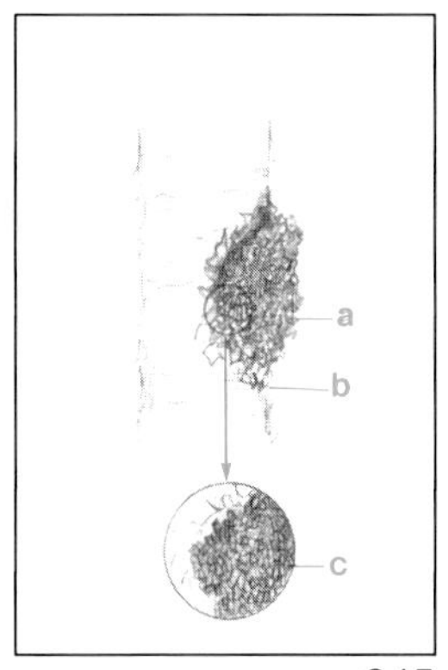

246 Metatrichia vesparium
(Batsch.) Nan. et Brem.

Ce champignon à multiples fructifications, ou sporocarpes (a), est brun rougeâtre à pourpre, en forme de petits gobelets, et peut atteindre 0,5 mm de diamètre et 1,5 mm de hauteur. En l'examinant à la loupe, on pourra voir le reflet métallique des sporocarpes pourpres. Chaque fructification est porté par un court pédicelle (c) et, à maturité, s'ouvre au sommet pour libérer un amas de filaments appelé capillitium (b), sur lesquels sont accrochés les spores. Cette espèce qui croît en été et à l'automne vit sur le bois pourri, surtout en forêts de feuillus ou en forêts mélangées. Non comestible. Voici la «(d) disposition des sporocarpes sur les pédicelles» et le «(e) détail du capillitium et des spores».

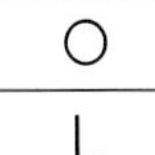

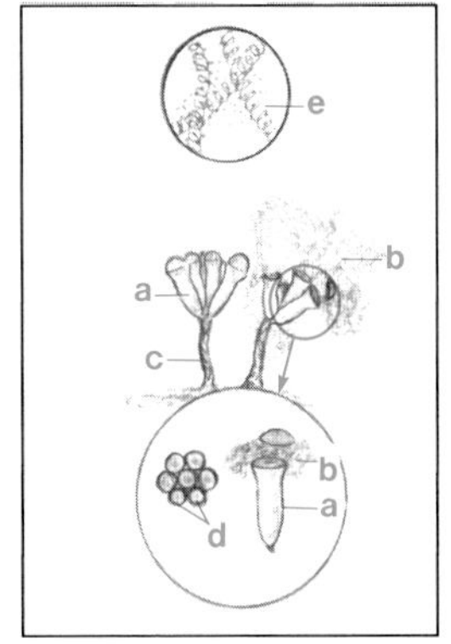

Abréviations des noms d'auteurs

Arx = J.A. von Arx.
Atk. = Atkinson.

Bank. = Banker.
Bann. = Banning.
Batsch = Batsch.
Beckmann = Beckmann.
Berk. = Berkeley.
B. et Br. = Berkeley et Brome.
B. et C. = Berkeley et Curtis.
Bon. = Bonorden.
Bolt. = Bolten.
Bosc = Bosc.
Boud. = E. Boudier.
Bres. = J. Bresadola.
Burl. = Burlingham.

Casp. = Caspary.
Ces. et DeNot. = Cessati et DeNotaris.
Cke. = Cooke.
Cor. = Corner.
Corda = Corda.

D.C. = A. de Candolle.
Diet. = Dietel.
Donk = Donk.
Dumée = Dumée.

E. Fisher = E. Fisher.
Ell. = J.B. Ellis.

Fay. = Fayod.
Fr. = E.M. Fries.
Fuck. = Fuckel.

Gill. = Gillet.
Ginns = Ginns.
Godfrin = Godfrin.
Grev. = Greville.

Hes. = Hesler
Hook. = Hooker.
Hornem. = Hornemann.

Kalch. = Kalchbrenner.
Kambly = P.E. Kambly.
Karst. = P. Karsten.
Kickx = J.F. Kickx.
Klotz. = Klotzch.
Korf = Korf.
Krombh. = Krombholtz.
Küh. = Kühner.
Kum. = Kummer.
Kunt. = O. Kuntze.

L. = Linné.
Lamb. = Lambotte.
Lange = J.E. Lange.
Lasch = W.G. Lasch.
Letellier = Letellier.
Lloyd = C.G. Lloyd.
Lund. = S. Lundel.

Maire = R. Maire.
Mart. = Martin.
Melzer = Melzer.
Mérat = F.V. Mérat.
Mét. = Métrod.
Mil. = O.K. Miller jr.
Mass. = Massee
Morg. = Morgan.
Moser = Moser.
Mürr. = Mürrill.

Nan. et Brem. = Nannenga-Bremekamp.
Nannf. = J.A. Nannfeldt.

Opat. = W. Opatowski.

Pat. = N. Patouillard.
Pers. = C.H. Persoon.
Petrak = Petrak.
Pilat = A. Pilat.
Pk. = C.H. Peck.

Pomerleau = R. Pomerleau.
Pouzar = Z. Pouzar.

Quél. = L. Quélet.

Roger = Roger.
Rom. = Romagnesi.

Sacc. = P.A. Saccardo.
Schaeff. = J.C. Schaeffer.
Schrœt. = J. Schrœter.
Schw. = L.D. Schweinitz.
Secr. = L. Secrétan.
S.F. Gray = S.F. Gray.
Sing. = R. Singer.
Smith = A.H. Smith.
Snell = W.H. Snell.
St-Am. = Saint-Amans.
Staude = Staude.

Tranz. = Tranzschel.
Tul. = E.L. Tulasne.

Under. = L.M. Underwood.
Unger = Unger.

Vitt. = C. Vittadini.
Viv. = D. Viviani.

W.G. Smith = W.G. Smith.
Weber. = Weberbauer.
Wein. = J.A. Weinmann.
Wulf. = Wulfen.

Index des noms scientifiques

Index des noms français

Bibliographie

BECKER, G., *Champignons*, Paris Gründ, 1983.

CHAUMETON, H., CHAMCIAUX, M. et LAMAISON, J.L., *Les Champignons de France*, Paris, Solar, 1983.

Collaboration, *Noms des maladies des plantes au Canada*, Publication n° QA38-R41, Agriculture Québec, Québec, Bibliothèque Nationale du Québec, 1975.

Collaboration, *Guide des champignons*, Paris, Sélection du Reader's Digest, 1982.

GINNS, J., « Hericium coralloïdes N. Amer. Auct. (*H. americanum sp. nov.) and the European H. alpestre and H. coralloïdes », *Myxotaxon*, April-June 1984, vol. XX, n° 1, p. 39-43.

GROVES, J.W., *Edible ans Poisonous Mushrooms of Canada*, Research Branch, Canada Dept. of Agriculture, Publication n° 1112, Canada, 1962.

HARRISON, K.A., *The stipitate Hydnums of Nova Scotia*, Canada Dept. of Agriculture, Publication n° 1099, Canada, 1961.

HARRISON, K.A., « New or little known North American stipitate Hydnums », *Canadian Journal of Botany*. 42, 1964, p. 1205-1233.

HARRISON, K.A., « Studies on the Hydnums of Michigan. 1. General Phellodon, Bankeria, Hydnellum », *The Michigan Botanist*, U.S.A.,, 1968, vol. 7, p. 212-264.

JOLY, P., *Les Champignons*, Paris, Hatier, 1962.

JOSSERAND, J., *Encyclopédie mycologique XXI. La description des champignons supérieurs*, Paris, Éd. Paul Lecavalier, 1952.

KUHNER, R. et ROMAGNESI, H., *Flore andytique des champignons supérieurs*, Paris, Masson & Cie, 1953.

LANIER, L., JOLY, P., BONDOUX, P. et BELLEMÈRE, A., *Mycologie et Pathologie forestières. I. Mycologie forestière*, Paris, Masson & Cie, 1978.

LEBRUN, D. et GUERIBEAU, A.M., *Champignons du Québec et de l'est du Canada*, Montréal, Éd. France-Amérique, 1981.

LENTZ, P.L., *Stereum and Allied General of Fungi in the upper Missisipi Valley*, Agriculture Monograph n° 24. U.S. Dept. of Agriculture, Washington, D.C., 1955.

LOWE, J.L., *Polyporaceae of North America. The genus Fomes*, State University College of Forestry at Siracuse University, State University of New York, 1957.

MAUBLANC, A., *Encyclopédie pratique du naturaliste XXII. Champignons comestibles et vénéneux. Atlas*, Paris, Éd. Lechevalier. S.A.R.L., 1976.

MAUCH, H. et LAUBER, K., *Champignons*, Lausanne, Éd. Payot, Petits Atlas Payot, n° 74-76, 1975.

MILLER, O.K. jr., *Mushrooms of North America*, New York, A. Chanteclerc Press Edition, 1978.

MOREAU, C., *Larousse des champignons*, Paris, Larousse, 1978.

NORIS, U., *Guide des champignons des prés et des bois*, Paris, Duculot, 1981.

NORIS, U., *Guide des champignons gastronomiques*, Paris, Duculot, 1984.

OVERHOLTS, L.O., *The Polyporaceae of the United States*, Alaska and Canada, U.S.A., Ann Arbor the University of Michigan Press, Scientific Serias, 1967, vol. XIX.

POMERLEAU, R., *Flore des champignons au Québec et régions limitrophes*, Montréal, La Presse, 1980.

POMERLEAU, R., « À propos du nom scientifique de l'Oronge américaine », *Le Naturaliste canadien* (Revue écolog. syst.), 1984, 111, p. 329-330.

ROMAGNESI, H., *Petit Atlas des champignons*, Paris, Bordas, 1970, tomes I-II-III.

The Audubon Society, *The Audubon Society Field Guide to North American Mushrooms*, New York, A. Chanteclerc Press Edition, 1984.

Glossaire

A

Acidulé : au goût légèrement acide.

Âcre : qui a un goût ou une odeur irritante.

Adné : se dit des lames, tubes, etc., quand ils adhèrent au pied par la presque totalité de leur largeur.

Aiguillons : organes ayant la forme d'une aiguille ou d'un petit cône, et formant l'hyménium des hydnacées.

Alvéoles : cavités ou dépressions couvrant la fructification des morilles.

Amer : à saveur désagréable.

Anastomosés : se dit de deux éléments réunis ensemble par un pli, une veine ou un filament.

Anneau : bague entourant le pied de nombreux champignons comme les Amanites, les Lépiotes, les Agarics, etc.

Aplani : se dit de la surface unie d'un chapeau.

Aplati : se dit de la surface plate d'un chapeau.

Arbustif : en forme d'arbuste. Ex. : les Ramaires.

Arête : ligne saillante ou bordure libre de la lamelle.

Ascocarpe : fructification des ascomycètes. Ex. : Morille, Gyromitre, Verpe, etc.

Asque : organe en forme de sac allongé contenant les spores chez les ascomycètes.

B

Bague : anneau entourant le pied de certains champignons.

Bouton : jeune fructification, aussi appelée primordium ou œuf, chez les champignons supérieurs.

Bulbe : renflement situé à la base du pied des champignons.

C

Campanulé : se dit d'un chapeau épousant la forme d'une cloche.

Cannelé : se dit des chapeaux bordés longitudinalement de stries.

Carpophore: formé par le chapeau, l'hyménium et le pied des champignons; réceptacle fructifère portant l'ensemble des spores.

Cartilagineux: résistant et élastique.

Caverneux: se dit du pied creusé irrégulièrement ou rempli de petites cavités.

Central: se dit d'un pied fixé au centre du chapeau.

Cérébriforme: qui a l'allure d'un cerveau avec ses circonvolutions. Ex.: Exidia glandulosa.

Chair: partie charnue d'un champignon. Ex.: chair du chapeau, chair du pied.

Chancre: lésion ou ulcération qu'on trouve sur le tronc des arbres malades.

Chapeau: partie supérieure et étalée du carpophore.

Charnu: se dit des champignons qui ont beaucoup de chair.

Cilié: organe bordé ou garni de cils. Ex.: Scutellina scutellata.

Cireux: ayant l'apparence de la cire.

Claviforme: en forme de clavaire.

Colonies: ensemble formé par des champignons de même espèce. Ex.: Collybia dryophila.

Convexe: se dit des chapeaux courbés, saillants ou tombés vers l'extérieur.

Cordonnet: petit cordon ou filament situé à la base du pied de certains champignons. Ex.: Bovista pila.

Cortine: voile formé de fins filaments délicats et fragiles reliant la bordure du chapeau et le pied, chez les Cortinaires en particulier.

Cotonneux: à texture de coton ou d'ouate.

Coussinet: se dit des croûtes épaisses et duveteuses de certains champignons. Ex.: Serpula lacrymans.

Craquelé: se dit le plus souvent de la surface de certains chapeaux qui sont légèrement fendillés.

Crénelé: bordure des chapeaux ou des lamelles qui sont dentelés ou découpés en créneaux.

Crevassé: se dit de la surface du chapeau ou du pied qui est légèrement fendue chez certains champignons.

Cuticule: pellicule mince ou parfois épaisse recouvrant la surface des chapeaux. Elle est le plus souvent teintée et donne leur belle couleur à certains champignons.

D

Décurrent : se dit des lamelles, des replis, des tubes ou des aiguillons qui se prolongent sur le pied des champignons.

Déliquescent : se dit des champignons qui se liquéfient en se décomposant avec l'âge. Ex. : la plupart des Coprins.

Denté : bordé de dents.

Dentelé : bordé de petites dents comme les dents d'une scie.

Denticulé : bordé ou muni de très petites dents.

Déprimé : aplati ou écrasé.

Duveteux : ayant l'apparence du duvet.

E

Écailleux : couvert d'écailles. Se dit particulièrement du chapeau ou du pied de certains champignons.

Échancré : se dit des lamelles portant une petite échancrure ou entaille près du pied. On dit aussi émarginé.

Émarginé : échancré.

Endopéridium : enveloppe ou pellicule interne de certains champignons ; les Lycoperdons, par exemple.

Engainant : se dit d'un organe enveloppé d'une gaine.

Excentrique : se dit du pied qui n'est pas tout à fait situé au centre du chapeau.

Exopéridium : enveloppe ou pellicule externe de certains champignons comme les Lycoperdons.

Exsuder : se dit des organes qui suintent.

F

Farci : se dit d'un pied rempli d'une moelle tendre.

Farineux : qui a l'aspect de la farine.

Fasciculé : réuni en un faisceau parfois compact.

Fétide : se dit des champignons à odeur forte ou repoussante.

Feutré : qui a l'aspect du feutre.

Fibreux : organe formé de filaments parallèles et serrés.

Fibrille : petit filament ou fibre.

Fibrilleux : organe garni de très petits filaments parallèles.

Filament : élément allongé et fin placé sur certains organes ou terminant certains organes.

Floconneux : couvert de flocons.

Fossette : petite dépression qu'on trouve sur le pied ou le carpophore de certains champignons.

Fugace: élément disparaissant très tôt sur un organe donné. Ex.: le voile ou l'anneau chez certains champignons.

Fusiforme: en forme de fuseau.

G

Gaine: petit manchon recouvrant un organe donné.

Gélatineux: qui a la consistance de la gélatine.

Glabre: entièrement dépourvu de poils.

Glanduleux: couvert de petites glandes.

Glèbe: partie fertile interne de certains champignons. Ex.: les Vesses-de-loup.

Globuleux: se dit généralement des champignons qui épousent presque la forme d'une boule ou d'une sphère. Ex.: les Vesses-de-loup.

Glutineux: visqueux.

Granuleux: couvert de petits granules.

H

Hérissé: se dit d'un organe couvert ou tapissé de poils.

Hirsute: se dit d'un organe hérissé de poils raides et dressés.

Humicole: se dit des champignons croissant sur l'humus.

Hyalin: transparent comme le verre.

Hygrophane: s'applique aux tissus s'opacifiant et pâlissant fortement par déshydratation.

Hyménium: partie fertile des champignons portée par des lamelles, des replis, des tubes, des aiguillons, des fossettes, des alvéoles, etc., et qui produit les spores.

I

Imbriqué: se dit des chapeaux, des écailles, etc., qui se superposent.

Immuable: se dit du lait des Lactaires qui ne change pas de couleur à l'air.

Interveiné: se dit des lamelles réunies entre elles par des petites veines, comme chez certains Hygrophores.

L

Labyrinthoïde: en forme de labyrinthe.

Lacéré: déchiré irrégulièrement.

Lacuneux: se dit d'un pied garni de petites cavités intérieures comme chez certaines Helvelles.

Lait: liquide exsudé par la chair ou les lamelles de certains champignons comme les Lactaires.

Lamelle: petite lame située sous le chapeau et dont l'ensemble forme l'hyménium.

Lamelliforme: ayant la forme des lamelles.

Lamelloïde: prenant l'aspect d'une lamelle.

Latéral: situé sur le côté, s'applique au pied. Ex.: Ganoderma lucidum.

Libre: se dit des lamelles qui ne touchent pas le sommet du pied ou n'y sont pas soudées.

Liégeux: ayant la consistance du liège.

Ligneux: ayant la consistance du bois.

Lignicole: champignons croissant sur la matière ligneuse. Ex.: les Polypores.

Lobé: se dit des divisions profondes qui se trouvent à la marge du chapeau, à l'arête des lamelles ou sur la volve de plusieurs champignons.

M

Mamelonné: se dit des chapeaux portant un mamelon au sommet.

Manchon: grosse gaine enveloppant le pied de certains champignons. Ex.: les Phellodons.

Marge: bordure d'un chapeau, d'une lamelle.

Mèche: petite écaille à bout relevé.

Méchuleux: couvert de petites mèches ou écailles dont le bout est relevé.

Membraneux: se dit d'un élément ayant l'aspect d'une membrane.

Micacé: poudré de très petits grains brillants.

Mobile: se dit d'un anneau libre, détaché et qui peut se mouvoir sur le pied.

Moelleux: qui a la consistance de la moelle.

Mycélium: ensemble formé de filaments microscopiques enchevêtrés, «*les hyphes*», et constituant la partie végétative et cachée des champignons.

Mycologie: science qui étudie les champignons.

Mycologue: personne étudiant la mycologie.

N

Nacré: ayant l'apparence du nacre.

Nodule: masse presque globuleuse ou allongée, et formée par certains champignons. Ex.: Apiosporina morbosa.

Noduleux: qui a l'aspect d'un nodule.

O

Ombiliqué: se dit des chapeaux présentant une petite dépression en leur centre.

Omboné: se dit d'un chapeau surmonté en son centre d'un gros mamelon.

Ostiole: orifice ou ouverture arrondie située au sommet de certains champignons et permettant aux spores de s'échapper. Ex.: certains Lycoperdons.

P

Pédicelle: petite tige ou petit pied de certains champignons.

Pellicule: cuticule qui recouvre le chapeau des champignons.

Pelucheux: couvert de longs poils semblables à de la peluche.

Péridiole: petits organes contenant le tissu fertile de certains champignons ou petite logette contenant les éléments reproducteurs.

Péridium: enveloppe ou pellicule de certains champignons.

Périthèce: fructification renfermant les spores de certains champignons comme la Daldinie concentrique.

Pied: organe ou élément généralement cylindrique supportant le chapeau des champignons.

Piriforme: en forme de poire.

Plage: est pris dans le sens de: petite étendue, portion plus ou moins restreinte d'une surface donnée.

Plasmode: masse gélatineuse représentant le stade végétatif chez un groupe particulier de champignons, les Myxomycètes.

Ponctué: couvert de ponctuations, de points, de petites taches.

Pore: petit orifice terminant les tubes chez certains champignons comme les Bolets et les Polypores.

Poudreux: ayant l'aspect de la poudre.

Primordium: première formation globuleuse dont l'évolution à terme donnera le champignon.

Pruineux: comme couvert d'une poussière si fine qu'elle est irrésoluble à la loupe.

Pubescent: couvert de poils.

Pustule: petite tumeur ou excroissance se développant sur les tissus végétaux.

Pustuleux : couvert de pustules.

R

Radicant : se dit d'un pied se terminant par une ou plusieurs pseudo-racines.

Rameux : se dit de la subdivision des rameaux comme chez les Ramaires ou les Clavaires.

Ramifié : formé par l'ensemble des ramifications.

Ramuscule : la plus petite ramification comme chez les Ramaires ou les Clavaires.

Réceptacle : carpophore.

Réniforme : en forme de rein.

Résupiné : champignons disposés et étalés sur le support, donc sans pied.

Réticulé : orné de fines lignes en forme de réseau ou de filet comme sur le pied de plusieurs bolets.

Rhyzomorphe : filaments ou cordons mycéliens résistants, et le plus souvent de couleur sombre, formés par le mycélium de certains champignons comme l'Armillaire couleur de miel.

Rosette : disposition en cercle comme les pétales d'une rose.

Rugueux : à surface rugueuse.

Ruguleux : à surface légèrement rugueuse.

S

Sclérote : petit tubercule, ou masse dure, formé par l'enchevêtrement de filaments mycéliens et caractérisant certains champignons comme l'Ergot du seigle.

Sessile : dépourvu de pied et directement soudé au support.

Sillonné : se dit de la marge ou du pied, en forme de sillon.

Sinué : dont le bord, le contour, présente une ou plusieurs courbes concaves ou échancrures.

Sinueux : qui présente des replis ou même, le plus souvent, de simples ondulations.

Soyeux : se dit d'une surface luisante comme de la soie.

Spatulé : en forme de spatule.

Spongieux : ayant la consistance d'une éponge.

Sporange : appareil reproducteur contenant les spores et caractérisant certains champignons, par exemple, les Myxomycètes.

Spore : élément ou organe microscopique de reproduction chez les

Cryptogames. C'est en quelque sorte une semence..., «*une graine*».

Sporée: amas ou dépôt de spores sur une surface quelconque.

Sporocarpe: fructification produisant les spores. Syn.: sporophore.

Squameux: se dit d'un organe couvert d'écailles sèches.

Squamuleux: se dit d'un organe couvert de petites écailles sèches.

Strate: couches d'apparences différentes et superposées les unes sur les autres.

Stratification: disposition de différents éléments les uns par rapport aux autres.

Stratifié: qui est disposé en couches.

Strié: se dit de la surface d'un chapeau ou de la surface du pied couverte de petites lignes parallèles et peu profondes.

Striolé: se dit d'un organe, comme la surface d'un chapeau ou du pied, couvert de petites lignes parallèles difficilement perceptibles.

Strome: agglomération ou amas de filaments mycéliens.

Subéreuse: de la consistance du liège.

Substrat: «*qui se tient dessous*»: milieu sur lequel croissent les champignons. Ce peut être le sol, le bois, la paille, etc., et même un autre champignon.

Support: substrat où croît le chapeau des champignons. Le bois est un support pour les champignons lignicoles.

Sylvestre: se dit des espèces croissant en milieu forestier.

T

Tenace: très résistant.

Tomenteux: se dit des organes comme le chapeau qui sont tapissés de poils fins, mous et serrés.

Tronc: s'emploie ici comme étant le pied des Ramaires.

Tube: organe cylindrique dont l'ensemble forme l'hyménium des Bolets et des Polypores.

Tumeur: renflement ou excroissance apparaissant sur les tissus ou les organes de certains champignons.

V

Velouté: qui a l'aspect du velours.

Velu: se dit de certaines surfaces couvertes de poils longs.

Ventru: se dit des organes renflés au centre.

Vergeté : se dit d'une surface couverte de lignes fines, serrées et disposées radialement.

Verrues : se dit des débris du voile en forme de verrues qu'on trouve à la surface de certains champignons comme l'Amanite tue-mouche.

Verruqueux : se dit d'une surface couverte de verrues.

Vésiculeux : se dit d'un organe qui a la forme d'un sac vide et gonflé. Ex. : en forme de vessie.

Visqueux : se dit d'une surface couverte d'une couche mucilagineuse et collante.

Vivace : se dit, ici, des champignons qui vivent plusieurs années et dont le carpophore s'accroît d'année en année.

Voile : enveloppe délicate et fragile recouvrant le jeune champignon ; le voile subsiste sous la forme d'écailles ou de verrues sur le chapeau, et/ou d'une volve à la base du pied (voile général), ou recouvre l'hyménium et subsiste avec l'âge sous la forme d'un anneau.

Volve : partie engainant la base du pied de certains champignons. Elle est en forme de sac et on la retrouve chez les Amanites et les Volvaires.

Z

Zoné : se dit d'un chapeau couvert de zones concentriques.

Guide d'identification

CHAMPIGNONS À LAMELLES

	Spores incolores	Spores blanches ou crèmes•	Spores jaunes ou roses•	Spores ocres ou brunes•	Spores violacées ou noires•
Pied avec volve et anneau		Amanita			
Pied avec volve et sans anneau		Amanita•		Volvariella•	
Pied sans volve et à anneau		Lepiota		Agaricus, Pholiota•	Coprinus•, Stropharia•, Panaeolus•
Pied muni d'une cortine				Cortinarius	
Pied sans volve, sans anneau et sans cortine		Marasmius, Laccaria, Collybia, Mycena, Oudemansiella, Clitocybe, Tricholoma, Tricholomopsis, Armillaria, Russula, Flammulina, Lactarius, Hygrophorus, Hygrophoropsis•, Cystoderma, Cantharellula, Lyophyllum	Pluteus, Entoloma, Clitopilus, Lactarius, Xeromphalina, Collybia	Hebeloma, Agrocybe•, Russula, Lactarius, Lepista, Xeromphalina, Inocybe, Paxillus, Croogomphus•, Conocybe, Bolbitius, Pluteus•, Entoloma•, Psathyrella•, Clitopilus	Coprinus•, Panaeolus•, Croogomphus•, Hypholoma, Psathyrella•, Gomphidius
Pied excentrique ou latéral		Pleurotus, Lentinus, Lentinellus, Geopetalum		Crepidotus	
Sans pied ou sessile		Pleurotus, Schizophyllum, Panellus	Phyllotopsis	Phyllotopsis, Crepidotus	

CHAMPIGNONS À REPLIS RAMIFIÉS		En forme d'entonnoir ou de trompette				Cantharellus		Cantharellus, Gomphus, Craterellus	
		En forme de demi-entonnoir ou en spatule				Phlogiotis		Craterellus	
CHAMPIGNONS À PORES		Avec pied excentrique, latéral ou central. (pores ronds ou polygonaux)			Polyporus	Polyporus		Gyrodon•	
							Gyroporus	Boletinus•, Suillus•, Leccinum•, Boletus•, Fuscoboletinus•	
		Sans pied ou sessile, (pores ronds ou polygonaux)	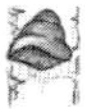		Polyporus, Pycnoporus, Trametes	Polyporus, Fomes		Coriolus, Ganoderma	
		Sans pied ou sessile (pores lamelloïdes ou labyrinthoïdes)			Lenzites, Daedalea				
CHAMPIGNONS À AIGUILLONS	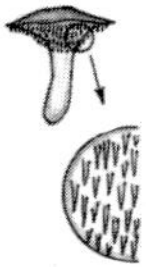	Pied central				Dentinum, Hydnum	Hydnellum		
		Pied latéral ou excentrique				Pseudohydnum			
		Sans pied				Hericium, Steccherinum			

		Spores incolores	Spores blanches ou crèmes•	Spores jaunes ou roses•	Spores ocres ou brunes•	Spores violacées ou noires•
CHAMPIGNONS À ALVÉOLES OU FOSSETTES	Chapeau alvéolé ou à fossettes	Verpa	Verpa, Gyromitra	Morchella		
	Chapeau en selle de cheval ou en mitre	Helvella	Helvella, Gyromitra			
	Chapeau cérébriforme ou irrégulier					
	En forme de ballon ou en crâne				Calvatia•, Lycoperdon•, Scleroderma•, Daldinia•, Bovista•	
	En forme de massue	Mitrula, Leotia	Clavariadelphus		Clavariadelphus	Xylosphaeria•
	Arbustif ou buissonnant		Clavulina, Clavulinopsis	Calocera	Ramaria	
	En coupe ou gobelet / En forme de spatule	Helvella, Paxina, Discina, Scutellina, Aleuria, Helotium Caloscypha, Peziza, Sarcosoma	Helvella, Auricularia			
	Gélatineux et cérébriforme		Phlogiotis			
	Gélatineux et cérébriforme / En petites sphères arrondies	Tremella	Exidia	Dacrymyces		
	En petites sphères arrondies	Stereum			Hypoxylon•	
	En forme d'étoile				Geastrum•, Astraeus•	
	En forme de phallus	Mutinus, Phallus, Dictyophora		Mutinus, Phallus, Dictyophora		

Notes

Notes

Notes

Notes

Notes

Notes

Notes

ACHEVÉ D'IMPRIMER
CHEZ
MARC VEILLEUX,
IMPRIMEUR À BOUCHERVILLE,
EN MARS MIL NEUF CENT QUATRE-VINGT-DIX-HUIT